1795

Согласно статистике ЮНЕСКО, подтвержденной исследованиями Фонда Карнеги, читающие люди живут дольше нечитающих, больше зарабатывают и дольше сохраняют работоспособность. Те, кто прочитывают от двадцати до сорока книг в год, или примерно одну книгу в две недели, живут в среднем на 4,2 года дольше тех, кто не читает никакой художественной литературы вообще. Их доход выше на 27%, и они в среднем заняты общественно-полезной деятельностью, приносящей им средства, на 5,9 лет дольше своих не склонных к чтению соседей.

Ученые выделяют ряд основных причин, объясняющих эту разницу. Прежде всего это более активная деятельность центральной нервной системы, которую чтение поддерживает в тонусе, что сказывается на деятельности органов внутренней секреции: воображаемые мозгом при чтении жизненные ситуации активизируют деятельность всего организма, вплоть до неконтролируемых напряжений мышц в особенно «волнительных» местах. Чтение как тренировка мозга сказывается на сигналах, которые мозг рассылает по телу, как бы проверяя его готовность к тем или иным ситуациям.

Вторая главная причина – читатель чаще имеет высшее образование, что гарантирует лучшие материальные условия и высокий уровень медицинской помощи. Чтение – косвенный указатель на университетский диплом или стремление к нему. Причина же третья – к высшему образованию и высокому положению в обществе как правило стремятся люди энергичные. Именно эта энергичность и желание получить от жизни максимум толкают их к чтению как самому быстрому способу «прожить еще одну жизнь» и «побывать еще в одном мире».

И последнее: чтение помогает сохранить душевное здоровье и хорошее настроение, что является залогом жизненного успеха. Правда, для этого годится не любая литература: ученые рекомендуют книги, просто и энергично написанные, с оптимистическим мировоззрением, полезен увлекательный сюжет и очень приветствуются ирония и юмор.

М. ВЕЛЛЕР

СТРАННИК
и его страна

WITHDRAWN

АСТ
МОСКВА

УДК 821.161.1
ББК 84 (2Рос=Рус)6
В27

Серия «Странник и его страна»

Оформление обложки Александра Кудрявцева

Веллер, Михаил

В27 Странник и его страна / Михаил Веллер. — Москва: АСТ, 2014. — 511, [1] с. — (Странник и его страна).

ISBN 978-5-17-086174-3

Здесь скотогоны крадут гусей, на крыше Казанского собора пьют портвейн, советские граждане охотятся за дефицитом и издеваются над вождями; здесь романтичные строители Великой Империи любят, верят и жульничают, а золотая брежневская эпоха яснеет в дымке как прекрасный и ностальгический плутовской роман.

УДК 821.161.1
ББК 84 (2Рос=Рус)6

© М. Веллер, 2014
© ООО «Издательство АСТ», 2014

Я прощаюсь со страной, где
Прожил жизнь, не разберу — чью.

Евгений Клячкин

Куда бы ни пошел — везде мой дом,
Чужбина мне страна моя родная.

Франсуа Вийон

У [illegible] дома. Но только [illegible] после его смерти, я обнаружил, что Смо[illegible] на прекрасна и [illegible] Смоленщина [illegible] внутренней [illegible] и [illegible] оформилось [illegible] в имени [illegible] своими [illegible].

Я родился на Украине, [illegible] родины в [illegible] советских [illegible] с германцами. По кривому [illegible] [illegible] из [illegible] и [illegible] родина Украина [illegible].

Через два года отца перевели на Дальний Восток. [illegible] в [illegible] меня, [illegible] на [illegible] Бу[illegible] в [illegible] [illegible].

Отца перевели в Белоруссию, на [illegible] и звание, [illegible] школу в Москве.

И поступил на факультет Ленинградского университета, в Ленинграде мой [illegible] [illegible].

Потом много лет [illegible] меня по стране, и [illegible] между Тамбовом и [illegible], [illegible] и Крымом. Пространство [illegible] было [illegible] и [illegible]но, [illegible] и [illegible]. Но [illegible]

У меня нет дома. На седьмом десятке, вступив в возраст старейшин, я обнаружил это. Свобода прекрасна и пуста, как бесплатная квартира. Странное чувство внутренней неуютности и незавершенности оформилось вот в такие слова. За словами жизнь.

Я родился на Украине. Отец дослуживал после войны в Группе советских оккупационных войск в Германии. По кривому булыжнику каменец-подольской улочки шла из бани курсантская колонна и пела: «Белоруссия родная, Украина золотая!»

Через два года отца перевели на Дальний Восток. Полковой гарнизон стоял в тайге, потом в забайкальской степи, потом на станции Борзя. Там я пошел в детский сад и в школу, вступил в пионеры и в комсомол.

Отца перевели в Белоруссию, на очередную должность и звание, я учился в восьмом классе и закончил школу в Могилеве.

И поступил на филфак Ленинградского университета: в Ленинграде жил дед, там лежали на кладбище несколько поколений отцовского рода.

Потом много лет энергия молодости мотала меня по стране, и не было внутренней разницы между Таймыром и Ташкентом, Камчаткой и Крымом. Пространство жизни было едино и стабильно, его хотелось взломать и переиначить. Но гра-

ницы стереглись на замке: обреченность, уверенность и покой перетекали друг в друга.

Уже за тридцать я переехал в Эстонию издавать первую книгу. Выгоды местного колорита подчеркивались государственным единообразием империи. Целостность ее ткани была плотней парашютного шелка.

Мне близилось сорокачетырехлетие, когда Союз распустили — лезвием по швам. Крушение крепостных преград выглядело не так, как грезилось узникам в удушье. Патриотизм объявили убежищем негодяя, и у каждого негодяя объявилось собственное убежище. Братство тюрьмы народов сменилось отчуждением всех против всех.

Мы ненавидели кретинскую демагогию кремлевских старцев и мечтали дожить до развала СССР с его запретами, ложью и скудостью. Но как само собою разумеющееся полагали дружбу народов, расцвет наук, праздник искусств и взлет экономики. Потому что настанет свобода, а свобода — это правда, это возможность делать то, что ты любишь, это счастье и справедливость.

Но миром правят циники, эгоисты и реалисты. Меняется лишь форма их деятельности.

На Украине, где я родился, (вместо этого предписали было говорить «в Украине»), отшумела революция, народ на киевском Майдане скинул президента-вора, в разламывающейся стране разгорелась «этническо-гражданская война».

Белоруссия, где я кончил школу, называется Беларусь, ее правление называют диктатурой, и Россия требует от ее президента продать русскому бизнесу все ценное в стране и обвиняет в иждивенчестве.

Эстония, где вышли мои первые книги и я вступил в Союз писателей СССР, где я женился и ро-

дилась моя дочь, сегодня член Объединенной Европы и НАТО, и в России поминается исключительно как пристанище недобитых фашистов и угнетателей русского меньшинства.

Советская Средняя Азия, где я легко и счастливо бродяжил, впала в ислам, феодализм, средневековье, нищету. Ереван, где впервые был в журнале напечатан мой рассказ, стоит без топлива, полуобезлюдевший, отрезанная от России Армения зажата между Турцией и Грузией.

Родное Забайкалье встретило меня зияющими почерневшими коробками опустевших военных гарнизонов. Пусты мясокомбинаты и элеваторы. Импорт.

Родной Ленинград называется Санкт-Петербург. В нем изуродован Летний Сад (чтоб у них руки отсохли). В нем интригуют сносить здания исторического центра: бизнес превыше всего. В университетских вестибюлях — секьюрити и рамки металлоискателей.

По вечерам я звоню старым друзьям: меньше в Минск, Вологду и Читу, больше в Нью-Йорк, Лондон и Париж. Звонить теперь свободно; уезжать тоже.

Земля! Земля! Я Хабибулин — кто я?.. Кто я? — Ты сокол. Твою мать. Сокол ты, понял?..

Вот уже двенадцать лет я живу в Москве. Я купил квартиру. Здесь выучилась дочь. У нас завелась кошка. У меня никогда не хватает времени и на половину всего, что нужно сделать. Звонят два телефона.

Отчего же так грустно генералу Черноте, доцент?

Лучший на свете город — мой родной Ленинград. Нужно увидеть мир, чтобы оценить его. Хотя для любви это не обязательно.

Я в нем не живу. Потому что лучшие люди на свете живут в Москве. Худшие тоже, но ты не обязан любить всех. В этом грандиозном и отвратном мегаполисе творится все главное.

И вспоминаю, что когда-то мечтал прожить жизнь в Ленинграде. Когда-то мечтал уехать в Нью-Йорк. И когда-то мечтал построить к старости собственный дом, хороший и красивый, в хорошем месте, — а сейчас при мысли о коттедже в престижном пригороде меня тошнит.

Мои года — мое богатство.

Понимаете, память у меня, наверно, хорошая. Так я и продолжаю жить во всех местах, где жил, во всех временах, когда это было. Странник, играющий под сурдинку.

Мой дом — это моя семья и письменный стол.

Мой дом — моя память.

Возможно, в КГБ — или в магазине наглядных пособий — для меня просто не оказалось второго глобуса.

Я живу всю жизнь с ощущением, что закончив эту работу мне необходимо переместиться в другое место к другой работе, другому образу жизни, — они меня уже ожидают. Доперемещаюсь. Ну-ну.

Пампасы

КОЛХОЗ

Дорога в жизнь начиналась с водки с картошкой. Водку пили, картошку собирали, совмещение этих занятий называлось счастье труда.

На этой дороге меня и сбил автобус. Мы шли по обочине с поля на обед и любили Чехова. Чехов гениально сказал об идиотизме сельской жизни.

Автобус смахнул меня по касательной в левый бок и плечо. Я осознал толчок и полет, открутил высокое сальто и пришел на бок, сгруппировавшись. Когда я вскочил, зеленый автобус небыстро удалялся, вихляя. Потом мне сказали, что он был желтый с синим низом. Наложение цветов.

Во-первых, штаны у меня лопнули с боков по швам, и отворились спереди до колен, как отстегнутые флотские клеши. И я пошел, держа штаны руками. Во-вторых, я упал головой в двадцати сантиметрах от здорового валуна, и еще долго переживал. В-третьих, судьба посулила, что нет мне добра от сельскохозяйственных работ. В-четвертых, вместо обеда меня тошнило.

Колхоз предавался трем занятиям: а) спивался, б) разбегался, в) выполнял план. С первыми двумя пунктами он успешно справлялся сам, в третьем требовал помощи. Народ бросали на помощь. Вдохнув сельского воздуха, народ начинал спиваться и разбегаться.

Итак, по утрам бригадир ставил нам дневное задание. Корячась носом книзу, нерадивые рабы ковыряли из борозд картошку и бросали в ведра. Начиналась изжога. Сельский пекарь был редкий умелец. От его черных глиняных буханок аж скрючивало. А с наклоном жгло душу от пупка до ноздрей.

Наполненное ведро высыпали в ящик. Полный трехведерный ящик опорожнялся в тракторный прицеп. Это был небольшой, полутонный кузов. А трактор был типа мини-«Беларусь». Садовый ДТ-20. Простая колесная машина.

Это была дурацкая работа по дурацким расценкам. У земледельца вообще мало шансов разбогатеть. Но поправить свое положение можно.

— Пацаны, накидайте-ка мне кузовок картошечки получше, — сказал тракторист нам троим. Мы с Вовкой и Серегой держались вместе и в слабосильной команде делали что труднее. — Почище там, поровней!

И заржал. Он был рыжий, его звали Васькой, он был всегда поддат и всегда ржал. Иногда он ложился на полчаса поспать в траве у поля, а трактор вел по борозде от ящика до ящика один из нас. У руля ходил огромный люфт, а остальное примитивно.

— Вон там давай, там с верхнего края она посуше! — указывал и командовал он.

Кому и тракторист начальство. Работяге по фиг дым. Накидали и забыли.

И вот вечерняя идиллия. Кусты, пруд, закат, деревянный дом на холме. В кустах сырость, пруд воняет, в доме на нарах лежим мы, соломенные тюфяки пролеживаем. Небогатый ужин внутри бурчит, не может перевариться. Заходит один:

— Там к вам пришли. Зовут.

— Кого — зовут?

— Говорят — Мишка, Серега и Вовка.

Отродясь к нам в этой деревне никто не приходил. Бить? Так мы и на танцы не ходили...

— Возьмем-ка лопаты, — рассудил Серега. — Не помешают.

И мы с лопатами наготове крадемся на полусогнутых. А за кустом сидит наш Вася и ржет:

— Так копать понравилось, что и за стол с лопатой?

Он распахнул ватник, как петух крылья, возвещая заветный час. За пояс были заткнуты четыре бутылки. Так матросы бросались под танк. Мы не поняли, откуда что зачем.

— Так картошка! — ржал Васька. — Старушке ссыпал в подпол, Егоровне! Считай, по два рубля мешок. Двадцатку дала. Я уже одну выпил. И похмелиться оставил. А это ваше. Вместе. Вы чо?

Мы растроганно впечатлились. Возбудились. Сгоношили закуску: хлеб, огурцы и томатную пасту. Газету подстелить и кружку на каждого.

Васька развел пузырь на троих, а себе по донышку:

— Пацаны, это вам, я уже!

Звяк, бульк, кряк, хэк! Хорошо пошла! Кто как, а я сто пятьдесят залпом пил впервые. Этот молотовский коктейль назывался «Охотничья» и градусов имел сорок три оборота.

Мы хрустнули огуречно, зажевали черняшкой, омокнутой в томат, и улыбнулись друг другу в теплом и ласковом мире.

— Хорошо пошла! — ржал Васька, и мы закурили, вмазавшие мужики после работы.

Дальше произошло неожиданное.

— Между первой и второй — промежуток небольшой! — объявил Васька и развел вторую бутылку.

Мы-то думали, что три оставшиеся он отдаст нам

так. И мы распорядимся добром когда захотим. И отнюдь не сразу.

Наш матерый механизатор взялся за дело всерьез.

— За все хорошее! — провозгласил он, и мы выпили.

Пить оказалось делом нехитрым. Но мысль о последствиях пугала. Это была последняя отчетливая мысль.

Оказалось, что мы обсуждаем политику и проблемы сельского хозяйства. Расценки низкие, на трудодень хрен целых шиш десятых, начальство все берет себе, а народ ворует все остальное. А народ у нас — никого ничего не колебает.

Искусство создало идеальных тружеников. Они кормили страну.

Они работали тяжко, пили много и старились рано.

Но они верили в завтрашний день.

— Васька, а у тебя почему трактор без аккумуляторов?

Трактор он если глушил, то всегда на взгорке, и заводился на свободном ходу.

— Да не дают мне аккумуляторов.

— Почему?

— Да я с аккумулятором вообще весь колхоз разворую! — ржал Васька.

Третья бутылка не напугала нас совершенно.

— Пацаны, молотки, по-нашему держим!

У Сереги в руках образовалась битая гитара, собранная им буквально из щепок, найденных в кустах за клубом:

Мы с миленком целовались
От утра и до утра,
А картошку убирали
Из Москвы профессора! —

со старательным чувством орали мы, поддавая удали на матерных строках.

Мы обнимались и хотели все быть трактористами, а Васька убеждал, чтоб ноги здесь никого не было.

Из последней бутылки наливали какой-то девице, она тянулась к Васькиному плечу и бесконечно канючила:

— Ва-а-ся-а, ну возьми меня на блядки!

— Уйди, дура!

— Ва-а-ся-а, ну пожалуйста-а, возьми на блядки разо-о-очек!..

Негодяй-Васька выставил пятую бутыль огненной воды. «Охотничья» была рыжей; как его чуб. Она таилась за ремнем на спине. Мы поняли, что смерть настала. Выпили и осознали смысл жизни в том, чтобы покататься на тракторе.

Мы разогнали его бегом, втроем вспрыгнули за руль, и через двадцать метров легли в кювет. Мы хохотали на всю ночную округу. Подошел Васька, отбрыкиваясь уже от двух девиц. Он пользовался успехом.

Я заблудился. Я чеканил строевой шаг туда и обратно по отрезку дороги, который вел из ниоткуда в никуда. Для поддержания сознания я орал строевые песни. Посередине моего маршрута плескалась лужа. Пересекая лужу, я опускался на колени и умывал лицо холодной водой. Последняя неубитая извилина в мозгу проводила реанимационные мероприятия.

Ночью я проснулся на нарах от жажды. Переполз в кухонную пристройку. Там наши уже кипятили чай на жестяной печурке. С такими лицами выползают из газовой камеры.

— Все муки ада!.. — сказал Серега.

— Долбаный колхоз!.. — сказал Вовка.

— Даже краденое пропить толком не могут!.. — сказал я.

До утра мы икали, рыгали, стонали и поздравляли друг друга с чудесным спасением.

Назавтра нас определили дергать турнепс. Бледный корнеплод упирался в земле, как противотанковая мина, и вылетал с бутылочным чмоком. Менее всего он напоминал что-либо съедобное. Им хотелось дубасить по голове ботаника, который его изобрел.

— Страшный сон, — сказал Серега.

— Хоть кормят досыта, — сказал Вовка.

А потом похолодало, мы ссыпáли картошку в бурты и укрывали соломой, и если зимой ее не съели кабаны, и до весны она не померзла и не сгнила, то это ее, картошкино, счастье.

ЯРОСТНЫЙ СТРОЙОТРЯД

КОЛОННА

А это неплохо смотрелось. Возникало гордое гвардейское чувство.

Каре на Дворцовой площади размыкалось. Четырехтысячная колонна вытягивалась по середине Невского. Серая форма отблескивала серебряными пуговицами на погонах и карманных клапанах. Тельняшки и ремни придавали шествию настроение колониальной морской пехоты. Шевроны на рукавах пестрели геральдикой.

Оркестр в голове гремел маршевой медью. Милицейское оцепление держало тротуары. Ура, и в воздух чепчики бросали!

На Московском вокзале эшелоны стояли под парами. Комсомольские боссы рубили речи с переносных трибун. Опергруппы с красными повязками рассекали массу, сдвигая строй. Отряды ровнялись перед вагонами.

— ...авангард коммунистической молодежи!..

— ...всегда в самых трудных местах...

— ...наш труд Родине!..

С детства эти призывы успели нам надоесть. Но сейчас в них вновь ощущалась какая-то правда, и эта правда была наша. Слова переставали звучать пустыми и наполнялись смыслом предстоящих дел. Такие дела.

На юг, на север и на восток отстукивали составы тысячи километров. Это была наша страна, и в нее ложился наш труд. Приходила проверка: мы были нужны, мы были хозяева, и мы тянули эту пахоту. Рубль, заработанный потом и мозолями, надежней золотого.

Мы знали без лозунгов, где пойдет хлеб, нефть и урановая руда по нашим дорогам. Каждая шпала, каждый кирпич и вынутая лопата грунта шли в общий зачет дела, которому мы служим.

Лица примеряли суровые выражения первопроходцев и работяг.

Никогда потом мы уже не были такими взрослыми, как в девятнадцать лет.

ГРАВИЙ

Состав гравия был ссыпан километрах в пятнадцати, его весь уже подобрали на подъемку и в бетон. Понадобились замесы на очередной мостик через сухое весеннее русло. Из мехколонны выбили семитонный «КрАЗ», и после завтрака мы с Жекой поехали искать гравий. Говорили, что километрах в сорока выше по насыпи застряли брошенные остатки.

Обычный трехтонный зиловский самосвал мы вдвоем накидывали за сорок минут. Этот «КрАЗ» мы грузили часа три, с оттяжкой посылая лопату в гору. Только рессоры проседали.

— Уж доехали, так привезем побольше, — приговаривал Жека.

— Пустыня ровная, дорога твердая, — соглашался шофер.

Шофер нас уважал. По дороге мы угостили его

термоядерной кубинской «Партагас» из сигарного табака. Он затянулся, выпучил глаза, перестал дышать и вильнул в сторону.

— Ни хрена студенты курят, — прокашлял он, стерев слезы.

Когда мы перевели дух и бросили наверх лопаты, а шофер оценил, что столько еще не везено, тонн десять нашарили, — солнце перевалило полдень. Мы обтекали и сохли в разводах соли. Хотелось пить — не то слово.

— Я еще подумал — чего они воды не взяли, — пожал плечом шофер. Он провел время, подремывая в тени под машиной, там протягивает воздух и прохладно.

— Да думали, чего там, одна машина... это быстро.

«КрАЗ» стронулся медленно и тяжко, плавно набирая инерцию. Так разгоняется гора на колесах. Рессоры стукали, просаживаясь и плющась.

Я узнал вкус жажды. Язык немного распух, и ему было неловко во рту. Скудная вязкая слюна несла тухлым сыром. Желание пить приобрело ощущение горчичника в груди и горле.

— Скоро дома будем, — ободрил шофер, срезая радиус колеи напрямик и въезжая в такыр. Перегруженный «КрАЗ» мягко продавливал корку все глубже, замедлял ход и опустился на дифер.

— Твою мать, — смекнул шофер. — Сели.

Мангышлакская пустыня поката, как стол. Такыры, пересохшие летом соляные озерца, созданы для гоночных рекордов. Растрескавшаяся белая корка держит сцепление лучше асфальта. Этот — недосох. Пятисантиметровый панцирь проломился, и колеса месили тугую бурую грязь, вязкую, как крем.

Мы обошли кругом место крушения и матом помогли шоферу газовать. Потом закурили и решили ловить помощь. Место проезжее.

И через четверть часа прикатил «зилок» с гравием! Он шел в лагерь лэтишников.

Мы продели ему трос дважды вокруг буфера, «ЗиЛ» врубил заднюю и стал газовать и тужиться.

— Давай! — орал наш из воющего в такыре монстра.

«ЗиЛ» взревел, уперся и дернул. Он обрел странный вид. Он стал голый, как женщина без юбки.

Погрузка гравия: два человека на машину, четыре тонны в кузов, двадцать две копейки тонна, десять машин в день. Однажды мы, грузчики, шарахнули горячей водки, и пустыня изогнулась радугой. Я с краю.

Мы упали от хохота. Уж очень дикий облик! «ЗиЛ» сдернул себе весь передок. Капот с буфером и крыльями, держась за наш трос, лежал на земле. А самосвал, с голым двигателем на голой раме при голых колесах, отскочил взад метров на десять.

— Хороший трос какой, — цинично оценил наш шофер.

— Вот такого я не видел... — отреагировал их шофер, заново знакомясь со своим аппаратом.

— Давай за раму заведем, — предложил наш.

— А себе за яйца заводить не пробовал? — поинтересовался тот.

— Оторвутся, земляк.

— Что и требовалось доказать!

Итого мы с Жекой вскарабкались в кузов, взяли лопаты и принялись сбрасывать свой кровный гравий вниз. Скидав полкузова, сыпанули дорожки под передние колеса, а остальное сгребли под крутящиеся задние. А «ЗиЛ» со своим непристойным голым передом, святой его водила, тащил нас задним ходом, заведя таки трос за раму.

«КрАЗ» облегчился тонн на пять, под колесами схватилась гравийная подушка, и мы вылезли. Помогли «зилку» пристроить облицовку и прикрутить хоть проволокой в дыры срезанных болтов. И поехали в лагерь ЛЭТИ. На ближайший водопой.

Они как раз кончали обедать.

— Чего ж — воды, — стрельнула глазастая-грудастая поваришка и набуровила нам по литровой кружке холодного компота. Райское наслаждение длилось секунду.

— Попить можно? — повторили мы, переминаясь.

Их водяная цистерна была вкопана за окном. Мы вытянули ведро и стали по очереди вливать в себя литровой кружкой. Когда ведро опустело, за окном маячили расширенные глаза. Цирк проездом: человек-конь!

Из чистого понта мы набрали еще ведерко и попили врастяжку. Вода плескалась в ноздрях.

Походкой беременных ковбоев мы переместились в наш «КрАЗ», геройски сделали ручкой и уплыли счастливые.

— Гравия жалко, — ругался я.

— Вернемся и выковыряем? — предложил Жека.

...Норма воды на погрузке гравия определилась эмпирическим путем: один самосвал — один час —

один литр. Пол-литра на нос. Нагрузил — выпил. Десять часов — десять машин — пять литров. С чаем утром-вечером и обеденным компотом — семь литров принял и не греши.

ЦЕМЕНТ

Самая прелесть — это разгрузка цемента россыпью. Откатываешь дверь вагона — а там дощатый бортик и цемент по пояс. И сразу молочный привкус в глотке. Влезаешь, утопая в сером порошке по колено. И совковой лопатой, предельно медленными аккуратными движениями, пересыпаешь цемент в подогнанный вплотную самосвал.

Очки мгновенно запотевают, делаются серыми и непрозрачными, очки снимаешь. Щуришься, как чукча в пургу: моргаешь почаще.

Марлевый респиратор влажнеет, залипает цементными кляксами, дышать трудно, бросаешь к черту респиратор, стараешься дышать только носом.

Плюс сорок пять в тени, а на солнце у градусника нет делений выше пятидесяти пяти. Одежда мокрая, плотно застегнутый воротник трет шею, ткань под мышками и в паху делается как наждак. Снимаешь все к черту, остаешься в кедах на босу ногу и плавках.

Когда перекуриваем в тени самосвала, наблюдаем струение белесого дымка из дверей вагона. Будто легкий пожар курится. Это движение воздуха снимает и рассеивает мельчайшую взвесь.

Выгружаем только на одну сторону, противоположные двери закрыты от сквозняка, а то все разнесет.

Когда у дверей стекающий цемент выбран до пола, отбиваем доски с дверного проема и помещаемся в две пары с носилками. Один лопатой насыпает, двое несут и осторожно опрокидывают в самосвал. Шофера считают рейсы: сколько еще?

В вагоне шестьдесят тонн цемента, но эта мысль отсутствует. В кураже и браваде сплевываешь цементом, сморкаешься цементом, смаргиваешь цементом, и все скалят серые зубы. Работа нетяжелая. Но дурная. Чего ж приятного.

Вечером долго толкаемся под струей воды из бочки, проковыриваем все места. Мыло по серой коже мылится плохо. Трем друг другу спины.

Если глаза красные — лучше промыть: закапать новокаина, когда щиплет, или альбуцида. В аптечке есть.

А потом — садимся за кухней на дрова, в свитерах и всем теплом, каждый с чайничком горячего чая и кружкой. И пьем с сигареточкой свои три литра обжигающего и сладкого. Пот пробил и льет. Если промокнуть свежим полотенцем — след сероватый.

— Цумент выходит!

Иначе ты его из кожи фиг выгонишь. Месяц будешь шелушиться, как запаршивленный.

ЧЛЕН РАЙОННОГО ШТАБА ТОВАРИЩ ФУРНИКА

Дело было поставлено. Областной штаб руководил районными, а районный руководил нами, а лучше б они все провалились. Делать им было нечего. Они давали общие указания и писали отчеты.

Районный комиссар, он же штабфюрер, посетил нас единожды: сообщить, что Волга впадает в Каспийское море, поэтому мы должны с честью нести. После чего отметил галочку в блокноте и отбыл на «газике», подражая манерой маршалу Жукову, приказавшему расстрелять командование Западного фронта.

За себя он оставил члена районного штаба Фурнику. Если бы Геббельс не хромал и не умел говорить, он был бы похож на Фурнику. Фурника был тщедушен, глуп и необыкновенно патетичен. Свой штабной долг он видел в обличении нашего несовершенства. Он норовил наезжать к нам еженедельно. График составил, тварь болотная.

На лагерной линейке под флагштоком красовалась вывеска: «ССО "Викинг"». Буквы «СС» были очень большими, а «о» очень маленькая, можно сказать, почти даже незаметная. Вот под этим СС «Викингом» товарищ Фурника полчаса бился в падучей. Он вопил о политической диверсии, а мы о том, что название включено в список отрядов, и пускай согласовывает с областью и ЦК, пока не посинеет: без приказа не переназовемся, а переписать — краски нет под рукой, пересохла от жары.

Бригада филологов слушает комиссара и с наслаждением матерится на всех языках: уличить португалистов со шведами и албанистами невозможно, они цинично уверяют, что это приветствия в поддержку.

Перед палатками мы воткнули таблички с названиями бригад. А перед палаткой девушек так и значилось: «Девицы». У этой таблички товарищ Фурника покраснел и какое-то время молчал. Потом он полчаса нудил и мотал нервы нашей отрядной комиссарше. А у нее были три стройки и медаль «За освоение целины». И она его посылала деловитым матом, а мы аплодировали за стенкой штабной палатки.

Однажды умная голова прислала нам по дотянутым рельсам вагон саженцев. Типа «здесь будет город-сад». А здесь даже саксаул не рос. Из этих саженцев мы делали вечером костер, если оставался дух сидеть с гитарой: они сгорали с искрами быстрее пороха. Да, так один саженец мы посадили перед палаткой корнями кверху. Что-то в этом было. Надо было видеть товарища Фурнику, пытающегося сформулировать свое возмущение! Он аж пыхтел, он чувствовал некий непорядок на идеологическом уровне, он дергал этот саженец, как Жучка за репку. Не знал, что мы его в ямке куском рельса придавили для устойчивости.

Однажды он довез директиву Центрального штаба: бород не носить! Бриться всем! Петр Первый. Проснулся. Ожил. А где ж тройная перцовая, спросили образованные мы? Наш Борода, Володя-аспирант, сущий леший, тут же вернулся с финкой и стал демонстративно брить грудь. Мы сказали Фурнике: пусть везет бритвы откуда хочет, у нас их нет. И бреет нас пусть сам, у нас руки дрожат. От работы. Это же они там в штабе ни хрена не делают. Потом две недели не брился никто.

И вот завхоз Толька Колесников, который на машине шустрил по округе в поисках разнообразия к жратве, привез откуда-то ежика. Ежика полюбили, как дитя родное. Дежурный по кухне наливал ему разведенного порошкового молока и бросал морковные очистки. А если пригоняли от рефрижератора мороженую тушу, стремительно раскисающую на жаре, ежик лакомился котлетным фаршем, просто обожал.

Но. Это не кошка. Он оставлял лужи где попало. И кухня за ним беззлобно подтирала. И как-то повариха, беря тряпку, сказала:

— Ну просто назло, вредитель какой-то, опять.

На что вторая сказала с настроением:

— Член районного штаба товарищ Фурника!

И — все. Любимому существу — любимую кличку. Сетовали на тупость товарища Фурники, на то, что он сует морду прямо в блюдце, что от него никакой пользы и вечно он путается под ногами.

А товарищ Фурника был не в курсе. И, приезжая, не понимал, почему фраза:

— Приехал член районного штаба товарищ Фурника! — вызывает смешочки. И почему его норовят титуловать полной должностью. И повторяют приказ с радостью:

— Раз член районного штаба товарищ Фурника приказал обложить линейку кирпичом — сделаем!

И вот он приехал с серьезной миссией, не рассчитывая на хорошее. Бездельники из ЦК спустили директиву всем отрядам начислять заработки по принципу отрядной коммуны. Всем поровну. А никто не хотел, нигде. Все стояли за коммуну бригадную, как и было. Бригада упирается вместе, организует себе работу, вырывает себе объект получше, в бригаде все друг друга видят и знают. Заработок бригады делится на всех поровну, однако вводится коэффициент. Лучшие работники общим решением получают 1,2, худшие — 0,8. И это справедливо.

И вот Фурника нам внушает, что надо быть сознательными и делить все отрядной коммуной. А мы трясем красными Уставами ССО ЦК ВЛКСМ и кричим, что не фиг нарушать устав, там ясно написано: на усмотрение общего собрания отряда. И не суйтесь. То есть диспут зашел в тупик.

И тут из кухни девичий крик:

— Фурника, ты что же, гад, делаешь!! Товарищ член районного штаба долбаный!!

Немая сцена. Столбняк. Из кухни:

— Чего Фурника опять натворил?

— Этот член штаба хренов залез с ногами в котлеты и там нассал!!

— А тряпкой ему по морде! Пока не свернулся.

У Фурники выпрыгнули глаза. Волосенки дыбом. Рот ромбом, пульса нет.

Все повалились друг на друга в стонах оргазма. Счастье было слишком большим. Нечем дышать. И только потом заревели хором и гоготали на все голоса, топая, дрыгая, хлюпая и умирая.

Товарищ Фурника сказал, что это идеологический выпад против Партии, которая руководит комсомолом и учит соблюдать дисциплину и уважение к вышестоящим органам. И уехал.

Вместо него приехал райштабфюрер, районный комиссар. Разговора о коммуне он не заводил. Он очень вежливо попросил нас быть осторожнее и умнее. И чтобы наша комиссарша поехала извинилась перед Фурникой. А то он пишет бесконечное письмо прямо в ЦК.

— Люди бывают всякие, — мирно сказал он и вздохнул с намеком.

А потом попросил показать ему нашего Члена районного штаба товарища Фурнику.

— Да дайте вы ему человеческое имя! — сказал он, подумал и стал смеяться вместе со всеми.

СКОРПИОН

Снеткова укусил скорпион.

— Свояк свояка видит издалека, — сказали мы.

Дурацкие забавы заразительны. Скорпионы были маленькие, бледненькие, тельце с пятнадцатикопеечную монету, хвостик как членистая спичка. Больше всего они хотели, чтоб их оставили в покое, и прятались от нас всеми способами. Фаланги выглядели упитанными и пытались скрыть свое уязвимое благополучие в норках поглубже, откуда юные натуралисты их бессердечно выковыривали.

Они ядовиты весной, в брачный период. В июльскую жару бодрость у них уже не та. Днем они вяловаты и шарахнуты, оживают и пытаются поесть что бог послал в ночной прохладе.

Молодецкой удалью было взять скорпиона за хвостик, подоить набухающий микрокапелькой коготок в первый попавшийся предмет, а потом посадить на ладонь и смотреть, как он в ужасе ждет дальнейших событий. Или прихватить фалангу поперек туловища, опустить на руку и препятствовать ей, медленно путающейся в своих восьми кривых ногах, вернуться на родной песок. Девушек такие шутки впечатляют.

Снетков нас не одобрял. Он всю бригаду ни в чем не одобрял. Он был моральный миссионер и агрессивный гуманист.

Если кинуть в стеклянную банку фалангу и скорпиона, то почти наверняка мощный паук своего грациозного врага слопает. Там здоровые челюсти и ловкие передние лапы. Я же говорю, дурацкие забавы.

А Снетков вечером, если не падал с ног, заговаривал кого-нибудь из девиц на дрова у кухни и там в темноте развешивал перед ней свой эрудированный гуманизм.

Он развешивал гуманизм, а скорпионы по холодку бегали за пропитанием. И один, от трудностей пустынной жизни, решил пропитаться снетковским пальцем. Теплый, неагрессивный, в меру небольшой, лежит на полене без дела. Скорпион намеревался обездвижить палец, и тяпнул его своим коготком в самое нежное основание, в перепонку межпальцевую. И остался голодным.

Потому что Снетков вскрикнул, дернулся, забеспокоился и поднес палец к носу; но ночью в пустыне слона не разглядишь, не то что укус скорпиона. Он побежал на кухню к свету, разобрал проткнутую точку в середине покраснения, и закричал тревогу. Гад клюнул!

Грязные, рваные, усталые, с лопатами. Гордые, счастливые, у черта на куличках. Плевать, что делают, но это необходимо и почетно.

Да это просто символ всех великих советских строек!

Мы обрадовались. А то: пустыня — и никто никого не укусил. Сбежались и стали применять навыки выживания. Насчет отсасывания яда скорпиона мы были не уверены. Кричали, что скорей скорпион снетковской кровью отравится, умирать поползит. Скрутили Снеткова, зажали руку, сунули меж пальцев уголком безопасного лезвия и выдавили скупую кровь. Потом погасили в ранку сигарету. И затруднились в дальнейшем.

Снетков утверждал, что рука распухает и немеет. А вдруг его змея укусила? А почему однозубая? Старая. А почему ранка маленькая? А маленькие змеи самые ядовитые. Сыворотка? Где, от кого? Хором кричат народное средство: водка.

Погнали машину в участок, нашли продавщицу железнодорожной лавки, закричали открывать, она дала две бутылки из-под кровати. Пока везли, одна исчезла.

Трезвенник Снетков сосал бутылку, как младенец грудь Мадонны. С вечным спасением души на бессмысленном лице. Так и заснул с улыбкой.

И неделю мы работали ему на бюллетень. А он исправно жрал трижды в день и спал в перерывах, кося под больного.

Рука, кстати, распухла как бревно. Аллергия у него на скорпионов была, что ли.

КИРПИЧИ

На четырехосной платформе помещалось шестнадцать тысяч штук кирпича, сложенного продольной пирамидой, четыре платформы — шестьдесят четыре тысячи, нас было шестеро на две платформы, а работяг из строительно-монтажного поезда — трое на другие две, мы встали вшестером по цепочке и складывали кирпич на грунт метровыми кубами, а они швыряли сверху в кучу, а потом закладывали ее с краев стенкой тоже в кубы, кирпич в середине ломался и бился, зачем же так, спросили мы, а они сказали с презрительным сожалением: так вы ничего не заработаете, ребята, кому на фиг надо его так складывать;

так он же битый, сказали мы, а вам чего, больше всех надо, сказали они, у них получалось вдвое быстрее разгружать свои платформы, да в рот я твои деньги, просипел Славка Баранов, он был здоровый и злой, они побубнили и не стали с нами связываться, ребята, мы же все-таки студенты, сказала Танька Тюханова, и мы демонстративно закурили и стали складывать вообще ювелирно, упираясь со всей скоростью, а аспирант Славка Баранов, недорезанный викинг-альбинос, не курил, в перекурах распрямлял поясницу сверху на платформе и горланил хрипато: несутся составы в саже, их скорость тебе под стать, в них машинисты всажены, как нож по рукоять!

ФАКЕЛЬНОЕ ШЕСТВИЕ

Самая северная железная дорога в мире — Норильск — Дудинка. Ее клали стройбаты к 50-летию Великого Октября. От сдачи в срок зависел дембель. Качество соответствующее.

Это 69-я параллель. Снег ложится в сентябре. Вечная мерзлота.

В июне верхний метр оттаял, насыпь просела волнами, рельсовые пролеты повисли в воздухе. Социалистический сюрреализм.

Мы вели подъемку. Просыпку, пробивку, рихтовку, штопку. Когда ломался компрессор, вместо вибратора били чуркой. Когда не давал детальной точности огромный японский бульдозер, гребли студенческим: один упирается совковой лопатой в гравий, а двое тянут за концы провода, привязанного к ручке над совком.

Так вдобавок раз в неделю дрались со стройбатом, стоявшим дальше к порту. Классовая вражда:

прораб заставлял их переделывать, сравнивая с нами. А они посильно халтурили под дембель в сентябре.

И чрезвычайно раздражал сухой закон. Здесь тебе не пустыня: чем предохраняться? Дождь, хмарь, мокрые ноги. Поэтому пили спирт: одну бутылку спрятать легче, чем две с половиной. Поллитра питьевого магазинного на четверых — и потеплело. И дешевле выходит, кстати.

От этой жизни мы к концу работ засуровели. Под аккорд приходилось ломать и двенадцать часов тоже. Подустали, огрубели и озверели. Еще и жрать вечно хотелось — чего-то со снабжением не додумали, мало было. И спалось в полярный вечный день беспокойно.

В последний вечер мы сложили костер из лопат и носилок и злобно пели: «От злой тоски не матерись, сегодня ты без спирта пьян». Поддали и упали. И утром уехали по штопаной рихтованной дороге в Норильск.

Мы полагали что? Погулять по цивилизации, посидеть в кафе, поклеить девушек, возможно даже сходить в кино. А к вечеру — в аэропорт — самолет — Ленинград. Здравствуй Невский, здравствуй Кировский, альма твою матер. Но было над нами культурное руководство.

Никто и ахнуть не успел, как под лозунгами культурно-спортивного праздника ССО всех загнали на городской стадион. Пара-тройка тысяч рыл со всего Таймыра. Ленинградские, московские и красноярские отряды.

А над стадионом — приветствие размером с дирижабль: «Ударно поработал — культурно отдохни!» И нас культурно строят по четырем сторонам полужиденького футбольного поля. Равняйсь — смирно. «А сейчас откроется праздник чего-то северного и посвящение всех в заполярники». Или иная подобная глупость.

Однако приближается вертолетное стрекотанье. Показывается вертолет, нарядно раскрашенный в бело-голубые цвета санавиации. Зависает над стадионом. И явно намерен садиться прямо на поле промеж нас.

Аппарат тяжелее воздуха — это всегда романтично. И когда он приземляется вот рядом с тобой — это завораживает. И мы, задрав головы, следим и радуемся.

В лица подул сверху ветерок, и этот ветерок крепчал. Лопасти свистели, мотор гремел, вертолет оседал в воздухе, как яйцо с крысиным хвостом. Вихрь рвал волосы, широкий смерч закрутился на стадионе, под вертолетом вздымалась пылевая воронка, полетели брызги, комья грязи залепили нам форму и лица, ураган сек глаза мелкой дрянью, мусорная взвесь рвалась в легкие и забивала рот. Вертолет сел и заглушил двигатель. Тогда стад слышен звук, и от этого вышел конфуз. Звук был хоровой, раздраженный и матерный.

Получать в награду за труд еще один кусок руды на подставочке — приятно ровно на то время, пока тебе его вручают. А потом не знаешь, как от него избавиться. Выкинуть жалко, применить невозможно, продать некому, дарить идиотизм.

Из вертолета вышла великовозрастная сексуальная Снегурочка и покачнулась от выражений. За ней выбрался Дед Мороз и показал кулак. В вертолет запустили камнем. Летчики в блистере виновато разводили руками. Праздник начался.

Сначала отличившихся награждали кусками никелевой руды на полированных подставках с геройской надписью. Мне тоже достался. На улице я подарил его девушке, пытаясь познакомиться.

Потом начальствующие уроды решили заставить нас спортивно бегать и прыгать, и мы спортивно побежали и запрыгали вон с их поганого стадиона, не интересуясь дальнейшими удовольствиями.

Кафе, столовые, рестораны и магазины Норильска были оккупированы стройотрядами. Норильск — матерый город, стоящий на костях зэков, он разное видал, но в тот день мы выпили там все, что лилось и горело.

А к вечеру праздника был назначен парад. Торжественный проход колонны по улице Ленина: центральной, как положено. А в начале и конце парада расчетливые негодяи назначили перекличку, и вот по этим спискам будут сажать потом в самолеты. А неотмеченных — в последнюю очередь, завтра-послезавтра. То есть: в начале улицы собрались все.

Перекликали и отмечали долго. Стало холодно и совсем холодно. Посыпался мокрый снег. Смеркалось. Стояли злые.

Подъехали два грузовика, и нам стали раздавать факелы. Палки как перекладины шведской стенки, на конце жестянка с ветошью, пропитанной мазутом. «Не сметь зажигать без команды!!!»

Мы околели, пока дали ножку в темноте. «Зажигай!» — скомандовали самочинные голоса вдоль колонны. Зачиркали спичками и стали прикуривать факелы друг от друга. Злость высекала оживление.

Настроение подскочило. Борьба за огонь! С факелами в крепостные ворота! Факельцуг! Лица в пламени, мрак по сторонам!

Мы выровняли шеренги по четыре и даже ударили шаг, оттягивая носок и печатая всей подошвой. Рука с факелом — впереди плеча. Неким образом спины выпрямились в прусской выправке. Левые руки сами собой легли на пряжки ремней. И звонкий дурашливо-молодцеватый фальцет взлетел:

— Айн, цвай, линкс! Линкс! Линкс!

И невидимый хор вторил глухо:

— Линкс! Линкс!

Самый счастливый отлет в нашей жизни: нас должны были посадить. Как минимум исключить из комсомола и университета и сдать в армию. На посадке мы поняли, что обошлось. Но в Ленинграде тряслись еще полгода.

Ноги били в асфальт, как пушечное буханье. Подбородок вверх, глаза вперед. Дымные тени факелов метались по стенам. Народ встал и смотрел молча.

И тут произошло неожиданное для нас самих.

Вдохновенный голос завибрировал и запел со злым восторгом:

— Зи-иг?..

И колонна рявкнула одной глоткой:

— Хайль!

— Зи-и-иг?!

— Хайль!!!

— Зи-и-иг???!!!

— ХАЙЛЬ!!!!!!

Город оцепенел. Мы маршировали, как на параде германской хроники. В единый дух, в единый шаг, в единый порыв.

— Дрожите, дряхлые кости!

— Народ! Партия! Вождь!

Образованные филологи и историки знали, что выкрикивать.

На углу киоск стоял близко к мостовой — его опрокинули и отшвырнули мигом. Сделавший замечание смельчак вмазался в стенку. Зазвенела разбитая витрина. Факельная колонна сметала все на пути. Именно так нам хотелось о себе думать.

Местная молодежь умирала от счастья и зависти.

В грозном молчании колонна продолжила шествие. Начальство задыхалось в истерике и бегало, меча пену. Но пресекать было уже нечего.

Мы били шаг через безмолвный город и знали за собой силу сделать с этим городом все, что захотим. Интересное чувство.

Потом гасили факелы в лужах, да сами уже гасли, и закидывали в грузовик; и выслушивали вопли, что охренели, из комсомола вон, всем молчать, если узнают в Ленинграде — сами понимаете. Потом в аэропорту спали на полу, на лестницах и подоконниках. Потом летели в Ил-18, молочно-сером от табачного дыма, на ощупь выхлестав все спиртное у стюардесс. Потом шлялись по солнечному Ленинграду с гитарами и бутылками.

Но это факельное шествие помнилось прочно.

КОНФЕРЕНЦИЯ

А потом все кончилось. Прошли комсомольские конференции, посвященные десятилетию студенческих стройотрядов. Принцип добровольности ЦК отменял. Свободное движение превращали в нудиловку, принудиловку и загоняловку на областные работы по инструкциям Партии.

Мы презрительно обличали уродов в актовом зале Университета — ветераны среди аппаратчиков. Мы были увешаны целинными и транспортными значками, и золотыми наградными комсомольскими, и орденские ленточки вплоть до Трудового Красного Знамени в рядах тоже были.

Потом нам давали строгие выговора и снимали с выборных комсомольских должностей. В моей учетной карточке пучился вкладыш. Первые две трети были исписаны благодарностями, последняя — взысканиями и предупреждениями. Невыполнение, неподчинение, непонимание, срыв инициатив и раскольническая деятельность.

Я вступил в комсомол в четырнадцать лет, первым в своем седьмом классе. В двадцать один я завязал. Чао, бамбино, сори.

Понимаете, ребята, только что пролег рубежом великий Шестьдесят Восьмой год. Вторжение в Чехословакию, сексуальная революция, студенческие волнения в Америке и Европе, закрут гаек в Союзе.

Верноподданность без уклонов объявили главной доблестью гражданина.

Вместе с коллективной свободой кончилась коллективная романтика. Тогда и была исчерпана духовная перспектива страны. Телевизору не верили, а достаток не мог заменить смысл жизни.

С тех пор я всю жизнь жил сам по себе.

Опергруппа ленинградского студенческого эшелона-1967: полковник КГБ Русинов, профессор истории Смирнова и сочинитель я (в очках) в перспективе и на крыше штабного вагона.

КАМЧАТКА

РАДИУС ДЕЙСТВИЯ

Я поспорил на ящик водки, что за месяц доберусь от Ленинграда до Камчатки без копейки денег.

За секунду до этого я о Камчатке не думал. И ни о чем не думал.

Все великие жизненные начинания имеют три причины. Первая: мало выпили, вторая — все осточертело, третья — хочется чего-то эдакого. Итак, мы гуляли в общаге, не хватило, деньги кончились. Это располагает к пессимизму.

Мы кончали третий курс, двадцать один год, юношеский кризис, мудрость веков плющит нежное темя, счастье лишь обман.

Должность оптимиста всегда доставалась мне по принципу игры в пятый угол: все остальные уже выразили пессимизм, и закон единства и борьбы противоположностей заставляет последнего надувать розовый шарик «Жизнь прекрасна!».

Любимый писатель филологов — Чехов с фразой: «Жить нельзя без одних только денег». Я любил деньги, не любил Чехова, пренебрегал обоими, шокировал общественное мнение, и злобно нападал, что все прекрасное в жизни бесплатно. Да что я без них могу? Да все я без них могу! Жить, есть, пить, любить, и даже... ну, передвигаться... докуда?! да до... Камчатки! и трах-тибидох по умным тыквам.

Камчатку я назвал просто потому, что дальше ничего уже не было. Границы были закрыты, пространство за ними нереально. Зато в границах — Советский Союз был вполне огромен. (Чукотка еще? Это малосерьезно и там рядом.)

Наутро подобный треп забывается без последствий. Но. Что у пьяного на уме, то у трезвого в натуре. Я запал.

Юности нужна цель. Она придает смысл если не жизни, то хотя бы ее данному этапу. Я сдавал сессию и готовился.

Я купил карту, всепогодные польские джинсы пролетарского вида за шесть пятьдесят, разносил туристские башмаки за десять рублей и позаимствовал у соседа армейский вещмешок с дембеля. В пряжку армейского ремня влил свинца и выбрал в магазине самый большой складной нож.

Никогда не бери в дорогу всего необходимого — бери то, без чего никак не сможешь обойтись. Куртка из кожзаменителя и свитер были увязаны проволокой в тонкие скатки. Большая кружка работала и котелком. Носки-трусы-рубашка — одни. Мыло-щетка-паста. Спички в водонепроницаемой обертке, лезвие, пуговицы, иголка, аспирин-анальгин-фталазол. У меня было все! Это все весило килограмма два и болталось в мешочке на одном плече. Если бы я руководил снабжением капитана Скотта, экспедиция вернулась бы с полюса живой и в шоколаде.

Июнь кончался, все разъезжались на практику и в стройотряды, общага пустела. Стипендия была добита без сожалений.

Первого июля Вовка Кузнецов и Алик Исаев проводили меня на Московский вокзал. Я сдал им на хранение шесть рублей с мелочью и показал карманы.

Заранее были высмотрены дешевые дневные поезда. Я примерился к тетке, которая ползла с двумя чемоданами и двумя сумками к общему вагону «Ленинград — Омск». Это такой-то поезд? Ребята, мне сюда. Вам помочь?

С теткиными чемоданами я влез в вагон.

— Вы провожающие? — уточнила проводница.

— Провожающие! — успокоили Алик с Вовкой, влезая следом.

Когда она прошла по вагону перед отправлением, выкликая на выход, они вышли, а я остался.

МЕТАНИЕ КАРЛИКА НА ДАЛЬНОСТЬ

Есть много способов преодолевать пространство, и все они прекрасны, пока тебе не дали по шее и выкинули вон. Необходима гибкая шея и легкий характер.

Для наилучшего способа нужен минимум денег и атлас железных дорог СССР. Атлас берегся у меня в вещмешке — мягкая обложка в пол тетрадного листа. Мелочи требовалось накалымить рубля полтора. Сдавать найденные бутылки и сшибать по пятачку у магазинов и вокзала.

По атласу выбиралась первая ближайшая станция. В расписании искался такой медленный поезд, который в этой глухой дырке на минутку остановится. И покупай общий билет! Кассирша уточнит малоупотребимое название и прищурится в справочник. Перегоны в Сибири длинные, семьюдесятью копейками обойдешься редко, но в рупь сорок уложишься всегда.

Ты загружаешься в вагон на законных основаниях, предъявляя проводнице настоящий билет. Лето. Общий вагон набит битком. Народ небогат. Ты растворился в пассажирской массе. Только ей и заботы, конечно, чтоб никто не проехал свою станцию. А ты еще помелькай, пошути, чаю спроси, это производит добропорядочное впечатление.

Прибейся к компании, втянись в разговор, закрепись в переменном вагонном коллективе. По ситуации тебя должны пригласить к закуске. Выпивка в раскаленном вагоне прекрасна не только сама по себе, но и своей демонстративной пахучестью. Если ты одарил проводницу, спотыкаясь мимо в туалет, блудливой улыбкой и горючим выхлопом, так ни одна же порядочная женщина не усомнится в правомерности твоего пребывания на ее территории.

Конечно, день на третий ты точно примелькаешься, и она поинтересуется пунктом назначения. Тогда ты называешь город, не можешь найти билет, трясешь документами и разводишь руками. Может выгнать на ближайшей. Может не выгнать.

Вообще главное, чтобы удержаться в поезде — это все время быть из другого вагона. Тебя здесь уже знают, у тебя компания, вы проводите время за картами и разговором. Осваиваешь вагона три, заводишь знакомых в каждом, и перемещаешься из одного в другой. Сеанс одновременной езды на пяти досках. В глубокой ночи надо забиться в темную щель. Поглубже на третью, чтоб ноги не торчали. Голову — на трубу отопления вдоль стенки под потолком: она в мягкой изоляции.

В дороге я разжился тройником, оставленным в открытой служебке без присмотра. Возможность открывать все двери всех вагонов этим универсальным ключом резко расширила возможности.

Я любовался собой.

В начале перрона я встречал дальний скорый и в проплывающих мимо окнах отмечал общие вагоны. Обычно они шли ближе к концу. Потом спрыгивал с платформы позади поезда, обходя его с другой стороны и прикидывая. Если подпрыгнуть и подтянуться на поручнях двери, цепляясь рифлеными ботинками за неровности металла, то отлично оказываешься снаружи тамбура. Открывай и входи! Левой рукой крепишься сверху за поручень, ребрами подошв цепляешься, правой рукой поворачиваешь в гнездах треугольник и бородку. Почти всегда открывается. Дверь отходит внутрь.

В неслужебном тамбуре на остановках пусто — все курят на воздухе и бегут в буфет. Увидел в стекло людей — прыгай и лезь в другой. Вошел, кинул мешок на третью полку и на ходу перешел в соседний вагон. Все: ты внедрился, ты здесь давно, идешь поесть.

Вагон-ресторан — прекрасное место для бесплатной езды. Если там очередь — тем лучше: дольше стоишь — дальше едешь.

В вагоне-ресторане можно продержаться целый день. Пьешь чай с бутербродом до посинения. Главное — не съесть. Чтоб лежал на виду надкусанный. Официант не обращает на тебя внимания, раз ты ничего не требуешь. Вам обоим лучше.

Здесь курят, здесь пьют, и за бутылкой пива вообще можно прожить жизнь.

Если запах кухни распалил голод невтерпеж — бери второе подешевле, сжевывай подольше весь хлеб со стола и перед станцией тихо линяй из поезда. Из-за твоей котлеты с макаронами за шестьдесят копеек официант бегать по составу не станет.

Если катит — заводишь беседу, в дороге человек

общителен, он склонен к излияниям и возлияниям. Попутчик — это исповедник, ему надо ставить и не отпускать, пусть только слушает, понимает, оценивает, сочувствует и уважает. Ты пьешь, слушаешь и уважаешь: колеса под полом тук-тук, тук-тук, и пейзаж мелькает в нужном направлении.

Лучше всего — подружиться за столиком и отправиться к попутчику в гости. Проводник: «А вы из какого вагона?» Попутчик: «А он из двенадцатого, у нас в гостях». А ночью в спящем общем лезешь тихо на свободную третью полку.

А можно попроситься к проводнице по-хорошему. По-честному. Может ведь и посадить под доброе настроение. Но если пойдет ревизор — велит исчезнуть или заплатить.

Можно на ха-ха подойти к тепловозной бригаде: «Ребята, вам стекла не надо помыть? А солярку покачать? А колеса покрутить?» Однажды я соврал, что учусь в техникуме на машиниста, меня взяли, потом в разговоре я стал сыпаться и сознался. Сначала оскорбились и обматерили, потом посмеялись и везли. Четыреста км однако!

Ехать на крыше — безумие. Не Гражданская война, и скорости не те, и крыши другие. Ветрище и пыль в глаза, и слой пыли с копотью под тобой. Однажды влез — и слез тут же. Доехал на торцовом скоб-трапе до первого разъезда, спрыгнул и проклял все. Не кино.

Если застрял на разъезде, или скинули там, — остается товарняк. Можно спросить у стрелочницы, или обходчика, или бригады, когда пойдет и докуда. Лучше всего в открытом порожнем вагоне, или с недогрузом леса или мешков. Не дует, и не видно тебя, и удобно. На платформе просвистит, на тормозной площадке тесновато. Но тоже комфортно.

Лязг сдвигающегося товарняка проходит волной

по всему километровому составу. Рывок интересно сменяется тут же плавным ускорением. Медленно едет, сердешный, и встает у всех столбов, как собака. Но везет! везет!

А когда не твой день, и денег нет никак и нисколько, и с поездом облом раз и другой, и товарняк пойдет неизвестно когда, — надо добираться до выезда из города и по-простому голосовать попуткам. Медленно, близко, зигзагами, — едут! В кабине тепло, сухо, сидеть удобно, можно курить и есть с кем разговаривать.

И ты осознаешь, что жизнь — это движение. А движение — это радость. Дорога вообще располагает к философии. Точка назначения придает дороге смысл, и смысл дороги делается смыслом жизни. А это чувство приятное.

БРАТСК

Не могу вот так прямо сказать, что в Братске меня хотели зарезать.

Формы слабоумия очень разнообразны. Например, полюбоваться братской плотиной при электрическом освещении. Братская ГЭС была стройкой эпохи. Всесоюзный символ романтики и победы нашей общей Родины. От Тайшета всего 300 км — чего не метнуться? Оттепель, космос, коммунизм, Братск. Ночь.

На меня глянули с хмурым прикидом, задали ритуальный вопрос о причине сожительства с клопом и вынули нож. Нож был очень красивый, хромированный, блестящий, изготовленный с явной любовью. Дальние электрические искры отблескивали на нем.

Какое кретинство, отметил я со стороны, и никто же никогда не узнает, если вообще найдут, концы в воду, не может быть, пацаны вполне нормальные. Я достал из кармана свою «лису», раскрыл и показал им.

— Чо здесь делаешь?

— Любуюсь Братской плотиной при электрическом свете.

— Ты еще поостри, сука!

— Он сам спросил.

— По морде хочешь?

— Большое спасибо. Это я всегда и дома могу получить.

— Чо здесь делаешь? Откуда?

— Из Ленинграда.

— Чи-во-о? Тебя спрашивают!

— Могу показать документы. И командировку.

— Как-кую на хрен командировку, тля!

— В «Камчатскую правду».

— Куд-да-а?..

Узнать стало интересней, чем бить. Через полчаса я сидел у них в общаге.

— Шамать хочешь? Выпить не осталось, извини.

— И как ты туда без денег доедешь?

— Слушай, а в Ленинграде вот вы в свободное время что делаете?

— Примерно то же, что и вы.

Им было неприятно поверить. Я неловко отработал назад насчет театров и музеев. Театры и музеи принимались с высокомерным презрением, но дружеским таким, небрежным. Необходимо держаться со мной как более значительные, а уж значительные — так во всем. Но под этим тихо вибрировали легкая зависть, и сожаление, и неполноценность сознаваемая собственная, в которой сознаться себе было никогда нельзя, и тоска легкая от этого всего. Нормальный пацаний циничный эпатаж, под которым нормальная пацанья чувствительность и жадность к жизни. Про танцы и девчонок, и хочется красиво.

Это я все думал себе в теплой интеллигентской разнеженности, потому что из другой комнаты притаранили добытую бутылку, мне накатили стакан водки — «чтоб донышко замокло!» — с бутербродом сверху на закуску, и я сразу окосел. День не ел и ходил.

— Ты не думай, мы так, погулять просто, да в общем скучно, пошутили просто.

Спросили, сколько стипендия. Пожаловались на маленькие заработки. Так а на фига вы здесь за такие деньги работаете? Усмехнулись.

Они были расконвоированные на условно-досрочное на стройках народного хозяйства. Все сидели ни за что, всех закатали несправедливо, только так можно было понять их фразы вскользь и реплики из скупого жаргонного набора.

Расконвоированные зэки, эти славные ребята, вместо драки еще и сфотографировали меня на прощание на крыльце своей общаги. Мало того: записали адрес и прислали фотку. Свободы им и чистой совести!..

Когда я стал обрубаться за разговором, меня уложили спать на шконку, как родного.

Рано утром они быстро собрались на работу. Со мной попрощались мельком, никому не было дела до чужого. Их улыбки и дружеские рукопожатия казались беглыми и о другом.

ШИКОТАН

Болтаюсь на иркутском вокзале, примеряюсь к проходящим поездам. Смех, гам, — вываливает цветник, весь перрон в девках. А, где, что, девушки — вы откуда? Хи-хи ля-ля, слово за слово, с собой не возьмете? А не боишься? Боюсь страшно, но мечтал всю жизнь. Так залезай.

Их было пятьдесят вербованных сезонниц. На Шикотан, рыбу шкерить. Каждую путину шикотанская рыборазделка принимала две-три-четыре тысячи женщин. Об этом бабьем царстве ходили легенды. Легенды преимущественно рисовали эротические ужасы.

Знаменитое было рыбное производство, дальневосточный центр.

Они вторую неделю ехали из ростовской области. Южные девчата, перегорающие от скуки. Свежим младшим по восемнадцать, матерым старшим за тридцать. От розовых щечек и до золотых фиксов. Атмосфера скептического и стоического женского родства. От хорошей жизни на Шикотан не вербовались.

В отдельном плацкартном вагоне пустовало несколько коек. Меня поселили наверх и отнеслись со всей церемонностью. Никакие вольности и близко не подразумевались. Меня кормили и везли для разнообразия жизни из доброты душевной.

Проводницу они затерроризировали, она слово боялась спросить.

Я развлекал благодарных слушательниц всеми позволенными способами. Рассказал все анекдоты, научил всем играм, поведал все истории и выслушал в тамбуре за сигаретой несколько повестей о жизненных разочарованиях. Судьба мешалась с вымыслом и умыслом, изменяли мужья, гибли парни и дети, заедали родители и светили деньги.

Поздно вечером они тихо пообсуждали, действительно ли я сплю там наверху, или навострил ушки на макушке: и по-женски перебрали все мои достоинства и недостатки, как они им представлялись. Это было безумно любопытно, но лучше бы я на самом деле спал и ничего этого не слышал. Я был более высокого мнения о себе как о мужчине.

Через сутки их сопровождающий, который пил в купейном через вагон, провел со мной мужскую беседу и высадил в Чите.

ПЕРВЫЕ ЛЮДИ НА ЛУНЕ

И вот я болтаюсь в общем вагоне, пробитом солнцем, сквозит мазут и туалет, лязг и полет сквозь пейзаж: уютный комплекс запахов и звуков привычен и приятен; здесь жизнь покоряет пространство: пьют и закусывают, травят анекдоты и исповедуются за жизнь, дорожная дружба ускорена, как скоростная перемотка; играют в карты, курят в тамбуре, храпят во сне и потеют; заплевано, залузгано, осалено и затерто, а вообще все надежно и отлично. Уважают друг друга, рассказывают о себе и оставляют адрес, выходя на своей станции.

Мужики допили и, свернув в газету объедки, оба ушли из-за бокового столика, сняв сверху свои чемоданы: уже тормозим. Я быстро переместился на это лучшее место: отдельное и у окна.

Поглазел на станционную жизнь... поплыли, загремели; в небрежной спешке к столу остался прилипшим лист жирной газеты: от скуки и машинально я пробежал строчки. Это были вчерашние «Известия», обрывок внутренней полосы. Блок международной хроники, фигня разная.

«21 июня американский астронавт Нейл Армстронг с достигшего Луны корабля «Аполлон-11» осуществил выход на лунную поверхность».

Три строчки. Между новостями с завода в Египте и зверствами расистов в ЮАР. Незаметно так. Советский минимализм.

Я не понял. Перечитывал. Впечатлялся, печалился, балдел.

Вот это и случилось. Люди на Луне. Мечта и сказка тысячелетий.

Ведь ожидалось... Уже давно.

Человек на Луне!!! А оглянешься — не веришь.

И никому кругом нет дела. И не знают. Их особото не извещали. Враги нас опередили, и не фиг знать. Пара строчек в хронике, которой никто не читает, и хва. Спят, едят, едут, свои заботы, хрен ли нам человек на Луне. Все обыденно, спокойно, никто и словом не обмолвился.

К нашей жизни это не имеет никакого отношения: не присутствует.

...Через четверть века Нейл Армстронг прилетит в Новосибирск и возьмет горсть земли у стены дома, где работал Кондратюк. По «трассе Кондратюка», рассчитанной еще в 1916 году, достиг Луны «Аполлон». Ничего этого мы, конечно, не знали.

КОМСОМОЛЬСК-НА-АМУРЕ

— Здорово вы здесь тогда работали. Город стоит. С пустого места.

— Да уж место было не приведи бог. Гиблая тайга. Комар, мошка́, болото.

— Здорово трудно было?

— Ты спросишь. Не было бы трудно — не было бы и нас здесь.

— По скольку часов в день работать приходилось?

— Да вот сколько придется — столько и работали. Пока дневную норму не выполнишь.

— Кормили хоть нормально вас тогда?

— Чего нормально. Жрать все хотели. За перевыполнение нормы — премия, доппаек. Ударники ударное питание получали.

— Зимой спецуху теплую давали?

— Ватник. Шапку, бурки.

— Много вас тут было?

— До хрена и больше. Кто считал. Только принимай.

— И вот это все комсомольцы построили... Да, люди вы были...

— Были комсомольцы, ничего не скажу. Но в основном комсорги.

— Комсорги? В основном?

— В основном на вышках.

— На каких вышках? Здесь буровые были?

— С винтовками на вышках. В тулупах. Буровые... БУРы здесь были!

— Это... что?..

— Барак усиленного режима.

— Погодите... Ни фига себе... Я думал, здесь по комсомольским путевкам работали.

— А как же. Путевки что надо. Восемь лет — и в комсомол на Амуре.

— Так вы что... сидели здесь?

— Сидят на жопе. На зоне вкалывают. Потом лежат. Если сильно повезет — выходят.

— А я думал... что Комсомольск... так строили комсомольцы.

— И комсомольцы, и коммунисты, и троцкисты, и скрытая буржуазия. Без разницы.

— А почему же назвали «Комсомольск»?

— А ты что хочешь — «Зэковск-на-Амуре»? «Краснолагерск-на-Амуре»? «Вражьегорск-на-Амуре»?

— И... много здесь народу гибло?

— Ну а сам-то ты как думаешь? Запечешься считать. Слышишь, их в университете на журналистов учат, что Комсомольск комсомольцы строили!

— Ну. А Пионерск пионеры. Пацан, рубль есть?

О.М.Р.О.

Встреча школьных друзей через годы и расстоянья — это вечный лирический сюжет. У каждого своя компания. Я о другом.

Жутко засекреченная часть на берегу Уссури. За рекой — враждебный Китай: только весной были бои на Даманском. Забор, ворота, КПП, часовой, — все как положено. При гарнизоне — поселочек с вольным рабочим людом, без него никак, такие поселочки растут автоматически: продавать офицерским женам молоко и картошку и наниматься на вольнонаемные должности хозобслуги и кладовщиков.

Мой лучший школьный друг Витька Соловьев дослуживал здесь годком, Тихоокеанский Флот. Мы переписывались. Я завернул. Вахтенный вызвал его.

Сейчас — наставление для шпионов и диверсантов:

Мы прогулялись вдоль забора, мне указали дыру. Через десять минут окликнули с той стороны, я пролез, Витька встретил и проводил в кубрик. Напарник и кореша страховали от офицеров. Потом сидели в курилке, потом мне дали чемоданчик, я слазал в заборный поселковый магазинчик и принес водки и закуски. Мы пили в кустах, потом в темноте под стеной, потом я принес еще, и все это время в части неслась секретная служба. Граница была на замке, родина в опасности, оружие в надежных руках.

А в полночь настала его вахта! Они тут вахтили шесть через шесть, четверо радистов и старшина команды. Откомандированы из Совгавани для прослушивания китайских коммуникаций. Радиоразведка штаба Тихоокеанского флота. ОМРО — отдельные морские разведотряды. Гордились и сами резали нарукавные эмблемы из красных целлулоидных мыльниц.

Мне велели перелезть через штакетник и ждать здесь. Потом в ночи забелела Витькина форменка, и меня спустили по трапу в бездонный бетонный колодец. Метров тридцать. Внизу уходил коридор в приглушенном освещении.

— Секретный бункер, — объяснил Витька. — Выдерживает атомный взрыв.

— Сюда имеет право доступа только командир части и начальник штаба, — поддержал его напарник. — Даже замполиту нельзя.

Одна из мощных блиндированных дверей отъехала, и мы втроем оказались в радиорубке. Стена небольшой бетонной комнаты состояла из аппаратуры. Циферблаты, индикаторы, ручки и маховички. На штырях висели две пары наушников и тихо пищали.

Мы сели на баночки, табуретки то есть, напарник на стол, он сделал запись в вахтенном журнале и убрал от греха подальше на полку. И мы продолжили выпивать.

— До шести часов никто не тронет, — отметил Витька.

Так они туда и гитару из кубрика притащили, и мы горланили во всю мочь.

— Уж отсюда точно никто ничего не услышит!

— Мы отсюда войну наверху не услышим.

Утомившись встречей и чувствами, было решено отдохнуть.

— Ты пока послушай немного, — приказал Витька младшему. — Записать чо-то надо.

Тот надел наушники и, задумчиво меняя волну,

стал вносить пометки в журнал. Меня запихали на откидную койку под потолок. А Витька сопел головой на столе.

Доспал я наверху в кубрике. Мне натянули старую фланельку, чтоб не выделялся, и среди строя сводили позавтракать. Витька был авторитетный годок, на камбузе никто пикнуть не смел против.

Иногда вдали виднелся офицер. Офицеры к матросской жизни отношения не имели. Контактов с ними следовало избегать как источника неприятностей.

— Поживи пока у нас, отдохни, — предлагал Витька.

— А если война с китайцами?

— Тогда мы первые узнаем.

— И что?

— И быстро дезертировать в плен к американцам! Пока толпа не затоптала.

Когда мы встретились через тысячу лет, он был председателем Читинского областного суда, дед своих внуков.

СС ВСЕГДА ВПЕРЕДИ

Охота на зайца — национальная забава ревизоров. Вроде охоты на лис для лордов.

Из того поезда меня выкинули паскудно. Между Владивостоком и Хабаровском, у разъезда в глухой тайге. Под романтический закат. Чуден Владик при тихой погоде, ось возвертаться дуже погано.

...От станции Угольная до Владивостока тридцать километров. Дальше оказалась погранзона. Во Владивосток требовался пропуск. Пропуск выдавался в КГБ по месту жительства. КГБ не рекламировало свои услуги. Этот пункт не был предусмотрен в моей программе.

Народ знает все и учит проходимцев. От Угольной уже ходили электрички. Местным сообщением пограничники не интересовались. Я сменил дилижанс на пригородный и без всяких архитектурных излишеств типа проверки документов въехал во Владивосток.

Июльское утро было как праздник. Праздник назывался День Флота. Я развернул карту СССР на вокзальном подоконнике. Чернильный пунктир от Ленинграда дополз и уперся в другой край материка. Тихоокеанский ветер кружил звуки эскадры из гавани.

Стопорясь и меняя перекладные, я посылал из городов открытки ленинградским друзьям. Почтовый штемпель с датой подтверждал мой маршрут.

Конверт с шестикопеечной маркой «Авиа» стоил семь копеек, а желтоватая «Почтовая карточка» авиа же — пять. На ее открытом обороте я написал:

«Мелкими группами скрытно проник в закрытый порт Владивосток.

Приступаю к выполнению задания».

Из всех дорожных открыток эта единственная не дошла. Могло быть хуже.

Город открывался светлый, холмистый, морской. Я сшибал копейки с гуляющих. Кстати, в воскресенье легче дают. Доход породил намерение выпить кофе в легендарном ресторане «Золотой Рог». До конца железки добрался как-никак: океанский тупик.

Швейцарский контроль не одобрил мой фэйс. Украшенный вещмешочком прикид показался простоват и грязноват. Сука хотела смокинг. Мы обсудили название «Рог» в сочетаниях «воткнуть», «отшибить», «загнуть» и «упереться». Халдей был сделан из противотанкового надолба.

В пассажирском порту белел и громоздился в небе лайнер «Советский Союз». До сорок пятого года это имя писалось в том же гордом масштабе «Великая Германия». Репарации порождают ассоциации. Поганая лайба охранялась погранцами, отходила послезавтра и чапала в Петропавловск-Камчатский неделю, с заходом на Сахалин. Спасибо, ваша яхта не в моем вкусе.

В сумерках лег туман. Залпы с невидимых кораблей содрогали берег. Салют переливал матовые краски, как северное сияние в молоке. Нарядные толпы фланировали и любовались. Вечерней электричкой я вернулся в Угольную.

Все приличные поезда давно ушли. За восемьдесят копеек я купил билет на шестьсот ползучий почтово-пассажирский. Он подтянулся к трем утра. Судя по длительности стоянки, он хотел здесь пожить. Я заснул на третьей полке, в рассвете орал петух, а он все стоял.

В этом домашнем составе катились два багажных вагона, два почтовых и два пассажирских — плацкартный и общий. Тянул его видимо паровой каток: пейзаж сдвигался назад незаметно и нехотя.

В течение дня нас обогнал весь комплект пассажирского расписания, не считая товарных. В общем вагоне менялись малочисленные пассажиры ближних перегонов. Хотелось жрать. Я не озаботился хлебом в дорогу.

— Поесть можно будет купить где на станции? — спросил я проводника.

— Дальнеречинск уж проехали, — неохотно отвечал он, пристально глядя на меня. — Теперь разъезды, буфетов нет. А ночью закрыты.

Их было двое проводников. И они напоминали погасших громил, собирающих справки на пенсию. Крупные, угрюмые и немолодые.

— А чайку нельзя? — спросил я зависимым голосом.

— Титан не работает, — отвернулся он.

Через час они подошли ко мне вдвоем:

— Докуда ты едешь?

— До Хабаровска.

— Билет покажи.

Я показал билет до Сибирцево: отдал железной дороге все, что мог. По-честному. Было бы больше — купил бы дальше.

Демонстративное отсутствие денег их взбесило. Мои беды воспринимались как недостаточное наказание паразита.

— Сука, еще спрашивал, где пожрать ему! — разъярился один.

— Я смотрю, смотрю, куда он падла едет! — шипел другой.

— Вот здесь сиди! Рядом сиди, понял!

На их стороне была сила, правда и закон. Их можно было только убить, но убить их было нельзя.

— Чё вы злые-то такие? — спросил я. — Ну, сел, ну.

— Злые? Сука! Злые! Да тебя вообще на ходу вышвырнуть! Вот из-за таких, как ты! Сюда! На почтовый!

— Пидарас! Хуеплет! Без премий! С курьерского! Два месяца! Чё думаешь мы здесь?! Блядь! Оклад! Почтовый! А что я тут, сука, зарабатываю?!

— А ревизор сядет — вообще из-за тебя греметь?! Ехать ему! Жрать ему! Кол в глотку тебе! Жрать! Я те пожру!!!

Они добавляли всю дорогу. Они пахли дешевым пойлом и злым потом. Праведная ненависть жгла их. Их выкинули с курьерского за леваков. Они искренне жалели себя, а когда здоровые мужики жалеют себя, делается противно.

— А вот хлебало тебе начистить!

Сейчас, подумал я. Станете вы рисковать. А почему не напомнили пассажиру, когда ему выходить на его станции? А на кого я накатаю заявление в дорожную милицию? А кто в состоянии алкогольного опьянения? А кто был снят с бригады за леваков? А кто схватит два года за любой синяк при таком раскладе? К Владивостоку я был уже грамотным. Эта грамотность нарисовалась в улыбке, они поняли, зашипели и отвернулись.

— В Бикине пойдешь в милицейский пикет, понял?!

— Административное наказание — штраф. Спасибо, что напомнили, я проехал свою станцию.

Они выкинули меня, когда поезд встал. Даже не на разъезде: какой-то облезлый скворешник стоял у запасного тупичка. Мне дали тычка, пинка, я покатился. Они усмехнулись, сплюнули, захлопнули дверь и тронулись.

Ни души. Сумерки. Тайга. Комары. Железная дорога. Здесь никто не останавливается.

Пока можно было читать, я стал разглядывать железнодорожный атлас. Потом автомобильный. Шоссе Владивосток — Хабаровск все время шло рядом с железкой. Идти надо направо — на восток. Я попытался прикинуть. Фигня, несколько километров. Максимум десять. А может, два.

Я обошел кругом пустую будочку. Но рядом было вытоптано и нагажено. В лес уходила не то чтобы тропинка, но как-то в этом направлении угадывалась линия: не то трава чуть пониже, не то кусты чуть пожиже.

Стараясь и выцеливая, я двигался по хоженой тропке. Трудно было разобрать, она реально проложена, или в сумерках чудится. Темнело, определить направление было трудно, но казалось, что иду я прямо.

А иногда казалось, что иду кругами. Но я помнил, что тут точно не больше километров пятнадцати от железки. И утром, по солнцу над лесом, я за несколько часов на восток без вариантов выйду на шоссе. Так что можно не беспокоиться.

Вот комар жрал. Что да, то да.

Через полтора часа, мягкой южной ночью, я вышел на асфальт. Меня посадила первая же машина в Хабаровск. Это был молоковоз.

— Чего ты здесь ночью? — поинтересовался шофер.

— Из поезда выкинули, — объяснил я.

Мы отлично провели время, обсуждая сравнительные достоинства разных типов транспорта, оружия и женщин. В четвертом часу он высадил меня на окраине Хабаровска, сворачивая на молококомбинат. В расходящемся рассвете я пришел на вокзал, как вернувшись в дом родной. Купил чай с плюшкой и лег спать на скамейку.

Мой почтовый прибыл в семь двадцать. Я встречал его на платформе.

— Доброе утро! — со всем возможным счастьем поприветствовал я. — Нормально доехали, ребята? Я уж беспокоился!.. До Читы не подвезете? А то билета нет.

Я редко видел, как у живого человека чернеет лицо. Потом удавленники открыли рты и осквернили утро ужасными словами.

ХОЛОДИЛЬНИК

Погужуйся с бичами — узнаешь про город все. Оденься поплоше, загляни по задним дворам продмагов, по кустам напротив, по пунктам стеклотары и пивным ларькам. Но сначала проверь вокзал и автовокзал. Там держатся ночлега, или мелкого заработка, или халявной выпивки, или укрытия от недобрых глаз, или просто общения среди своих. Посчитай мелочь на ладони, прицениcь к пузырьку корвалола в аптеке или флакону цветочного одеколона на полке. Поздоровайся с людьми, спроси про ночлег и подкалымить немного. Намекни, что в бегах, или есть причины много о себе не рассказывать, или вздохни: у тебя в городе все иначе, и заливай сколько хочешь — ты вступил в контакт. Можешь придымить окурок из специальной для того пачки — это оценят: у человека трудности, он привык.

Набравшись ума-разума от этих лоцманов хабаровского дна, я устроился на поденную погрузку на холодильник мясокомбината. Меня научили, и я заранее отыскал на помойке какой-то старый бушлат, чтобы не испортить свою одежду. Спецухи поденщикам не давали. Утром переписывали паспорт, в конце дня платили семь рублей. Это было очень нормально.

В первый же день я посетил, конечно, убойный цех. Зрелище. С одного конца баранов по проходу огромный козел ведет, в другом углу коровы в загоне стиснуты, в третьем курей лапой в петли вдевают, и они плывут вниз головой на конвейере, а потом — кровища ручьями в стоки и туши тех, кто только что пришел. Тошнит и жутковато. А девчонки в белых халатиках смеются, переговариваются и бутерброды едят в перерыве. А халатики в кровавых разводах. Правда, бойцы все мужики. Зарабатывают все хорошо, я спросил. Обвыклись. Котлеты-то есть любите? На хрен, говорю, я с сегодняшнего дня вегетарианец.

На холодильнике было не столько трудно, хотя трудно, сколько простудно. Огромный низкий склад — рефрижератор. Задача поденных грузчиков — снимать с крюков сколько чего указано и загружать в фуры-авторефрижераторы во дворе. Двое наверху принимают, двое укладывают, остальные носят. Барана мороженого несешь на плече легко, свиную тушу на горбу без трудов, вот под коровьей уже тяжко, можно вдвоем. Но есть и легкие брикеты мороженого ливера, и головы, и ножки, в общем нормально.

Не могу даже сказать, зачем я заработал эти тридцать пять рублей. На билет до Петропавловска-Камчатского все равно мало. Видимо, для пущей уверенности я их заработал. С деньгами все проще.

После работы мы купались в Амуре. Я плавал у берега, приглядывая за барахлом. В кармане были документы и деньги. Но их никто не трогал. Их четыре дня никто не трогал, а на пятый украли все тридцать пять.

Вот было у меня такое ощущение, что бродяге работать противопоказано. Не его это дело. Заработанное не впрок.

Мужики с явной неприязнью, глядя в сторону, скинулись мне по рублю на несчастье. И с этими четырьмя рублями я должен был ни в чем себе не отказывать.

ПРОПУСК

Пропуск в погранзону — это отдельная песня. Камчатка была погранзоной.

Пропуск выписывает КГБ. Областное или краевое. В Ленинграде — Литейный. Служба пропусков в пограничные зоны. Не все знали, что погранвойска — это не армия, а КГБ. Призывали-то в армию.

Я заблаговременно сходил туда узнать, что как. В коридоре очередь, на стенах «Правила» под стеклом — бронзой по черному, не как-нибудь.

Оснований три. Личный вызов, в смысле приглашение. К родне или даже можно друзьям. Но насчет друзей мне объяснили в очереди, что может и не прокатить. Могут начать спрашивать и проверять, сколько вы дружите, да правда ли это, да зачем тебе ехать. И без объяснений отказать.

Второе основание — вызов на работу. Это железно, автоматически, но такой вызов надо реально иметь, то есть ехать работать.

Третье основание — командировка. Раз командировали — ну что ж, нет проблем, проформа. Но по закону!

Я поехал в Дом Прессы на Фонтанку, явился к ответсекру «Смены» Охотникову и предложил себя. Бесплатно. Я поеду на Камчатку, а по дороге буду слать им материалы. Только мне нужно выписать командировку. Без денег. Только бумажку.

Охотников смотрел на меня, как попугай на троцкиста. Он все допытывался, на кой мне это надо? В честную любовь к просторам Родины огромной он не верил. Ушел советоваться к редактору и передал резолюцию: «Авантюра». С чем и выгнал.

Визиты в «Вечерку» и «Ленправду» прошли по тому же сценарию. А почему вы не хотите взять командировку в вашей родной газете «Ленинградский университет»? Это был законный вопрос.

В до боли родном «Ленинградском университете» ко мне, заслуженному третьекурснику после двух дальних строек и с Золотым комсомольским значком ЦК, отнеслись с незаурядным жлобством и остались осмысливать пожелания сдохнуть всеми способами.

И тогда я отправился, как к разбитому корыту, в собственный филфаковский деканат, придумывая на ходу, что хочу журналистскую практику вместо музейной, и прямо сейчас. Мне любезно предложили выбирать любой пункт в границах Ленинградской области. Все суки были или хитрыми, или тупыми, или не хотели брать на себя никакой ответственности.

В состоянии абсолютной легкой наглости «терять

нечего» я пришел к декану журфака. Вернее, к его секретарше. Вот мой студенческий, я собрат-филолог, хочу пройти практику на Камчатке, в деканате разрешили журналистскую вместо музейной, но сказали, что обращаться надо к вам. Мне было чуть-чуть неловко ее затруднять, я был совершенно спокоен, весел, учебный вопрос.

И! Она открыла ящик стола. Вытащила пачку командировочных бланков. С шапкой журфака ЛГУ, печатью и подписью. И мило уточнила:

— Вы для какой газеты писали? Куда вы направляетесь?

— «Камчатская правда»! — выпалил я наиболее вероятное. Своя правда должна была быть в каждой области.

Она заполнила бланк на мою фамилию и протянула. И тут мимо нас мужчина вошел в деканскую дверь. И бланк уже оказался обратно в столе.

— Знаете, — с легким беспокойством и сожалением сказала она, — декан вернулся... вы на всякий случай все-таки зайдите к нему... как он решит. Хорошо?

— Конечно! Спасибо! — радостно улыбался я и постучал к декану.

Декан был сумрачен. Все они при моих словах тускнели сумрачней сопли на морозе. Декан сумрачно вышиб меня за дверь.

— Ну как? — спросила секретарша.

— Конечно разрешил, — легко улыбнулся я, пожимая плечами и строя ей глазки.

И она отдала мне заполненное предписание. И я уходил с ним, как подвиг разведчика.

Разведчик поехал в КГБ и узнал, что оно не дремлет. В коридоре, под стеклом, бронзой по черному, русским языком, пункт 847-д, извещалось, что с момента подачи документов, включая нотариально заверенную копию паспорта, копию приглашения или командировки, справку из тубдиспансера и две фотографии 3×4 на матовой бумаге без уголков, — и до момента выдачи разрешения временного сроком до 30 суток на пребывание в пограничной зоне Союза ССР, — проходит 10 суток.

Лучше бы я совратил секретаршу без повода, она была очень милая, по виду студентка-вечерница.

Я впервые понял, что у меня нет сил и терпения жить дальше по советским законам. Остап Бендер недаром был любимым героем советского народа. Я поехал так. Внутренний голос говорил мне, что я как-то проскочу. Внутренний голос вообще оптимист. У него хорошее русское имя Авось.

...И с радостным авосем под ручку я вперся в Хабаровский КрУМ — Краевое управление милиции. Пропуска выдавали там же, я узнал. КГБ пренебрегало рекламой и афишами себя не оклеивало.

Народу почти не было. В соответствующей комнатке сидел крепенький паренек за тридцать.

Я обыденно поздоровался и скучновато, деловито положил перед ним заполненное заявление на пропуск. И рядом, вежливо, направление, студенческий и паспорт. И стал ждать, глядя в стенку.

— Погодите, — он остановился читать, — вы тут указали, что проживаете в Ленинграде.

— Да, — кивнул я.

— Так вы там почему не получили пропуск?

— Очереди были гигантские, — жаловался я. — Весь июнь сессия, просто нет целого дня сидеть.

— Мы не можем выдать вам пропуск, — сказал он.

— Как?.. — не понял я. — В каком смысле?

— Пропуск в погранзону выдается только по месту прописки.

Я не понимал и не верил:

— Так ведь в любом областном управлении... Вот мои документы.

— Документы ваши в порядке, вы их заберите.

— Но ведь я правильно пришел? В краевое управление? Вы выдаете?

— По месту прописки! Кто вам сказал про любое?

— На Литейном... в кабинете... я без очереди зашел с одним спросить... я не знаю, инспектор, или делопроизводительница... сказала, что могу в любом...

Я линял и сох на глазах, из уверенного и спокойного становясь растерянным, озадаченным, беспомощным, ужаснувшимся, впавшим в панику, уничтоженным и умирающим под пыткой.

— Я ехал по Сибири... — лепетал и терял сознание я. — Собирал материал... в областные газеты... чтобы первого августа в Петропавловске...

Я дышал и смотрел, вручая ему мою судьбу.

— Вас неправильно проинформировали, — с человеческими нотами констатировал он, понимая ситуацию и не одобряя ленинградских бюрократов, подводящих посетителей пустыми отговорками.

— Если б мне могло прийти в голову... я вас понимаю... — успокоил его я, взял себя в руки и вздохнул кратко и стоически о загубленном лете, сорванной практике, грядущем отчислении и так неожиданно не задавшейся судьбе.

— Погодите, — остановил он и кинул короткий взгляд мужчины на мужчину. — Это... важная для вас практика? С первого?

Я пожал плечами и упомянул без эмоций разбитую жизнь в образе вечернего самолета, на который я уже заказал билет. Каникулы. Командировочные. Урал. Забайкалье. Страна. Гроб с могилой.

— Если вы после обеда, в три часа зайдете, вас устроит? — спросил он.

— А?.. — посмотрел я, что это, о чем он. — А?..

— Два часа подождете, можете?

Я выразил междометиями и мимикой, что если

только это правда, то ради него я готов сесть на кол и закрыть амбразуру. Он скупо улыбнулся и сдвинул документы, не спрашивая дополнительных. Я вышел пятясь и дыша распятым ртом, как собака в жару.

Я зашел в три и получил пропуск в погранзону на Камчатку. Без всяких десяти суток, прописок и копий. В эту минуту я искренне любил человеческое лицо КГБ, пожелавшее мне через стол успешной практики.

Закон в России носит договорной характер. Я же чувствовал.

ВЛЁТ

В аэропорту я выстоял очередь на регистрацию и сказал, что билета нет. Денег тоже нет. Но есть настоятельная необходимость. На меня посмотрели с интересом, как на нештатную ситуацию. И рассказали о существовании диспетчера по пассажирским перевозкам.

В пассажирской диспетчерской висела рабочая ругань, сменившаяся идеальной тишиной при слове:

— Катастрофа!..

Этим словом я обозначил свое явление, качаясь, хватаясь за голову и мыча со стонами.

Диспетчерши, во власти магического слова, обратились на меня в ужасе и ожидании.

— Все пропало!.. — погибал я, порываясь прижаться к чьей-нибудь груди за спасением.

— Что случилось?! — спросили они.

— Все случилось! — трясся я и терял сознание.

Автобиографию надлежало оформить в трагедию на пространстве одного абзаца:

Завтра первое августа. Меня ждут на практике в «Камчатской правде». Я ехал по Сибири, собирая материалы и пиша заметки, бедный и увлеченный студент. Я две недели работал на мясокомбинате на холодильнике, зарабатывая на билет, и когда купался меня обокрали. За неявку на практику меня отчислят из университета. Боже! Вот мой пропуск, направление, студенческий. Я знаю, что меня нельзя, но если хоть что-нибудь можно, ну я не знаю, потому что что же делать...

Доля правды, как запах мяса в сосисках, придавал моей синтетической смеси полную иллюзию съедобности.

— Фу, — сказали они, — вы нас напугали. Слава богу! Так к кому вы на похороны?

Я повторил на бис. Они смотрели добрыми глазами. Я весь перелился в кротость и скорбь, и надо мной засветился нимб Святого Себастьяна, пронзаемого стрелами несчастий.

— Действительно пропуск, — кивнули они. — Вот, направление. И студенческий. Света, посади ты его на пятичасовой рейс, там свободно. Вы где-нибудь рядом посидите пока.

Ха! Я сел прямо на пол напротив двери.

— Вы же, наверное, не ели? — позвали меня и дали чаю с бутербродом.

Света передала меня дежурной по посадке.

— Я экипажу скажу? — спросила дежурная.

— А, не надо ничего говорить, — махнула Света.

На трапе дежурная велела:

— Иди в первый салон, там пусто.

Я был среди последних в очереди и сел на свободное место.

Самолет шел часа три. Нас покормили, и очень кстати.

Над облачной пеленой показались снежные вершины камчатских вулканов. Это впечатляло нереальной красотой: темно-синее небо, белая равнина, и из нее вздымаются крутые серебряные пирамиды с зубчатыми срезами вершин. Нет, правда здорово.

Мы приземлились, и пограничники вошли в тамбуры проверять документы. Это замедляло выход, возникали вопросы, они помогали разобраться друг другу, и в результате когда я дошел из салона в тамбур, оба погранца отвернулись к центральному салону, и никаких документов, никакого пропуска у меня никто не спросил.

Не задерживаемый, я вышел в дверь и спустился по трапу. Я был несколько разочарован. Процедура оказалась лишней.

В аэровокзале я завернул на телеграф и наложенным платежом отбил одно слово: «Прибыл».

ПОХМЕЛЬЕ ОТ УМА

В общагу Камчатского пединститута я вселился как друг, товарищ и брат. Как я рада, как я рада, что мы все из Ленинграда. И после проверки моего студенческого требовать с коллеги семьдесят копеек в сутки за койку было крохоборством. Я заплатил им первые семьдесят копеек, а потом жил как хотел.

Абитура сдавала вступительные экзамены. Я нашел филологов, поговорил на конкурсные темы и стал учить их жизни. Жизнь — это была программа по литературе и темы сочинений, плюс ответы на вопросы по русскому устному.

Через пять минут я котировался как бесплатный репетитор-консультант с ленинградского филфака. Утром я в темпе блица отвечал на последние вопросы, наставлял и напутствовал на экзамены. Днем гулял по городу и общался с народом. После обеда происходили занятия. Никогда еще у меня не было слушателей более благодарных. Ловили каждый звук. Они за мной конспектировали, ты понял!

А вечером пили. То есть не все. А некоторые, сдавшие сегодня экзамен. И я с ними, в положении наставника. Тайная вечеря, или Плеханов в центре «Группы освобождения труда».

Патриархальность отношений учителя и учеников нас взаимно умиляла. С высоты трех превзойденных курсов я одарял их знанием, нашпигованным советами и приемами. А они меня кормили, поили и платили семьдесят копеек за койку.

Экзотика камчатской красоты повергает в прекрасное отупение. Эстетическая реакция взывает к какой-то реализации – хочется совершить нечто и испытать что-то необыкновенное, а как?.. Вроде идет обычная жизнь.

Каждое утро на тумбочке для меня светились бутылка пива и пачка сигарет. Золотые дети.

Пиво называлось «Таежное». Хороший местный вариант «Жигулевского». Под камчатского краба оно шло необыкновенно. Краб размером с тарелку, клешни по блюдцу, лапы толще пальца. Одного такого краба, большого и красного, как пожарный автомобиль, хватало посидеть на троих.

И вот разлепляешь глаза. Во рту вкус поражения: пересохшая горечь. Голова гудит тамтамом. Мысль о смерти приятна как вариант забытья. С ненавистью вспоминаешь, что жизнь — это борьба: надо побороть себя, встать и дойти до туалета. Да, поступать в институт нелегко. О господи, кто же мешает самогон с портвейном и пиво сверху.

Кстати, где мое пиво. Глотаешь, закуриваешь, появляется первая мысль о литературе: молодость классиков. Пушкин пил, Толстой пил, Саврасов вообще от пьянства умер, правда, он был художник. А портрет Мусоргского? о господи, чистый я.

Так. Женя вчера сдал на пять, а Саша на четыре. Нормально проставились. Интересно, как выглядит Общество трезвости? И есть ли оно в СССР?

Встал. Поймал равновесие. Утвердился вертикально. Прошел в дверь.

Валишь как пеликан: желудок поднялся в горло и болтается мешком под клювом, где зоб. Удерживать трудно.

Из умывальника — звонкая, свежая, юная речь:

— Вот это мужик! Не голова, а Дом Советов!

— Слушай, а память какая, как он столько помнит!

— А рассказывает как! Я таких вообще не слышал!

Это — про — меня?.. Меня. А то кого.

Самочувствие — отличное. Трезв. Ясен. Грудь вперед, живот втянуть, подбородок выше. Тверд в походке, строен сам собой. Весел, небрежен, сметлив.

Вот сероватые же ребята — а оценили! Все, что знаю, я им даю щедро, от души, излагаю так, чтоб самому интересно и здорово. Спасибо вам, ребята. Мне приятно помочь вам поступить.

— Это же надо — столько анекдотов помнить!

— Я торч словил, как он травит, живот заболел.

— Потрясно посидели.

Тошнит. Мир мерзок бескрайне. Воздух вышел, я уменьшился ростом, все кривое и дрожит. Проклятые уроды. И я урод. Выжидаю приличествующую паузу, вхожу в умывальник, твердо здороваюсь и запираюсь в туалете. Ушли там? Ушли, вроде. О звуки ужасные. О проза плоти. О муки духовного очищения. О чтоб вы все сдохли.

Вытираю слезы, высмаркиваю винегрет, моюсь холодной водой и возвращаюсь допивать пиво. Как горько разочарование в тех, перед кем метал бисер. Как опустошающа мысль о тщете высокого искусства.

Нет, ну каковы пидарасы! Я им о великой литературе, все вехи в мир мудрых мыслей, а они в восторге, так от анекдотов, которых я в упор не помню как рассказывал, выпили много. Суки, лучше бы я ничего не слышал!

Литературные потребности и представления публики открылись мне. Над закулисьем адским огнем горело предостережение: «Оставь надежду всяк сюда входящий».

Я впервые перестал ценить отзывы и мнения публики.

ИЗОЛЯТОР

Восточное побережье Камчатки обслуживал теплоход «Николаевск». В отличие от «Петропавловска», который обслуживал западное. На уровне личных отношений надругавшись над всеми инструкциями, николаевский врач вселил меня в судовую медчасть. Его жена была одной из моих абитуриенток в общаге пединститута. Я был рекомендован с осторожной мерой теплоты, чтобы не вызвать ревности.

Врачи — самые полезные из людей. Я спал на кушетке с бельем в изоляторе, и четырежды в день официантка из экипажного камбуза ставила в окошечко поднос с судовым рационом. Потом мы с доктором пили его спирт и курили его сигареты.

Ему исполнилось двадцать шесть — на пять лет старше меня. Он плавал здесь второй год по распределению после хабаровского меда. Он никогда не был «на Западе» — западнее Урала — и брюзжал с иронией про одичание. С терпением интеллигента он вынужден переносить ограниченную умственную ориентацию мореманов. Он и взял меня как собеседника с университетским гуманитарством из города городов — Ленинграда.

Мы говорили об умном. О литературе и истории, политике и нравственности, психологии и справедливости, успехе и будущем человечества. В мужских беседах время летело. Через пару часов и пяток мензурок общим знаменателем всех тем оказывался закон, что жизнь — дерьмо.

— Ты посмотри, сколько я учился! — говорил он и прибавлял к одиннадцати шесть.

— А теперь смотри, сколько я получаю! — горько улыбался он и сбивчиво складывал плюсы с минусами, чтобы огласить матерное сальдо.

— А теперь скажи — можно так жить?! — требовал он и смотрел оценивающе, как палач на виселицу.

— Сколько это может продолжаться?.. — стонал он, как больная совесть. И начинал поносить Советскую Власть и глумиться над святынями.

К этому возрасту мои идеалы рухнули. Родной Комсомол и любимая Партия чем выше, тем из большей сволочни состояли. Жизнь была необъяснимо подла. В Истории не удавалось найти логику, не говоря о справедливости. Короче, преобладал негатив.

— Не может это долго продолжаться! — от злобы я говорил уверенно.

— Ты думаешь? — недоверчиво спросил он.

— Все прогнило! — наддавал я. — Никто ни во что не верит! Не может это долго продолжаться!

— Э... Люди работают. Всем деньги нужны. Рты заткнуты. Везде стукачи. Куда мы денемся...

— Изнутри сыплется!..

— Ну и что?.. Ты — думаешь?.. Кто ж его все сковырнет...

— Само рухнет! — убеждал я. — Все буксует, везде халтура, всем на все плевать!..

Мы выпили, запили, закурили и открыли иллюминатор, впуская морской воздух.

— Молодой ты все-таки еще, — укорил доктор.

— Я тебе точно говорю, я что, страну не вижу! — уверял я его с высоты неизвестно чего, что сам себе назначил.

— И сколько это еще продержится? — ни во что не верил он.

— Лет десять! И все!..

— Десять? Десять... Эта махина?! У тебя что, есть хоть какие-то основания так считать? Серьезно? Да брось.

— Да есть! Вот ну по всей логике, по приметам, понимаешь?

Через десять лет, в семьдесят девятом году, я в глухой брежневской полумгле покидал Ленинград и переезжал в Таллин, где брезжила хоть надежда издать книгу. Кислород был перекрыт по всему полю.

Через двадцать лет, в восемьдесят девятом, открылся Тот Самый Первый Съезд Советов. И вскоре все рухнуло, рассыпалось и накрылось.

А тогда, в августе шестьдесят девятого, мы пили с доктором спирт в его беленькой медчасти, и вместе со всей страной ругали советскую власть, в которой страна изверилась, и, само собой, мы так понимали, что любые изменения могут быть только к лучшему.

Мы разводили руками и вопрошали:

— Твою мать, сколько же могут эти уроды из Кремля нагло врать народу, причем сами в это не веря?

РЕПУДИН

В Долине Гейзеров Аллочка была самой красивой девушкой. На тот момент девушек в Долине было не менее десяти.

Я туда попал по записке. Золотозубый пионер с «Николаевска» составил записку в жестко романтическом стиле: «Костя! Прими его на ходку в Долину. После сезона расплачусь шкурами. Панкратов». С Панкратовым мы как-то курили у борта. Ветеран протежировал с высот своей бывалости.

С этой запиской, сгрузившись в Жупанове в плашкоут и отыскав на берегу турбазу, я деловито подкатился к начальнику маршрута.

— Панкратов? — прочитал и пожал плечами Костя. — Жди, расплатится он. Шкурами. Блядями он расплатится. Ладно, хочешь — сходи, не жалко. Помоги там ребятам вьюки паковать.

Утром мы вышли вчетвером на четырех лошадях и семь вьючных. Верхом до Долины было полтора дня. Завоз продуктов на дальнюю базу.

— И туристов мало, а жрут как грызуны, — цыкал Костя и гонял папиросу в узких губах. Он был ковбоистый, щетинистый, поджарый.

Да, гейзеры булькали, фонтанировали, пари́ли и пахли. Если честно, после Петергофских фонтанов это не впечатляет.

А Аллочка впечатляла. Шестнадцатилетнее, русое, сероглазое, чистое и кроткое создание. Их девятый класс коллективно отправился в поход, дирижируемый географиней. Класс шлялся где-то меж луж и струй, а она плохо себя чувствовала и сторожила две палатки.

Я подошел, спросил, разговорился, подружился, и вообще делать тут было больше нечего. Она тоже скучала, но хорошо хоть поход, а так что делать лето в Пахачах.

Маленькие бичики
слетаются в Тиличики,
а большие бичи
заезжают в Пахачи.

Эту местную поэзию я уже мог цитировать.

Подвалил без коллектива переросток из их класса и стал портить мне личную жизнь. Не уходит, и хоть ты тресни.

Для романтичного общения необходимо шампанское в любой реинкарнации. Момент назревает и тема озвучена. И Аллочка с детским заговорщицким видом открывает, что у нее есть бутылка спирта. Общественного. В рюкзаке. И мы с недорослем поем дуэтом, что если спирт потом разбавить водой, то от него не убудет.

Я гоню молокососа с двумя кружками за водой, Аллочка достает поллитровку со спиртом, заткнутую прочно оструганной шампанской пробкой; Костя проходит мимо, хмыкает и швыряет мне банку консервов и пачку печенья. Нет душевней опытного мужика.

И тут галдит и катится дурацкий смех на лужайке — класс возвращается! Мы с недорослем вливаем в себя по полкружки спирта, запиваем водой, зажевываем печеньем и признаемся, что этот спирт, похоже, один раз уже разводили. Не тот градус! Не цепляет даже.

Класс подходит, бутылка уже в рюкзаке, сумерки, костер, ужин. Ужин не лезет. В желудке неприятно. Не то отрыжка, не то спирт был технический. Аллочка клянется на ухо, что спирт медицинский, мама из аптеки взяла для походных нужд классу.

В Долине Гейзеров эстетический интерес уступает дурным хозяйственным желаниям: сварить в кипятке яйцо, постирать одежду, набрать в лохань и искупаться, и вообще построить дом с бесплатным паровым отоплением.

Я притаскиваю свой казенный спальник, в палатке места масса, устраиваюсь рядом и обуреваюсь романтикой, начиная со стихов и дальше что бог даст. А лежать что-то совсем противно. Что-то внутри шевелится. Чем-то в нос пахнет. И бурчит, мешая развернуть лирику.

И тут недоросль спертым голосом из темноты беспокоится:

— Миша, ты как там?

После чего он на четвереньках по головам, как вспугнутый вурдалак, дунул из палатки, крякнул и исчез. Это подставило прекрасный повод с лицемерием пробормотать дежурное:

— Пойду посмотрю, что он там делает...

Я выкарабкался из мешка в прорезь палатки, сдерживая ускорение. Вламываясь в темные кусты, я заранее тянул рот вперед, подальше от штанов. Долина Гейзеров. Не видала ты фонтана от донского казака.

Аэо!!! Ослепило болью и ужасом. Из живота и через рот ударил сноп бритвенных лезвий. Они полосовали нутро в мелкую нарезку и жгли огнем. В глазах пульсировал фейерверк. Организм крючило в спазмах, и поддаваться несдержимым позывам было страшно в преддверии следующего приступа пытки.

Отметав эту икру и предназначенный издохнуть, я ощутил мировую тоску души, но уже в направлении противоположного выхода. Прыгающими руками я еле успел расстегнуть ремень и пуговицы. Змей Горыныч ударил огнем с другой стороны. Колючая проволока с битым стеклом продрала меня насквозь. Я не знал, что смерть так ужасна.

Через несколько лет боль немного утихла. Чернота Ада не рассеивалась. Я привел себя в порядок и стал вспоминать биографию.

От палатки раздавался встревоженный гомон. С моим приближением в гомоне усилилась заботливая нота. Недоросль качался и стонал. Аллочка плакала. Географиня причитала. Остальные оживленно переживали нештатную ситуацию.

Деточка перепутала бутылки. Мы выпили смазку от комаров. По полкружки дефолианта. Типа диметилфталата. Яд пожиже. Репудин.

Второпях. А то класс уже возвращался. В полутьме палатки. Влили не глотая и запили водой, смыв вкус и дух во рту. И закусили. И полтора часа усваивали как могли.

На шум пришел заспанный Костя, скупо бурча. Хмыкнул, взрезал банку сгущенки и разболтал в ковшике водой. Мы с недоумком выпили вдвоем и поскакали в темноту, стараясь донести молоко подальше.

Бритв было уже меньше, и битого стекла тоже. У меня появилась надежда выжить. Слезы катились градом, искры из глаз освещали весь полуостров. Изодранное в лохмотья нутро жгло.

У палатки Аллочка с географиней протянули нам ковш с новым пойлом, как братину с живой водой израненным ратникам. Мы опростали и убежали.

За ночь мы извели пять банок сгущенки и ведро воды. Процедура принимала хронический характер. «Жить захочешь — будешь пить молоко», — выстрелила мудрость из недоросля.

Утром взошло зеленое солнце. Оно поднималось по зеленому небу над зелеными просторами. Эх, молодо-зелено, сказал я, и мы с недорослем заржали, оба живые и зеленые. Руки дрожали, ноги не держали, головы тряслись.

Аллочка смотрела на меня с ужасом и жалостью, как на дохлую птичку.

Два дня я не мог есть, и еще неделю обжигался чаем.

— Ты что, совсем дурак? — спросил Костя. — Пей все, что горит, что ли? Лучше бы сразу стрихнину выпил. Меньше бы мучился.

Потом оказалось, что от этого подохнуть — как два пальца. Ослепших на целое УПП.

Комары еще месяц не подлетали.

СТОЙБИЩЕ

С Иосифом Жуковым мы снова встретились на палубе «Николаевска». В Петропавловском педе он входил в нашу абитуриентскую команду. Поступил! И вот возвращается до занятий домой.

Мы курили на корме за ветром.

— Хочешь, поедем в гости, — приглашал он. — Поживешь пока.

В Караге, когда буксир дотолкал плашкоут с сошедшим народом к берегу, Иосиф Жуков высмотрел среди лодок встречавшую и замахал.

— Мой друг, — гордо сказал он коряку в штормовке, сидевшему на моторе. — Перед экзаменами всех учил.

Мы час неслись вдоль берега и вверх по реке еще часа два.

— А сколько всего коряков живет на Камчатке? — глуповато и неловко спросил я, изо всех сил пытаясь как-то наладить беседу. Три часа молчания нервируют непривычного человека.

— Я ительмен, — сказал Иосиф Жуков. — Мать за коряка вышла.

— Любовь, — объяснил правивший Володя, брат мужа сестры матери отца и сам чей-то отец. Все занялись обсуждением родства. Их стойбище должно было быть размером с Нью-Йорк.

На отодвинутом от берега каменистом луге я насчитал четырнадцать яранг. До этого момента я както не совсем верил, что яранги еще действительно существуют, и в них нормально живут люди. В кинохронике быт народов Севера выглядит декорацией фольклорного ансамбля.

Меня пригласили входить. В яранге у очага возились по хозяйству две голые женщины. Молодая девушка и постарше. Я окаменел, сгорел и уставился в сторону без дыхания.

— В тундре так принято, — успокоил Иосиф Жуков. — Кожа должна отдыхать. Особенно зимой.

— Сейчас лето, — необыкновенно идиотски пискнул я. Не то чтобы мне это не нравилось. Но парализовало. Густели сумерки, огонь в яранге их освещал, у них была желтоватая кожа, плосковатые зады, у старшей довольно большая отвислая грудь с фиолетовыми сосками, а негустые черные волосы на лобках почти прямые. Я на это не смотрел, я смотрел только в сторону, но все равно видел только их, во всех подробностях.

Иосиф Жуков им что-то сказал, они захихикали и надели мужские рубашки, закрывшие до колен.

Чум (на первом плане) легок и скор в сборке, незаменимое походное и подсобное помещение. Яранга (сзади) основательна, поместительна и удобна. Моржовые шкуры летом могут крыться брезентом и полиэтиленом.

Ели жареную рыбу с пшенной кашей и очень черный вареный чай с конфетами. Подошла старшая родня. Извинились, что нет выпить. А у меня, может, нет водки в мешке? Ну, на всякий случай... Водку им продавать было запрещено, узнал я впервые.

Мы повозмущались этой дискриминацией. О том, что они мгновенно спиваются, расщепляющих ферментов не хватает, я узнал поздней.

Спали рядом на шкурах, укрытые ватным одеялом.

— Хочешь быть с ней? — спросил Иосиф, имея в виду младшую. Кажется, это была его сводная (или единоутробная?..) сестра.

— Нет, спасибо, — отказался я вежливо, не в силах вписаться в ситуацию и очень недовольный собой и своим отказом. Зря им водку не продают, все было бы проще. Анекдоты о чукотском гостеприимстве все-таки представлялись трепом. А оказались нет. Ну-ну...

Наутро мужики ставили сетки в реке и пластали рыбу, собаки ели потроха и бегали от детей, бабы ушли за ягодой, а вернувшись варили и чинили. Август стоял.

В яранге я все время косился на нереально настоящий, голливудский, киношный, вестерновский винчестер. Слегка потертый, но ухоженный.

— Мой, — с привычным счастливым довольством сказал Иосиф Жуков. — Хочешь пострелять?

Хотел ли я пострелять из винчестера. Да я только это скромными взглядами и давал понять. Да я хотел это гораздо больше его сестры, которую тоже всю ночь хотел, мучась своим отказом, и еще сейчас не перестал. Сестер много, а винчестеров нет вообще. Я всерьез понял вычитанную из книг шкалу ценностей: сначала ружье, потом жена.

Иосиф Жуков пошарил в куче барахла по периметру яранги, выудил пачку патронов и сунул два в карман.

— Бери, — сказал он, и я взял винчестер и пошел за ним.

Винчестер был ловкий и легонький.

— Отец подарил на паспорт, — сказал Иосиф Жуков, — на шестнадцать лет. Старший сын охотник в семье, у нас это принято.

Он отвел рамку затвора, охватывающую спусковой крючок и прилегающую к шейке приклада, и послал патрон в магазин в цевье. Повторил возвратное движение и указал на консервную банку, блестевшую за ярангами. Метров сорок.

— Попадешь? — спросил он.

Я изобразил легкую обиду. Чудный миг хотелось тянуть подольше. Удивительно ловкая и легкая штука. И легкий спуск. И отдача неощутима. Банка подпрыгнула.

— Охотник! — грубо польстил Иосиф Жуков и забрал винчестер.

И тогда, презирая себя и эгоизм своей просьбы, я спросил про второй патрон. Он улыбнулся и дал, глядя в сторону.

Патрон был цилиндрический, удлиненная пуля закруглена. Я сам дослал патрон, сам взвел и попал еще раз.

За этими винчестерами, патронами и виски чукчи гоняли в метель через Берингов пролив на Аляску. За меха. Локаторы не брали упряжку. Природный тундровик снега не боится.

Дома у них принимали мех в план и сверх плана по малой цене. На сберкнижках копились десятки тысяч. Их нечем было отоварить. Дом и машина в тундре кочевнику невозможны. Ковры, свитера и японские транзисторы в упаковках «Только для Крайнего Севера!». Вся радость — выпить. А не продают.

На американской фактории ему без бюрократии записывали цену, давали что угодно и оставляли на счету сдачу. А что возьмешь, кроме выпивки?

— В тундре знаешь как? Два человека едут друг навстречу другу. И за километр, метров за восемьсот, упряжки разъезжаются. Таким полукругом, не приближаясь. И дальше едут.

— А зачем? Почему?..

— Откуда знаешь, кого встретишь в тундре? Что у него на уме? У каждого может быть оружие. И никто никогда не узнает.

— Ни фига себе... А я думал — доверие, взаимопомощь... А если знакомый? Родственник?

— Если только узнал. И то. Смотря кто. Жизнь. Народ зря делать не станет. Знаешь, какие случаи бывали.

И дули через границу с отборными шкурками. Бухло для счастья, ствол для престижа. Этот винчестер был выменян у арктических контрабандистов на мелкокалиберную винтовку и двадцатилитровую канистру спирта. Патроны доставались нечасто по тем же знакомствам.

...Лет через семь я увидел Иосифа Жукова на большой цветной фотографии в журнале «Смена». Корякский национальный ансамбль песни и пляски выступал в Кремлевском Дворце, Иосиф Жуков в расшитом бисером наряде завис над сценой в первой шеренге. А ведь могли породниться.

ИКРА

Счастье в жизни есть. Один раз я ел красную икру ложкой от пуза пять дней. При всей грамматической некорректности фразы ее радостный смысл не вызывает сомнений.

К числу недостатков Камчатки относится отсутствие железнодорожного сообщения с материком. С Камчатки можно только улететь. Еще можно уплыть, но это надолго.

Я провел в петропавловском аэропорту сутки. Милосердие цвело не здесь. Здесь предпочитали служебную триаду ценностей: деньги, закон и русский матерный. Нет денег? — нет любви.

Что остается бродяге, если не ломится проканать на ша́ру? Остается идти работать, как это ни противно.

Меня давно научили, где что почем. Я поехал в рыбпорт и предложил себя в грузчики. То бишь в портовые рабочие по обработке маломерных судов прибрежного лова. Шла путина, все упирались не разгибаясь.

Малый рыболовный сейнер МРС-80 и рыболовный бот РБ почти одинаковы и берут 8 тонн рыбы, хотя в путину на ровной воде принимают до 10. Их главная задача – не прохлопать штормовое предупреждение и своим 7-узловым ходом успеть спрятаться под берег.

Бригада из четырех-шести человек формировалась с утра. Притершиеся люди старались сохранять команду. Назначали на пирсы. РБ и МРСы подходили полные. Там в среднем полста тонн водоизмещения, обычное удаление двадцать миль от берега, но уж это как капитан решит.

Семь рыл экипажа шли на отдых. Принять стакан и поспать, иногда даже помыться. А мы решетчатыми лопатами сгребали рыбу в сетки и контейнеры, кидали на транспортер и очищали трюм. Потом гнали одного в диспетчерскую, и получали новое судно. И так далее. С темнотой включались люстры.

Так вот, отбирали в сторону несколько икряных самок побольше. Горбушу или кижуча. После работы — сетку над ведром, и протирали икру от пленок. В общагу с собой приносили полведра. На пятерых больше некуда. Только посолить.

И вот после работы мы обедали. Меню без затей: на каждого полбуханки хлеба, поллитра водки и икры красной свежесоленой тут же — не ограничено. Книга о вкусной и здоровой пище.

Полстакана — бульк, и ложка икры, столовская мятая алюминиевая ложка, с которой светло-алая, нежно-упругая, обтекающая янтарным жиром и соком икорочка сваливается, не помещаясь в рот, и там во рту тает. И хлебушком зажевать. И повторить.

Вот что такое наслаждение развратом. А вы говорите.

Причем небрежно так. По-мужски. Сурово. Привычное дело.

— Она питательная. Очень калорийная, — заботливо говорили мы друг другу.

— Какие деньги. Так хоть пожрать. Будет что вспомнить, — говорили мы.

— С такой пахоты не вмазать и не покушать — хрен долго выдержишь, — говорили мы.

Зачерпывали миской из ведра и двигали насередь стола.

Через пять дней я с трудом остановился на пятидесяти рублях.

ОТ ПУНКТА А ДО ПУНКТА Б

Боги погоды — синоптики — сделают козью морду хоть кому. В аэропорту спят на стульях, прилавках, на полу и на лестницах. Перешагиваешь через скрюченные тела, как Наполеон в чумном бараке. На третьи сутки устают пить и тоскуют тупо и трезво. В Хатанге или Игарке можно зимой и на три недели засесть. Сейчас, ты что, ерунда, к вечеру улетим. И что? Улетели таки!

Ил-18 Петропавловск-Камчатский — Ленинград. Забит под завязку и еще несколько стоячих за дополнительную мзду. В Магадане кто-то сойдет, они сядут. Все курят, все пьют, все тертые с северов и востоков. Сквозь дым коромыслом стюардесса проталкивает тележку со спиртным. Чтоб не дай бог не протрезвели. План торговли, сервис. Эмблема «Аэрофлота» — бутылка с крыльями.

В Магадане дождь, темнеет, можно остаться в самолете. Я выхожу. Надо думать о будущем. Билет только до Магадана и пятнадцать ре на остальную жизнь. При посадке я машу руками дежурной на трапе, тычу в стюардесс в тамбуре и кричу о билете, который не могу найти, но я в Ленинград, у меня багаж в самолете, мое место 19В, и все меня знают, я из Петропавловска. Да я готов загрызть эту тварь, которая хочет оставить меня в этой столице всех зэков мира!

Я что, даром покупал дважды мерзавчики водки, и бутерброд с лососем, и сигареты?! Успевая сказать, что я после практики, лечу в Ленинград, и прочая пудра на мозги для незабываемости картины.

Две стюардессы дуэтом нейтрализуют дежурную и втаскивают меня внутрь. Соседи сохранили мое место. Отлично летим! Теперь тележку толкает не беленькая Ира, а темненькая Наташа, и мы вообще друзья. Это ленинградский экипаж. Мы болтаем у них в закутке, кто где живет и куда ходит.

В Якутске экипаж идет на отдых. А борт принимает красноярский экипаж. Вот теперь надо держаться за самолет зубами и никуда не выходить! Н-но — в приказном порядке всех сгружают. Я наблюдаю, как в аэровокзале девочки честно говорят тетке из пассажирской службы, указывая на меня, и она кивает. Они уходят в гостиницу.

Н-ну? Дежурная на трапе, сухая щепка с внешностью старой девы, или старая сука с внешностью сухой щепки, говорит стюардессам, что билета нет, но просили, вроде потерян. Ее инструктировали — молчать! Падла не хочет ответственности, стюардессы не хотят меня, я им никто. Они адресуют головную боль как раз поднявшемуся командиру экипажа. Он хмур, в гробу видал всех, сойдите с трапа.

Факир был пьян, и фокус не удался.

У меня багаж в самолете!! Девятнадцатый ряд, вещмешок! А. Отдайте ему багаж.

Актив: есть самолет. Пассив: невпротык. Ночь, дождь, холод, поездов здесь нет. Якутск. Вечная мерзлота. Русский классический роман «Облом».

Я получаю совет послать запрос билетной службы в Петропавловск, уже утром могут подтвердить, и меня отправят первым свободным рейсом в Ленинград. Тебя бы первым свободным рейсом в крематорий. Спасибо, уже иду.

Ну чего. Сел на пол под стенку и стал вникать в атлас автомобильных дорог СССР, который возил вместе с железнодорожным.

Утром с катером-перевозкой я переправился через Лену в Нижний Бестях и пошел на попутных на юг по Ленской трассе. И через четыре дня, через Алдан, Беркакит и Тынду, благополучно прибыл в Сковородино. А там поезда, Транссиб, можно сказать. Какие проблемы.

Ну так в наглости своей несказанной я в Омске отстал от поезда. Прочно укоренившись в общем вагоне и оставив мешок, я пошел тоннелем под путями на вокзал за мороженым. Усладиться душой. Что со мной может быть, и куда поезд может деться? Механическая отрыжка трансляции полоскала уши. Я фиксировал по часам двадцатиминутную стоянку.

Хвост поезда картинно болтался на стрелке. Я подпрыгнул, заметался, затопотал, и с драматическим воплем вперся сквозь проводницу в поплывший казанский скорый. От злости она щипалась с выкрутом, я извозил ее мороженым, которое жалко было бросить.

Мы нагнали мой полудохлый в Тюмени. Мешка не было. При мне рядом ехала воинская команда, там лежал десяток солдатских вещмешков, неотличимый мой при выгрузке прихватили до кучи.

Ха. Документы я всегда носил в кармане. А от Тюмени до Ленинграда рукой подать. У дежурного по вокзалу я получил чудную справочку: отстал от поезда, вагон, место, описание багажа. А ваш билет? А в вагоне на столе.

Невелик багаж, но без него вовсе свободно! Дорожное осталось дороге.

Я был легок и обустроен, как Диоген. У меня были документы, два рубля и индульгенция.

Я ДУМАЛ

И ни о чем я не думал. Не думал о том, как добры люди, и как огромна страна, и как длинна и счастлива жизнь в двадцать один год. Не думал о препятствиях и трудах, разлуках и предательствах, счастье и горе, и даже о смысле жизни и бренности бытия ни хрена я не думал. Это прямо удивительно, я не думал о том, как сложатся судьбы, куда катится мир, что будет вместо обещанного коммунизма, какая будет зарплата, сколько сантиметров ширина брюк, и вообще где я буду жить и как жить. Я не думал нисколько о справедливости и борьбе за правду, о своих грехах не думал абсолютно, о несовершенстве людском и тщете усилий, о мировой революции и будущем культуры не думал вообще; не думал о добре и зле, страдании и покое, победе и воздаянии, и даже об устройстве мира не думал, цветок бездумный, безмозглый.

Я не думал о личном и общественном, о Родине и истории, меня не волновали слава и позор, гений и злодейство, правда и ложь, белое и черное, вчера и завтра и хрен редьки не слаще. Живы будем — не помрем.

Дул ветер. Золото летело за окном. В пустом вагоне две разбитные проводницы и ушлый старшина-сверхсрочник готовили стол из канистры чачи, домашних колбас и редиски с луком.

А я курил за столиком и читал книжку Вадима Ковского «Романтический мир Александра Грина», купленную на последний рубль на свердловском вокзале, и все тянул этот миг, все тянул и тянул.

СРЕДНЯЯ АЗИЯ

ГИТАРА ФРУНЗЕ

Мое знакомство со Средней Азией началось с того, что в доме Михал Васильича Фрунзе я получил по шее. Я всегда скептически относился к нравственному облику героев Гражданской войны.

В одноименную столицу Киргизии город Фрунзе я прибыл без злого умысла и в прекрасном настроении. Здесь было уже тепло. Первобытное слово «Бишкек», похожее на проглатываемый камень в горле, еще не существовало. Я собирался перекусить и передохнуть после поездов и попутных. Тимур умер, и Средняя Азия принадлежала мне.

По улице шли три девушки провинциально-студенческого облика, и зря идти им было совершенно незачем. Я спросил, где музей Фрунзе, и включил язык. Через полчаса, осыпая пудру с мозгов, они дружелюбно кормили меня в столовой. Когда желудок стал давить в подмышках, я записал адрес их общаги и перешел к культурной программе.

Кочевали они здесь тысячу лет, и еще бы тысячу лет кочевали, если бы не господин генерал-губернатор. Царская армия пришла в Туркестан, и народ влился куда надо. Город был безлик, как размножившийся кирпич. Обильная зелень придавала ему приличия.

Однако семья революционера и каторжанина Фрунзе жила в радостном достатке. Пока не вымерла поголовно согласно Природе и Советской власти. Но дом сохранился в бережности. Вокруг дома и был построен музей, как павильон вокруг экспоната.

Хотя скорее как скорлупа вокруг яйца. Музей был белый, каменный, гладкий, и такое ощущение что запачкан пылью и пометом. А внутри был аккуратный, прочный, объемистый сруб. Двускатная крыша сруба желтела крашеным железом. Длина жилища напоминала Ноев ковчег. С торца был вход, вдали выход, а между ними — анфилада комнат.

Проход был обвешен плюшевым канатом. По сторонам открывался скромный достаток дореволюционных интеллигентов. У нас за такой достаток сажали. По неясным слухам, семь комнат было только у членов Политбюро и грузинских подпольных миллионеров. И все эти комнаты были чем-то, черт возьми, заполнены! От слоников на салфеточках до красных комодов и гитары с бантом на стене.

Никаких служителей видно не было. На меня выжидательно щурились два местных охламона. Я нырнул под канат и провел пальцем по струнам. Гитара была настроена! Ну. Конечно снял.

Вот что. Когда приезжаешь из Ленинграда на окраины, то по отношению к местным святыням испытываешь комплекс колонизатора из метрополии. Хочется ездить на рикшах и плевать в них косточками.

Я расположился в кресле, закинул ногу на ногу и забренчал мелодию в границах своего слуха. Как раз на трех блатниках. Кто не знает — это три (простейшие и основные) аккорда на семиструнке.

Я чувствовал себя Миклухо-Маклаем на рояле. Папуасы заплачут при расставании. Два папуаса подошли к барьеру и умирали от счастья.

Явилась судьба, и она выглядела гораздо хуже и злей одноименной темы Бетховена. Костлявая старуха держалась за швабру, как Смерть за косу. Первым делом она скосила мою аудиторию.

Пока охламоны защищались от швабры, я аккуратно повесил инструмент на гвоздик и стал удаляться по проходу, стараясь совместить скорость с достоинством. Достоинство было лишним. Старая карга включила третью передачу и лупила меня своей поганой шваброй по загривку. Так я впервые услышал киргизские ругательства. Это вводные слова для обрамления русского мата.

Швабра казалась грязной и оказалась таковой. Я отправился искать колонку и застирываться.

В тени мужики пили пиво: в ларьке было. Я спросил, где милиция: меня возили по земле и отобрали деньги, вон там.

Мужики мгновенно вычислили, кто меня бил и грабил, посоветовали не связываться и угостили пивом.

Не сходя с места, я узнал много полезного о милиции, киргизах, взятках и быстрых мелких заработках. Будь проще, и люди к тебе потянутся.

Особенно они одобрили анекдот с местным колоритом, как Василий Иванович Чапаев возвращается из Москвы, где в Академию поступал, грустный-грустный. Петька спрашивает:

— Ты чего, — спрашивает, — Василий Иванович, такой грустный?

— Знаешь, — говорит, — Петька, меня Михал Васильевич Фрунзе птичкой обозвал.

— Какой еще птичкой?

— Ну, эта... такой... — и стучит пальцем в стол.

— Дятлом, что ли?
— Да нет... ну, эта...
— Синичкой?
— Да нет! Долбоёбом.

ДОРОГА

Я пил зеленый чай. Плеснул в пиалу, вылил обратно в чайник, и повторил несколько раз. Чай должен перемешаться, подышать и чуть остыть, и тогда уже настояться еще немного. Тогда пить.

Поллитровый чайничек стоил без сахара пять копеек. Это я себе позволял часто. В жару без чая жажду не утолить. Вода проходит с потом, хоть канистра.

Я сидел в тени гигантского южного дерева, о названии которого не задумывался, пил чай, курил самокрутку и мечтал о мясе. Мясо было баснословно дешево, но мне недоступно.

Мангал дымился, баранина пахла, шашлычки румянились в ряд. Пять кусочков мяса на короткой палочке: двадцать пять копеек. Компания дальнобойщиков зависла над грудой таких шашлычков. Они чавкали и хрустели, распрямляясь только для упражнения «взмах рукой прогнувшись». Чайханщик только оттаскивал водочные бутылки.

Судя по напору, дальнобойщики задвинули хорошего левака. Их фуры загромождали всю обочину. А местное ГАИ выпивку приветствует. Это стоит пять рублей с человека. Если остановят и понюхают.

Чужой шальной достаток наводит на горькие мысли люмпен-пролетариев. Могли бы и обратить внимание на еще одного русского в этой туземной забегаловке. Могли бы и поинтересоваться, почему он пьет пустой чай. Это ж надо столько жрать!

Особенно раздражал лысый запорожец-единоличник. Помесь хряка с казаком. Он приволок дюжину шашлычков, на треху, значит. Большую лепешку и бутылку водки. И все это хмуровато истреблял за отдельным столом. Рабочая аристократия. Если бы взглядом можно было повредить здоровье, чума и холера спорили бы над его трупом.

Я купил в магазине четверть огромной белой ковриги за восемь копеек, наелся и лег отдыхать позади магазина. Да там и переспал ночь.

С рассветом по холодку шагать необыкновенно приятно. Хождение за три моря. Но мы еще дойдем до Ганга! К восьми я вышел на большую самаркандскую дорогу и стал ловить попутки.

В среднем встает одна машина из двадцати. Но был не мой день. Машины шли редко. И ни одной до Самарканда. Они подбрасывали меня по прямой кто двадцать километров, кто шесть, и сворачивали на свои проселки.

Высадки с пятой я запомнил разбито ползущую шаланду. Она осела, перегруженная рядами автомобильных двигателей в кузове. Потом мы ее обогнали, ее все обгоняли, потом меня опять ссадили, и она проползла мимо. Она перемещалась в пространстве, как борющийся с параличом Бармалей. Я перестал ей голосовать.

После десятой встречи она сбросила звук на нейтралке, прокатилась и встала. Шофер высунулся в правую дверцу и сделал жест:

— А ну, хлопец! Поди сюды! Ну иди, иди!

Я подошел. Он велел:

— А ну, сидай!

Я влез. Дверца захлопнулась с металлоломовским лязгом. Шофер воткнул скорость. Машина застонала, заныла, заскрежетала, и с воем умирающей авиабомбы стала медленно разгоняться до сорока километров.

За рулем сидел двенадцатишашлычный запорожец. Литой бритый кубик под пятьдесят. Он сосредоточенно смотрел вперед и сопел. Покосился и спросил:

— Много вас здесь сегодня?

— Кого — нас?

— Ну, як ты.

— Каких как я?..

— Ну шо ты придуряешься!.. — Он охарактеризовал мою бородку, серую застиранную куртку с серебряными пуговицами и рюкзачок.

Все мои силы уходили на борьбу со сладкой ухмылкой. Его встревожила галлюцинация.

— Вчера с хлопцами выпили, так седня голова болыть, — жаловался он. — Горилка дурная. А вы еще здесь кажные десять километров стоите. Ось уси як ты! Як суслики — встали и стоят. Человек наверно пятнадцать. Что ни полчаса — то стоит! Да шо у вас тут задумано?

— Комсомольская эстафета, — сказал я.

— Яка така эстафета?

— В Самарканд.

— Для чого?

— По местам исторической славы.

— А-а... Так а чого усих в один автобус не посадили, да и повезли?

— Я же говорю — эстафета!

— А-а... ну да.

Он думал.

— Еще вас много впереди?

— Нет, я самый передний был.

— Ну слава богу. А то я вже боятыся стал. Шо, думаю, за дило! Еду — стоит, и опять стоит, и опять! Выпил, може, много, так и немного. Може, с головой...

Машина задыхалась на затяжном двадцатикилометровом подъеме. Дорога перевалила прорубленные в ущелье «Ворота Тамерлана». Углубленный в похмелье шофер подвигал носом:

— Ты не чуешь? Как масло горит... или резина?

Он встал у арыка в вечерней тени, и вонючее пламя поднялось над задними колесами. Масло высохло, рессоры сплющились, раскаленные докрасна диски зажгли баллоны. Оглушительно лопнула первая покрышка.

— Бисов сын, одно горе от тебя! — вопил запорожец, швырнул мне второе ведро, мы плескали воду из арыка, уже встали в помощь двое с огнетушителями. Пламя сбили.

Закурили, осмотрели вчетвером, пришли к выводу, что сменить только одну камеру, а на базе в Самарканде скаты есть, доехать можно.

— Я тебя больше не повезу, — отрекся запорожец. И обратился к «колхидчику» с огнетушителем: — Подвези его до Самарканда. У них тут эстафета. — И пробурчал в сторону: — Нехай теперь ты с ним помучишься.

АНЕКДОТ

Когда Самарканд был столицей великой империи, там таки было на что посмотреть. Пятьсот лет сильно меняют внешность. И Шер Дор, и Биби Ханум, и Гур Эмир блистали лазурной вязью и громоздились, как форпосты Истории, сквозь которые дышит мощная энергетика прошлого. Так ветер из ноздрей дракона сдувает все вокруг. А вокруг была всякая фигня. Пыль азиатской провинции.

Во время Войны Самарканд наряду с Ташкентом

был центром эвакуации. Сюда перевезли институты, заводы и военные училища. Кварталы лопались от беженцев. Некоторые из них, кому некуда оказалось ехать после войны, прижились здесь. Пестрый городишко шумел интернационально.

Гур-Эмир – мавзолей Тамерлана в его любимом Самарканде, прообраз Тадж-Махала. Кровавый завоеватель обожал архитектуру, поклонялся прекрасному и свозил мастеров и стройматериалы со всего мира.

Это мне рассказали в пивной у базара. Маленькая кружка пива стоила одиннадцать копеек. За двумя длинными столами под навесом гвалт стоял адский. Быстро жиреющие узбеки в тюбетейках, сухие каракалпаки в черных тельпеках, татуированные старые волки с зон и мелкая русская блатота беседовали за жизнь и решали вопросы.

Если город начинается с базара, то самаркандский базар вообще был сам себе город. Сюда съезжались издали, и площади было не видно за теснящимися пирамидами изобилия. Желудочный сок растворял меня изнутри.

Золотые фугасы, исходящие медовым духом хорезмские дыни продавались по восемь копеек за килограмм. Зелено-алые сахарные арбузы — семь копеек кило. Атласные помидоры — семь копеек, изумрудные огурчики — шесть. Яшмовая прозрачная шрапнель винограда — пятнадцать копеек. Слова мои жалки, а на самом деле меня качало.

Одна сволочь написала: «Хоть видит око, да зуб неймет». Тот самый случай.

За время бродяжничества у меня развилась клептомания, профилактически ограниченная Уголовным кодексом. Руки в автономном режиме присваивали все, что плохо лежит. Ненужное приходилось выкидывать. Я долго таскал градусник, спертый со стенки на почте, где совершенно нечего ему было делать, но его вечные сорок три днем перестали развлекать, и я его тоже выкинул.

В пыли лежала детская флейта. Красная пластмассовая игрушка длиной с карандаш при шести дырочках. Обронили и еще не раздавили. Я ее обтер и подул без всякой мысли. Видимо, чтоб в рот хоть что-то сунуть.

Ближайшие торговцы посмотрели из-за своих баррикад. Я мобилизовал слух и озвучил «чижика-пыжика». Томясь жарой и скукой, они следили ленивыми детскими глазами, там спали любопытство и жестокость.

Вдохновение взлетело из желудка в голову и подчинило меня. Я укрылся в кустах за забором и изготовился к выступлению. Правую руку вытянул из рукава и спрятал в штаны под ремень. Пустой рукав висел. Из рюкзачка достал свою панамку и придал ей форму шляпы. И с дудочкой в кармане пошел на перекресток двух проходов.

— Граждане, — сказал я и поклонился на четыре стороны. — Товарищи, — обратился я и выпустил рюкзачок из руки к ногам. — Я, как вы видите, однорукий флейтист.

Вольные декхане и кооперативные торговцы сосредоточили на мне внимание и непонимание. Эту театральную хохму здесь знать не могли.

— Сейчас я вам поиграю, — объявил я голосом инвалида в электричке.

Левой, единственной, рукой достал из нагрудного кармана флейту, посвистел, скача пальцами, бессмысленно-громкое и повторил несколько раз «чижик-пыжика».

— А теперь, люди добрые, подайте кто сколько может!..

Я опустит дудку. Из ширинки высунулся длинный и розовый, свернувшись как хобот уцепил дудку, освободившейся рукой я снял шляпу и протянул с поклоном.

В первую секунду все в ужасе смотрели на ширинку. Вторую секунду в изумлении соображали, что же это и как же это так. В третью секунду опознали увиденный совсем как палец и вообще ну точно же палец. Еще две секунды вид пальца, высунувшегося из ширинки и сжимающего флейту, соотносился с анатомией моего тела.

Потом раздался истошный визг и вопль, переходящий в обвальный судорожный хохот. Вскрикивали, шлепали руками в бока, указывали друг другу и терли слезы.

Я прошел у прилавков, покачивая дудкой и подавая шляпу. Мне положили помидор, огурец, хвостик винограда, пол-лепешки и мелочи.

Я вытащил руку и застегнул штаны. Зрители были в восторге. С дальнего конца базара пришли узнать: бьют вора или кого зарезали? Им замахали на меня, объясняя, чего они лишились.

По коллективным просьбам трудящихся Востока я повторил выступление в другом конце. Реакция была еще более массовая и радостная, потому что народ предупреждал друг друга и предвкушал.

Мой гонорар бродячего артиста переложили в коробку. Там была еще четверть дыни, горсть урюка, кусок халвы и ломоть брынзы. Мелочи всего набралось почти рубль.

Этот иллюзионизм в жанре пип-шоу удачно вписался в эстетику светского ислама. Могли бы и убить. Но народу сильно не хватало эротики.

Я прожил в Самарканде шесть дней, ночуя на автовокзале, который не закрывался. Но на базар больше не ходил. Туда меня не пускало чувство художника. Нельзя портить шедевр уступающими ему повторениями.

КОНЦЕРТ

Железная дорога расходится из Хаваста на три стороны: к северу Ташкент, к востоку Фергана, к западу Самарканд. Эта кочка на ровном месте работает узловой станцией. Конкретно на вокзал я прибрел к полуночи: влезть в темноте в какой-нибудь из проходящих пассажирских.

Вокзал был типовой российской архитектуры начала девятисотых: два одноэтажных крыла вдоль перрона и выход из кассового зала в центральной ротонде. Медный колокол, красная фуражка, Анна Каренина и теплушки гражданской войны.

Что характерно, народу было много, и все русские. Движение в расписании значилось насыщенное. Найдя место, я читал оставленную кем-то газету и поглядывал через ряд на компанию с гитарой.

Эти местные пацаны играли на уровне двора и в антрактах пили портвейн. Примечательно то, что на самом полуинтеллигентном алела футболка с портретом Че Гевары; по моему разумению, им вообще знать не полагалось, кто это, учтите место и время, гибель Че была еще свежа, легенда начинала возникать на Западе, просачиваясь к нам через элитные контакты. В эдакой глуши я с некоторым неудовольствием обнаружил конкурента по разуму. В супердефицитной на зависть майке.

Они бренчали и гнусавили свою шпанюковскую романтику, негромко так, неагрессивно. Вокзал служил им клубом. А я поглядывал, как они берут аккорды. Они прихватывали басы большим пальцем и сбивались, когда били восьмерку. Дети подворотен.

Моя полубородка, взгляды и куртка с серебряными пуговицами были ими выделены.

— Парень, вы откуда? Куда едете? С нами, может, посидите? — с церемонным уважением и на вы.

Я был приглашен, посажен и обслужен. Скучали они. Любопытствовали.

— Может быть, выпьете с нами? — Стакан портвагена и конфетка.

После круговой вернулись к гитаре.

— Вы так смотрите. Вы сами, наверно, играете?

Ну, я им сказал, что немного, но тихо петь не умею, так лучше пойти на воздух. Мы вышли к двум лавочкам под звезды и сели на спинки. Я попросил еще конфету для голоса, чтоб не сорвать, и получил стакан к двум конфетам.

А теперь несколько слов, что такое была песня под гитару. На пластинках их не существовало. Магнитофонов еще почти ни у кого не было, дорогая редкость, владельца мага звали с тяжелым катушечным ящиком во все компании. Пленок не достать. Переписать было негде и не с чего. По радио их не передавали, по телевизору тем более. Тексты не издавали, упаси боже, ноты сами понимаете. Живой устный фольклор. Не зная фамилий.

В Москве и Ленинграде гнездились клубы, компании, общение, студенты и молодая интеллигенция. В областных городах уже не знали почти ничего. В глубинке пели официальный радиорепертуар и матерные частушки.

Авторская песня была неподцензурна и свободна, она была политическим протестом уже по факту существования, она была действительностью души вопреки приказному лицемерию и приличию.

Она началась давно, после войны, с «Неистов и упрям...» Окуджавы, а после хрущевского XX съезда распустилась в рост, и появились Городницкий, Галич, Кукин, Анчаров и много, много. А только что, в 67-м, вышла «Вертикаль» с четырьмя песнями Высоцкого, и это был взрыв, прорыв, обвал и атас.

Песня с гитарой — это то, что было нельзя — но было можно, чего не было — но на самом деле оно именно и было. Это был выход из государственной идеологии в пространство всамделишной твоей жизни.

Во как я изложил. Так сложно не думали. Вот как самурай учился стихосложению — приличный пацан хотел уметь играть на гитаре. Я оттачивал квалификацию в общаге и дурдоме. Так себе исполнитель. За неимением лучшего в своем кругу. Не столько голос мал, как слух туг. Шесть блатников на семиструнке плюс мелкие примочки.

Но когда на тебя смотрят — ты наполняешься значением зрительских ожиданий.

Я откашлялся, порыкал и взял «Як-истребитель». Начал я тихонько, издалека, а после «ми-ии-ирр ваш-шему до-му-уу» взвыл, наддал, загремел струнами и заорал все громче до надрыва с хрипом. Я громко могу орать с хрипом. Высоцкий, конечно, лучше. Милые мои, да где ж его взять, кто ж его на той станции видел и слышал. Я хуже... но тоже громко, местами даже очень громче. Я вел по памяти его исполнение, с чувством на отрыв. Я взмок и пробил по струнам финал, подражая слышанному.

Народ безмолвствовал. Они ж не меня слушали. Они песню, перенесенную мной, слушали. Это ж было — неизвестное, никогда не слыханное, ни на что не похожее, убойное! Я протянул руку, взял зажженную сигарету, сделал две затяжки и отдал обратно.

Общение меняет тональность, когда у тебя начинают дрожать пальцы. Твои вибрации расходятся в окружающее пространство.

Дальше была «Как призывный набат», я редкой горстью рубил дробь по струнам в такт и топот. И тут что-то стало происходить. Не то кругом, не то во мне. Не то чтобы это было про нас — наша сущность и наша жизнь, потери и надежды наши и были этой песней.

Никогда ни до, ни после я не попадал в каждую ноту и не вытягивал все, что хотел.

В разном ритме и дыхании мешались «Караганда» Галича, «Парашютисты» Анчарова, «Перелетные ангелы» Городницкото, «Сапоги» Окуджавы и много еще чего, я сам не все знал, откуда чье. Нет, ну я специально еще чередовал, чтоб песни шли разные, неожиданные, по контрасту. Милые, если бы можно было передать прозой силу и чувство поющихся ночью стихов, вы бы сейчас рыдали беспрерывно.

Коридорные шаги злой угрозою, было небо голубым, стало розовым, заиграла в жилах кровь коня троянского, переводим мы любовь с итальянского. Простите пехоте, что так неразумна бывает она, всегда мы уходим, когда над землею бушует весна, и шагом неверным, по лестничке шаткой, спасения нет:

лишь белые вербы, как белые сестры, глядят тебе вслед. Три дня искали мы в тайге капот и крылья, три дня искали в тайге Серегу, а он чуть-чуть не долетел, совсем немного не дотянул он до посадочных огней. И крикнул Господь, эй, ключари, отворите ворота в сад, даю приказ: от зари до зари в рай пропускать десант. Капитана в тот день называли на ты, боцман с юнгой сравнялись в талантах, распрямляя хребты и срывая бинты бесновались матросы на вантах!.. Ждите нас, невстреченные школьницы-невесты в маленьких асфальтовых южных городках... Вот все это и многое другое пел я, отдавая выше невеликих своих умений, черной ночью на станции в Хавасте.

А кругом давно стояло все население вокзала, все прохожие, дежурная, смазчики, милиционер, вокзальная проститутка, гулявшие пары, поздние пассажиры, бичи, хулиганы, лица толпы белели, и они слушали; глаза их отблескивали под фонарем, от них исходило все самое лучшее, самое чистое и благородное, мужественное, доброе, они смотрели на меня, будто я был значительнее их, я был как в фокусе всех лучей, и я готов был сейчас умереть за них, вот за таких, и за то, чтоб это как можно дольше не кончалось.

И когда, после энного стакана и конфеты, я заревел «Спасите наши души!!!» в отчаянии и ярости на всю округу, а гитара уже рвалась и трещала, я был не я. Да я вылупился из себя и взмыл на мощных крыльях, как орел мог вылупиться из серого воробья! Я был миссионер и просветитель, предводитель, художник, акын и гомер.

И одновременно какой-то неприкаянной клеткой мозга я сознавал себя самозванцем, калифом на час, притворяющимся звездой и суперменом и буквально подменяющим собою Высоцкого, без спроса и оповещения. Словно я узурпировал то, что ему причиталось и принадлежало. Ведь они, которые слушали и внимали, не знали ничего, им сошло откровение. Счастье мое было неловким.

Я закончил в половине третьего. Два часа без перерывов. Я протянул гитару владельцу, выпил последний стакан, закурил и сипло сказал: «Все». Толпа постояла и помолчала.

Подошел ташкентский скорый. Проводы меня походили на похороны Ленина впечатленным пролетариатом. Меня подали с рук на руки знакомому проводнику и сказали, что вот этот доедет докуда сам тебе скажет. И если не доедет, ты больше здесь можешь не проезжать, мало тебе не покажется, ты понял? Народ видишь? Вези как следует.

Утром я проснулся на верхней полке в служебке и слез попить. Пряча глаза, проводник сказал, что скоро пойдет ревизор, и надо заплатить. Он обещал, он уважает, но ревизор ведь.

Я сошел на ближайшей станции, сказав проводнику, что он скотина. Всю ночь я отдавал себя людям. Они меня на руках носили. Но его там не было. Сукин кот.

Когда я протрезвел, то разобрался, что они посадили меня не в ту сторону.

ЧЕЧЕНЫ

Попутная полуторка ГАЗ-51 была колхозной. Шофер прямо даже извинялся, что скоро свернет к себе и оставит меня на дороге, на ночь глядя. С одной стороны белел хлопок, а с другой зеленели сады. Ферганская долина вообще напоминала картинку из книжки об изобилии братских народов. Если смотреть издали, конечно. Пейзаж вообще красивее всего из окна автомобиля.

Шофера звали Руслан, и я сказал, что он не совсем похож на узбека. Он был чеченец, в его ответе как бы звучали достоинство и вздох.

Ну, я и спросил, что чеченец делает в этой впадине глобуса. Ну, он и ответил, что не по своей же воле живем. Через приличную паузу я вежливо спросил, за что сидел. Он посмотрел странно и сказал, что сидеть не собирается.

Дальше звучал интересный диалог сдержанных мужчин. Я пытался понять, почему он, его семья и все его родственники, чечены, природные горцы Кавказа, живут здесь, раз не очень и нравится? А он не мог понять, что мне непонятно.

Потом он рассказывал мне о депортации сорок четвертого года. Я не то чтобы раньше не слышал. Я ни о чем подобном вообще не слыхивал и помыслить не мог. Дикая антиутопия. В СССР этого не могло быть! Клевета врагов! Пытающихся ссорить советские братские народы.

На повороте он затормозил. Мы подождали его напарника на машине сзади. Вышли перекурить на прощание. Второго звали Борей. Если Руслан был светловолосый крепышок с прямым ртом, то Боря выглядел вполне кавказцем: чернявый, масляноглазый, с шерстью из-под рубашки.

— Слышь, — кивнул Руслан, — он не верит про депортацию.

— Э-э, народ ничего не знает, — махнул Боря. — Молодой, откуда ему.

Он был всего-то лет на пять старше меня. А Руслану под тридцать.

— Слушай, темнеет уже, — сказал Руслан.

Еще не темнело.

— Машины не ходят уже, — сказал он. — Поедем ко мне, переночуем. А утром я тебя до этого места довезу. И поедешь дальше.

Мне было неловко.

— Ты что, на земле спать будешь? — спросил Боря.

Руслан жил в небольшом обычном домике с глиняным полом. Мы помылись под рукомойником во дворе и сели на ковер в передней комнате. Жена накрыла ужин, увела двоих детей и больше не показывалась.

Мы заканчивали поллитра, когда подошел и Боря с трехлитровой банкой домашнего вина. Это коварный компот: градусов не ощущаешь, а потом ни встать, ни замолчать.

В тот вечер я много узнал об истории Чечни в народном изложении. Вино на водку возбуждает к речам, и мы пили за все хорошее.

Вера в себя укрепляется пропорционально выпитому. Поняв свое величие, я смог управлять будущим и открыл это в тосте.

— Меня зовут Миша, — сказал я, — и вы запомните хорошо, что я сейчас сказал. Мое слово — верное. Пройдет десять лет — и вы вернетесь в Чечню. Вы еще будете молодые. Ваши дети еще будут детьми. Ваши родители еще будут живы. Вы будете жить на своей земле. В своих домах. У могил своих предков.

Во мне вещал пророк, и паства внимала со слезами. Точнее не помню. Помню продолжение после стакана:

— Я хочу, чтобы вы знали, что не все русские плохие, — развивал я мысль, с которой и был отнесен спать.

Прошло не десять лет, а двадцать. Чеченцы вернулись на Кавказ. Русские были изгнаны с жестокостью мести и этнической чистки. Начались чеченские войны.

Поистине, будь осмотрителен в молитве, ибо она может достигнуть ушей Всевышнего.

ГЕЙ УЗБЕКИ

Я не герой, но бываю раздражительный.

В Бухару со скрипом и всхлипом приехали в полночь. Это был поезд местного сообщения, жертва разрухи 1918 года. Билеты здесь были лишними, как галстук в бане. Проводник пробирался среди узлов, собирая посильную мзду. Русского он поощрил бесплатно, демонстрируя политическую лояльность.

К особенностям Бухары относится ее расположение в двенадцати километрах от станции. Станция называется Каган. Последний автобус из Кагана в Бухару ушел час назад.

Вокзал закрылся. Народ ночевал в сквере. Я забил место на скамейке. Большинство разложилось в пыли под деревьями.

По аллейке бродила сумасшедшая. Неопределенных лет оборванная женщина просила милостыню. Иногда она порывалась уродливо танцевать.

Ночлежники оживились. К ней обращались по-русски, звали Катей и бросали копейки, веля плясать. Катя безумно хихикала.

Это было неприятно, потом противно, потом тягостно, потом я стал звереть. Развлечение попахивало травлей. Она здесь была одна русская среди узбекских семей, каракалпаков и туркмен, кто там они еще есть.

Она приближалась, и мой сосед по скамейке тоже проявил активность в веселье. Толстенький отец семейства пустил в темноту монетку и заказал танец, смеясь.

Взрыв бешенства интересен. Внутри тебя открывается маленький баллончик, капсула. И тугой колючий газ, режущий, крепкий, агрессивный, нестерпимый, в секунду заполняет тебя от мозга до пальцев. Ты успеваешь ощутить, что контроль потерян, грудь холодеет, тело взрывается, оно убивает, крушит и рвет. Глотка стиснута, вопль дик, смерть прекрасна.

На грани этого серьезного чувства я оказался стоящим рядом с Катей. Густо пахло вином и грязным телом. Я сунул ей в ладонь мелочи сколько было, сложил в кулак и развернул прочь.

— Пошла отсюда! — голосом драки приказал я, и она пошла.

— А тебе, дур-рак, что? Развлекаться больше нечем? — тем же голосом сказал я узбеку.

Это было громко. Все в темноте промолчали. Как-то я знал, что драки не будет. Проглотят. Не Кавказ. Азия.

Я сидел рядом с осрамленным узбеком, курил и думал об азиатском характере, уважающем силу и боящемся прямых столкновений. И вообще о белой расе в духе Джека Лондона.

А назавтра, побродив по Бухаре и проникшись глиняными руинами и лазурной эмалью, я разговорился в чайхане с одним татарином. То есть я не знал, что он татарин. Он служил срочную в Ленинградском округе, видел Питер дважды на пути туда и обратно, и человек из этого города был для него земляком по лучшему месту в мире. Он поил меня до ночи, пел о ленинградской культуре и честности, и жаловался на засилье узбеков, которых презирает, хотя сам и татарин. Средняя Азия полна национальностей, а национальности полны противоречий.

Чай давно перешел в портвейн, а чайхана — в скамейку среди сквера с фонтаном. На скамейке я и устроился спать, забыв, что рисковый вариант два раза подряд не катит.

Я проснулся от прикосновения. Оно было интимным, но оно не было женским. Оно было осторожным, но оно было настойчивым. Я стряхнул руку и стал просыпаться. Рука вернулась на место.

Она была прикреплена к мужику, сидевшему в ногах.

Мужик был кудловат, смугловат, пьяноват и гниловат. Ласков и мерзок.

— Почему на улице спишь? — ласково спросил мужик. — Спать негде? Пойдем ко мне, это здесь, я рядом живу. Выпить хочешь? Девочек хочешь?

Я сел и вгляделся в часы. В два часа ночи, в кустах, в Бухаре ко мне пристал местный гомосек. Дыша дрянью, он норовил придвинуться и обнять. Я был поддат, и я не представлял, где тут что. Тьма была кромешная. У меня хватило ума удачно провести вечер.

— Покушать хочешь? У тебя деньги есть, я могу дать тебе деньги, только скажи?

Он был слаб, но лез вперед и бесстрашно улыбался. Мне стало неуютно.

— Паш-шел! — сказал я, отпихиваясь. — Паш-шел!.. — Он диковато лыбился и лез.

— Убью, сука! — Я скрутил ему ворот, тряхнул, толкнул кулаком в подбородок. — Нарваться хочешь? Вот здесь сейчас и нарвешься. Счас мочить тебя буду, урод. — Я встал и сунул руку в карман.

Он нисколько не испугался.

— Ты злой, — укоризненно отметил он и медленно ушел. — Почему ты такой злой? — обернулся и покачал головой.

Пора было сваливать. Не факт, что он не вернется с кодлой. Стремный скверик. Я подхватил свой рюкзачок и быстро пошел к очагам цивилизации.

Шел-то я быстро, но где очаги цивилизации — понятия не имел. Несколько лавочек рядом были закрыты. Единственная лампочка просвечивала вдали над гадским сквером, как звезда порока. Если найти автовокзал, там рядом стояли современные постройки...

Таращась во мгле, я крутил среди глухих глинобитных стен в полтора человеческих роста. Все прямые были кривыми, все углы закругленными. Собачий лай передавал меня, как эстафету. Я заблудился.

Шаги догоняли. Я побежал. Шаги отстали, раздались сбоку и вышли навстречу.

Их было человек семь, и если там были ножи, мне хана. Я вдруг почувствовал огромное миролюбие. В стрессе голова тормозит, и делаешься спокойным.

— Салям алейкум, — глупо и неожиданно для себя сказал я.

— Алейкум ассселям, — тихо просвистело в ответ с интонацией «сейчас-сейчас, погоди...».

— Я был не прав, готов уладить! — быстро сказал я, презирая себя за трусость и уважая за циничное хладнокровие. Я представил, что они могут понять под словом «уладить», и пришел в истеричное веселье. Нож был в кармане, но если что — не успеешь открыть.

Главное — не отвечать, если начнут бить, повторял я себе, получил по зубам и по уху и махнул руками наугад. Меня мигом снесли, я пришел в себя на карачках, пряча лицо в грудь. Пинали в ребра и зад, безостановочно и не больно.

— Ша, мальчики! — рассудительно сказал я. — Спасибо, достаточно. Я все понял!

Это всегда хорошо действует. У них спал задор. Еще попинали для порядка, грозя страшными карами на смеси языков, и ушли.

Через минуту я вышел к гостинице. Она была за углом. Над открытой дверью светил фонарь. Милиционер обжимался с администраторшей.

Я достал из паспорта неразменный рубль и снял койку за девяносто копеек. Милиционер затребовал информацию о причине моей помятости. Поправил кобуру, зажег фонарик и отважно шевельнулся в сторону темноты.

— Ахметка, ты куда, ножик в бок получишь!.. — заголосила женщина, цепляясь за его локоть.

Он показал, что сожалеет о препятствии исполнить долг.

За стойкой висело зеркало. Я не получил видимых повреждений. Младший сержант Ахметка с администратором Верой утешали меня в том плане, что педераст национальности не имеет. Все они курят траву, жуют нус и истощены пороком. Совсем слабосильные, вай.

Мы смеялись, что лучше встретить ночью слабосильных педов, чем здоровых волков. Меньше здоровья убудет.

Я думал, что долго буду курить в койке, и чуть не спалил во сне подушку. Там везде можно было курить, даже в магазинах.

А больше меня в Средней Азии пальцем никто не тронул.

КАЛЫМ

Нигде не было так замечательно, как на Иссык-Куле! Трижды в день я ел только лучшее мясо, и каждую ночь спал с четырьмя девушками. И все это на фоне восхитительного пейзажа с водной гладью и снежными пиками. За три недели такой жизни мичмана Панина без сожалений разжаловали в матросы.

Если перевести высокую поэзию в скучную прозу — три недели я работал официантом в столовой пансионата Казахского, то бишь Алма-Атинского университета: весь берег был в пансионатах. А жить меня четыре официантки пустили к себе на балкончик, на пустую коечку, и на ночь запирали за мной дверь в комнату, заразы-девки, жертвы добродетели. Ромео на балконе, а поговорить не с кем.

Но трижды в день я накрывал столы в две смены, а ела вся столовская обслуга на кухне что хотела и сколько хотела. Заезд у них продолжался три недели, и девки меня устроили перед начальством как бы алма-атинского студента подработать на время пребывания. И за это счастье мне приплатили сорок рублей, как по ставке за три недели минус налоги. Я еще долго жил как богатый.

Так что собирать знаменитые иссык-кульские маки на горных лугах у меня никакой материальной необходимости не было. Но криминальная романтика тогдашней малоразвитой наркопромышленности влекла! Если бы я был хоть чуть умнее, то рисковать четырьмя годами из-за их поганых коробочек и надрезов с белым густеющим соком ни в жисть не стал бы, конечно. Чтобы закрыть криминальную тему, за день чистки арыка кетменем в Ферганской долине я получил у хозяина пятьдесят копеек и еду. Причем пока я научился снимать пласт грязи кетменем и тем же круговым движением выбрасывать ломоть наверх — я изгваздался с ног до головы, к удовольствию трудящихся Востока. А за день заготовки конопли там же недалече, подучил один такой же поденщик, мне заплатили пять рублей, причем с учетом моего беспомощного положения, потому что обещали триста в месяц или десятку за день. Я взял пять и свалил в туман, чем-то их бизнес меня беспокоил.

Самое простое в населенном пункте — пройти по винным магазинам, предлагаясь на любую работу за бутылку в конце дня. Тебя оценивают и гонят, но иногда берут на подноску-разгрузку. После чего ты продаешь бутылку за рубль прямо у магазина, а стоит она, допустим, рубль тридцать две. Даже если у заднего крыльца уже трудятся свои постоянные алкаши, ты объясняешь им свои условия, потому что они работают, как правило, за треху. И они с радостью разрешают тебе работать за них, потому что они курят и кайфуют, а тебе всего-то дать один пузырь, выцыганенный у продавщицы по знакомству сверх условленного.

Разгружать вагоны на станции — дело дурное. Ставки — двадцать две копейки тонна, и не верьте фантазерам. Причем — ты встаешь в конвейер уже втянувшихся мужиков, и надо держать темп. За пятерку наломаешься так, что колени еще назавтра дрожат. Хотя, конечно, деньги; и надо еще, чтоб туда-то взяли, бичей кругом полно.

Уборка фруктов — фигня. Чем дальше от центров цивилизации — тем ниже цены и бедней народ. За те же пятьдесят копеек в день солнечный удар сшибет тебя со стремянки и свернуть шею? Всем большое спасибо!

Может повезти на овощебазе, если дальнобойщику срочно надо погрузиться-разгрузиться, а народу под рукой не хватает. Если он комбинирует на свой интерес, там деньги ходят приличные, и за старание могут кинуть десятку за три часа легко! Но тогда ящики с абрикосами и прочими яблоками надо носить рысью, потому что платят не за старание, а за то, чтоб твое старание увидели и оценили; если показал результат, конечно.

На базарах редко светит, там отирается полно своих бичей, согласных на все за самую малость. Гнилые фрукты-овощи и огрызки лепешек подбирает постоянный контингент на откорм скоту. Здесь ничего не пропадает, жизнь-то бедная.

Вот в Ташкенте я за четыре рубля день возил по городу автобусные экскурсии. Я сидел в холле гостиницы «Ташкент» на площади Навои и наслаждался первым, похоже, в стране кондиционером.

Читал от скуки бесплатный путеводитель и высокомерно отвечал швейцару, что жду ленинградского режиссера-документалиста. А она в мегафон приглашала народ на экскурсию по городу. Я сказал, что самореклама делается не так и от нечего делать могу помочь. Она обрадовалась, она была практикантка, а старший кинул ее одну и свалил по своим делам. Ну, я им рассказал — и про книгу Неверова «Ташкент — город хлебный», и про закрытую военную статистику по недавнему знаменитому ташкентскому землетрясению, и про мемуары Вамбери, и про съемки «Александра Невского» в пустыне, посыпанной неочищенной солью. Рядом с шофером стояла коробочка, туда народ опускал мелочь, выходя. В конце дня мы разделили двенадцать рублей на троих.

А вообще народ в Средней Азии был добрый, вот что я вам скажу. Те, кто застрял там после эвакуации, а таких немало было, ведь ехать было некуда, война все стерла, так вот они вспоминали, что в войну их подкармливали, жалели, и никто не обижал.

Прокормиться было просто.

МУЭДЗИН

В Хиве я работал муэдзином. Я был одноразовый муэдзин, после такой работы убивают. Сеанс приключился в жанре смехопанорамы. Но учитывая гонения на ислам и запрет обрядов, и на том спасибо.

В Хиве весь старый город внутри средневековых стен сохранился на редкость. У мощеной площади рассекал небо огромный изразцовый минарет. Ну так можно ли было на него не влезть?

Местная власть, стремясь к цивилизованности, объявила минарет музеем. Один на один с кассиром я купил билет за десять копеек и прошел в открытую дверь, чему никто не мешал и бесплатно.

По крутой винтовой лестнице, истертой, отшлифованной, скользкой, я вскарабкался на верхнюю площадку и выкурил сигарету с видом на панораму. Мир был исполнен двумя красками: желтой снизу и синей сверху. На площади между плоских кровель вялая толпа смотрела бой вялых баранов. Я недавно присутствовал.

Двух здоровенных, как кабаны, бурых рогачей хозяева растаскивали в стороны, трепали и толкали навстречу. Бараны кратко цокали по камням, глухо стукались тупыми лбами, и так стояли. Потом все повторялось в двадцатый раз. Азартнее бить лбом в дверь. Восток надо понять. Было в этом что-то вечное, бесконечное и безвыходное.

Выполнив план по осмотру Хивы с птичьего полета, я спустился — и потыкался в закрытую дверь. Я обратил внимание при входе, это была дверь из почерневших досок акации, время превратило их в железо. Уже вечерело, и за дверью мне было весьма темно.

Я постучал, поколотил, позвал, напряг ум и вспомнил, что сегодня суббота. Ждать до понедельника мне не хватало восточной ментальности. Мысль о бьющемся лбом баране тяготила литературным дурновкусием.

Я попинал дверь, рассчитанную на осаду монголов, и покричал, как выпь из колодца. А если музей и в понедельник закрыт, так мне что, с минарета бросаться?

Я полез обратно наверх. Косые тени крыли площадь. Бараны и люди продолжали свое столкновение умов. В сущности, до них было недалеко.

Я помахал руками. Никто в мою сторону не смотрел. Набравшись духу, я закричал неуверенно и негромко. Неубедительный звук растаял в пространстве.

Через пять минут я пел гамму, как погибающий кот на столбе. Борясь с застенчивостью и боясь задеть чувства верующих, каждый крик я издавал на ступеньку громче предыдущего, и тянул его сколько хватало дыхания. Я распинался над городом глухих.

С пятнадцатого вопля я научился опирать голос о диафрагму. Стыд исчез, как с голого в бане. К сороковому призыву я освоил верхние горловые рулады, потому что толстые голосовые связки были сорваны, и тонкий высокий вопль исходил явно звучнее сиплого рева.

Вот с этого минарета я и проповедовал, к восторгу слушателей внизу, что послужило причиной к приему на пиру и чуть не окончилось обрезанием. В наше время возрожденных религий меня бы точно забили камнями.

Наконец, на меня обратили внимание. Воззрились на явление в небе. По-моему, они были удивлены, и по-моему их удивление не носило агрессивный характер, а скорее даже благосклонный.

Барьер закрывал меня по плечи, и руками оставалось махать только вверх. Я солировал, как тенор в опере про тюрьму:

— А-а-аткро-оо-оо-ооййите две-е-е-е-е-ерръ! — голосил я.

— Вы-ы-ы-пу-у-у-сти-и-и-те-е-е ме-е-еня-а-а-а!..

— Не-е-эээ ма-а-а-а-гуу-уу-уу выы-ыы-ыйй-йййййй-ти-и-иии!..

Разносясь из поднебесья, с древнего и высочайшего минарета великого Хивинского ханства, согласные звуки терялись, и с ними исчезал смысл слов. Оставались лишь непрерывные гласные, переменной тональности и в верхнем регистре. В сочетании с воздеванием рук над головой это наводило мусульман на религиозные размышления.

Потом оказалось, что перед закатом пора готовиться к вечернему намазу, все старики помнили, хотя официальная власть категорически не рекомендовала религию, вплоть до расстрелов мулл в эпоху басмачества.

Меня выпустили, встретили, освидетельствовали на предмет национальности, вероисповедания и психического здоровья. Я мечтал познать древнюю и славную Среднюю Азию, и после совещания меня решили любить.

— Пойдем с нами, — сказали мне и повели глинобитным закоулками.

Над калиткой в стене висели ленточки и воздушный шарик. Игравшие в пыли дети приблизились и уставились. Вышел хозяин в поношенном пиджачном костюме на голубую майку и приветствовал, коснувшись кепки. Они поговорили по-узбекски и передали меня ему.

— У вас праздник? — спросил я. — Той?

— Праздник, — подтвердил он. (Той.)

— Мне неудобно, — сказал я. — Я без подарка. Может, я пойду?

— Гость в дом — аллах в дом, — сказал он.

Во дворе я мыл руки под рукомойником, а хозяин держал полотенце, и я вытерся серединой.

— А какой праздник? — любопытствовал я. — День рождения?

— День рождения, — согласился он.

В большой комнате сидели по периметру ковра человек сорок. Чистые принаряженные мужчины в белых нейлоновых рубашках. Хозяин указал место недалеко от себя. Я снял обувь у входа и сел, скрестив ноги, как все.

Сначала пили зеленый чай и ели конфеты, дешевую карамель. Я правильно поджал ноги, правильно держал пиалу, правильно молчал, слушая других, хотя явно не понимая; меня рассмотрели, одобрили и стали обращаться иногда по-русски.

Затем женщины подали водку и плов. Хозяин велел, двинув в мою сторону углом глаза, и перед всеми положили ложки. Восточный такт надо понимать. Но есть плов меня уже учили. Я тремя пальцами умял шарик риса вокруг кусочка мяса и послал в рот.

Водку наливали по полстакана, и непринужденность приходила быстро. Рядом со мной оказался студент из Ташкента, переводивший мне краткое содержание тостов и разговоров.

— А теперь разрешите сказать слово мне, — возвысил я голос. — Я предлагаю выпить за здоровье уважаемого хозяина этого дома и всей его замечательной семьи!

Меня одобрили шумно и растроганно, открыв в дикаре разумное существо.

Жена хозяина внесла на руках мальчика, великоватого для пеленок, лет девяти. Мальчик заплаканно улыбался. Гости зашумели, зааплодировали, чокнулись.

— Ну, за него, молодца! — по-русски сказал хозяин, все подхватили и выпили.

Я затеребил соседа-студента. Мальчику сделали обрезание. Это главный праздник — новый мужчина в семье. Старик в халате с тремя волосинами бороды — мулла.

«Московскую» вносили ящиками. Я не знал, что узбеки умеют столько пить под жирную еду. Оказалось, что уже поют.

Передо мной вплотную, лицо в лицо, сел ветхий аксакал с двухструнной домброй, а может, камузом. Он заблеял, задребезжал и запáх прогорклым жиром. Все радостно закричали и захлопали. Студент перевел:

— Это уважаемый человек. Он пел специально для тебя. «Дорогой гость из далекой северной России, да поможет вам Аллах выполнить вашу пятилетку!»

Несмотря на алкогольный наркоз, я не мог столько часов сидеть по-турецки. Кряхтя под пыткой, я ерзал и елозил: вытянуть ноги перед собой есть знак величайшего неуважения к дому, с боков поджали соседи, а назад ноги не отгибаются. Я встал, меня поддержали и проводили во двор к удобствам.

В следующей сцене пира оказалось, что гости выстроились через двор до калитки, и хозяин одаривает уходящих сложенной пополам лепешкой, завернутой в кусок ситца.

— Это обычай. Еда и подарок в дорогу гостю, — пояснял студент. Он все время оказывался рядом.

В последнем мелькании клипа он вытаскивал меня из какого-то арыка и волок на себе в кромешной тьме, причем мы перелезали через изгороди и убегали от собак.

...Пробуждение было сильным. Близкая по тематике картина Верещагина называется «Смертельно раненный». Я сел, лег, застонал и стал молиться, что никогда в жизни не возьму больше в рот ни капли.

— Молишься, — сказал голос сверху. — Хорошо. Как себя чувствуешь? Не болит?

— М-м, болит... — подтвердил я.

Я лежал на деревянном настиле. Вокруг были стены ханской цитадели. Надо мной склонился сторож с кружкой воды.

— Мне все сказали, — он поддерживал меня и поил. — Народ на молитву звал. Аллаха любишь. Твой друг все рассказал. Откуда ты русский, а такой умный?

Он улыбался ласковой кривизной юродивого. Мне стало тревожно.

— Обрезание сделал, муслим стал, — ластился юродивый. — Скоро не будет болеть, потерпи, ты теперь мужчина.

Я оледенел, протрезвел, и тогда резь между ног парализовала меня. И веер забытых кадров защелкал в мозгу, отдавая в пах. Как мы с муллой и хозяином стоим в какой-то каморке, как говорим о традиции и гигиене обрезания, как ищем родство иудаизма, ислама и американской педиатрии, как он показывает мне маленький ножичек, какой-то колпачок, ниточку, и говорит, что это совсем не больно и всего один миг...

Я понял, зачем они привели меня на той.

— О-о-о-о... — застонал я и стал глотать воздух.

Я встал, чужими губами спросил дорогу, отмахнулся от сторожа и враскоряку стал двигаться в туалет.

Крови на штанах не было. Я боялся смотреть вниз. О господи.

Да ни хрена они мне не обрезали! Милые люди! Дебил сторож! И ничего не режет, пить меньше надо и руки мыть чаще!

Меня обуял приступ эксгибиционизма. А вот вам всем! Как прекрасна жизнь, когда она ничего тебя не лишила!

Минарет вам во все места.

АШХАБАД

В Ашхабаде старые бичи обожали сюжет — покачивая головой, наставительным тоном былого:

— В тысяча девятьсот сорок восьмом году, после великого ашхабадского землетрясения, Лаврентий Павлович Берия выслушал все доклады руководства, осмотрел фронт работ и сказал:

— Стихия стихией, но должны же быть и ответственные!

И расстрелял все бюро обкома.

САМОЛЕТ С ДЫРКОЙ

Передвигаться при случае можно на всем. Даже на ишаке без присмотра, если вам по дороге. Осел умен не по чину, ему может доставить удовольствие везти неизвестного человека в неизвестную сторону, если этим можно испортить настроение хозяину. Осла следует угостить, хозяина следует избежать.

Но король передвижения все-таки самолет. Я освоился с этой мыслью в Кунграде, куда прибыл на товарняке. Ночью в пустыне холодно, особенно если лето кончилось. Я перебрался со своей тормозной площадки на платформу с трактором. В кабине трактора по крайней мере не дуло. Я надел на себя все, что было, то есть треники и футболку, штаны и рубашку, куртку и болоньевый плащ. От отчаянья я натянул на голову болоньевый пакетик от плаща, потому что знал, что с головы самый большой теплосъем. Ну до костей!

Пассажирские в сторону Бейнеу не ходили, машины были редки и пилили долго, а товарняк, конечно, движется, но в этом движении не чувствуешь счастья. Не на верблюде же пустыню пересекать.

Ехал я однажды день на верблюде, добрый человек в гости позвал. Сверху верблюд раз в шесть выше, чем кажется снизу. Сидишь в небе, как ведьма на метле, а под тобой морская качка. Из животных мне больше всего нравятся кошки.

В Кунграде я за десять копеек помылся в бане, постирался, обсох на солнце, настрелял сигарет и съел здоровую шайку макарон по-флотски у заднего крыльца столовой, где напросился вынести мусор, помыть бачки и вообще два часа рабства за обед. То есть жизнь налаживалась в русле цивилизации.

На автовокзале, этом круглосуточном приюте всего, что движется, мне детально обрисовали деятельность аэродрома. Аэропортом его здесь не называли. И было с чего.

В темноте с первым автобусом я отправился на аэродром. Кондукторша собирала деньги за билеты, и я стал на все лады уговаривать, что позарез надо, но денег нет. Дремавший рядом со мной на заднем сиденье парень молча заплатил ей за меня. Дальше я по-мужски благодарил, а он, Коля, по-мужски отмахивался.

Ему хотелось поговорить. Я выглядел не местным. Я везде выглядел не местным. Узнав, что я из Ленинграда, он впал в паузу. А затем в темноте тряского вонючего автобуса распустилась фраза:

— О-о, Ленинград!.. Эти гранитные набережные, золотой шпиль Адмиралтейства, разведенные руки мостов... И никогда нельзя выйти из дому без зонта...

Это было сильно. Так декламируют Гомера.

Коля приблизил лицо, ему различалось лет тридцать, он улыбнулся по-свойски, но так, как улыбаются показывающие твое превосходство.

— Я тоже из Ленинграда, — сказал он и вытащил фугас портвейна. Мы выпили по очереди из его кружки, и он стал рассказывать.

Там был отец, морской майор, командир гарнизона Ораниенбаумского пятачка. Была мать, умершая перед самой войной, а потом наступление немцев, и они, четырехлетний Коля и пятилетний брат, жили с отцом в блиндаже, как дети гарнизона. А однажды немцы захватили и эту линию обороны, и они с братом одни были целый день на немецкой территории, но назавтра отец с моряками отбил блиндаж. А потом их отправили через Дорогу жизни по Ладоге в эвакуацию, и там с братом разлучили по разным детдомам, а отец погиб там, на Ораниенбаумском пятачке. А брат умер в детдоме. А Коля окончил геологический техникум и сейчас работает в пустыне на буровой. Получит на аэродроме кое-что для ремонта и уедет на машине, должна утром прийти.

Рассвет наступил, портвейн кончился.

Этот бродячий сюжет бродячих людей я услышал тогда впервые.

Настроение рассказа требовало помолчать, и мы помолчали.

В сплошном тумане выступили очертания игрушечного барака. Автобус растворил вихляющие створки. Не то что лететь — идти было не видно куда.

Мы с Колей обнялись, и я побрел на ощупь искать диспетчера по грузовым перевозкам. Рельеф этой тетки раздвигал туман.

— Куда лететь?! — топтала она толпу земноводных. — Где вы погоду увидели?! Я лично даже вас в упор не вижу! После десяти, обещали после десяти!..

Два стакана натощак и на халяву смазывают мелочи жизни. Портвейн был ядрен и ядовит. Я споткнулся в тумане о ящик, сел, закурил и задремал. Видимость была метров пять: дым и молоко.

В десять часов из этого тумана вынырнул Коля.

— Машину не могу найти! — радостно сказал он. — Хорошо, что ты еще здесь. — И вытащил фугас.

Мы распили фугас, засмолили сигареточкой, и он нырнул обратно. Это было очень весело с утра, но организм предупредил, что близок к утомлению.

К полудню маскировочная завеса стала таять, обозначились очертания аэродрома, проявилась шеренга Ан-2, и я пошел с опросом, кто летит до Бейнеу или Кульсары. Меня гнали, пока один хмурый не указал обратиться к своему дежурному по погрузке. Тот отвел меня в сторонку и негромко сказал, что ребята спрашивают, что я им могу заплатить. Двенадцать рублей показались мне уместной и правдоподобной суммой. С равным успехом я мог обещать семь рублей или триста.

— Подожди где-нибудь, — сказали мне. — Подходи через час.

Я лег поодаль и смотрел, как они закидывают в свой желтый Ан-2 целлофановые пакеты с мороженым мясом. Дело шло к концу, когда показался здоровенный зеленый «Урал», подъехал ко мне, и из кабины спрыгнул Коля.

— Это здорово, что я тебя застал! — закричал он. — Не улетел еще? А я сейчас к себе уезжаю. Вот, проводить тебя решил. — И вытащил фугас.

Троекратное повторение в русских сказках плохо кончается.

Летчики уже сидели в кабине и неодобрительно следили, как мы с Колей в темпе чередуем вливание из одной кружки.

Винт начал вращаться.

— Будь здоров! Давай! Бывай! — обнимал и хлопал меня Коля.

— Ну ты что, летишь? — подгоняли из самолета.

Я влез, снаружи закинули дюралевый трапик, дверца хлопнула, мотор взревел, и мы стали выруливать.

Лететь было классно. Тонна мяса в брикетах загораживала кабину летчиков. Сопровождающий сидел между ними в открытой дверце. В свободном хвосте салона я откинул дюралевую скамейку, сел удобно и смотрел в иллюминатор.

Потом я заметил детектив в бумажной обложке, сунутый за ребро фюзеляжа, и стал читать. Колина долгоиграющая амброзия усугубляла эйфорию. Удачливый Синдбад-мореход, я бесплатно мчался в небе на стальной птице и под кайфом повышал свой культурный багаж.

В какой-то момент возник легкий симптом. Он был подавлен, но повторился настойчивее. Оформился отчетливый позыв. С каждой минутой путешествие становилось все менее комфортным. Самочувствие приобрело тревожный оттенок. Отмахнуться от проблемы представлялось все менее возможным.

Почки исправно фильтровали чужеродный раствор явно скверных веществ. Боевая жидкость каракумских бурильщиков рвалась наружу. Организм предупреждал, что категорическая потребность перерастает в катастрофическую.

В отчаянии я помахал летчикам и покричал с вопросом через гору мяса, но у них там в кабине мотор вообще ревел и глушил, и они ничего не слышали.

На грани безумия я полез к ним через эту гору, но брикеты оттаяли и осклизли в сукровице, и плыть в ледяной кровавой жиже было невозможно.

Где у них унитаз?! Я в ужасе подумал, что в стратегическом бомбардировщике М-3 не было унитаза, система дозаправки в воздухе была, а унитаза не было, летчики в гарнизоне рассказывали, что летают с ведром. Черт, это же грузовой вариант, старый биплан Ан-2, местные линии, откуда у них, сирот, сортир в облаках?!

Хвостовой отсек был отделен переборкой. В переборке была дверца. Дверца подалась, и я пролез в хвост. В этом конусовидно сужающемся чуланчике хранилась ремонтная мелочь, ключи и масленки, стеганый чехол двигателя, лопата и ветошь. Без признаков туалета.

Мозг был парализован давлением снизу. Я вернулся в салон, расстегнул заранее штаны и открыл дверцу наружу. В конце концов, высота метров четыреста, низко. Я выглянул наружу и на секунду осознал свою невменяемость.

Внизу была пустыня, такыры, бурьян и сетка караванных троп. Цепочка верблюдов мельче муравьев и далекий, как соринка, грузовичок. А главное — плотный воздушный поток, обтекая фюзеляж, вдавливался внутрь, его не преодолел бы пожарный брандспойт!

Я захлопнул отверстие в бездну. Летчики в носу не заметили. Это Хэмфри Дэви умер на королевском приеме от разрыва пузыря?

Я ринулся в хвост и стал судорожно рыть передними лапами. И разбросав барахло до пола — обнаружил унитазик!!! Он был размером с пивную кружку. В глазах у него помутилось.

Через минуту я пришел в сознание и стал искать педаль водослива. Кнопку, цепочку, рычажок. Обшарил все, как разведчик сейф. Нет. Унитазик по выкройке макаки был намертво приделан к полу, и не имел никаких признаков того, что его можно привести в исходное состояние. Как муляж! Из старого желтого фаянса! Мистика... До меня он был набит всякой мелочью и прикрыт ветошью.

И тут стало болтать. А с сознанием проснулась и совесть. Летчики меня везут, хотя еще не знают, что бесплатно, тем лучшего отношения они заслужили. И за все хорошее я им обоссал весь хвост. В ужасе от своего поведения, я закрыл унитаз чехлом от мотора и пошел садиться на свое место.

Стыдливый и счастливый, я с любовью смотрел

вокруг — и увидел необъяснимое! Рядом с сиденьем в борту на уровне колен торчала пробка на цепочке, как в ванне, только больше. Я вынул пробку — и открылось круглое отверстие наружу, сантиметров так шесть в диаметре.

Вы понимаете мои мысли. Понятие «аэрописсуар» в самолетостроении неизвестно. Я до сих пор не знаю, для чего предназначалось это удивительное и характерное отверстие.

Тут стало совсем болтать, в иллюминаторах была желтая мгла, я привстал, по жестам летчиков и снижению самолета можно было понять, что мы попали в песчаную бурю и идем на посадку.

Как только мы сели, стал слышен мат летчиков в адрес сопровождающего. Оказывается, мясо было сложено в штабель с проходом, а в полете все сползло и развалилось, кабина забаррикадирована кровавым курганом, и пусть теперь этот урод свою грязную тухлятину хоть рогом роет, хоть рогом тоннель сверлит, но если они, летчики, через пять минут не выйдут не замаравшись, то в кургане будет на три куска мяса больше, надгробном, твою маму в папину тюбетейку.

Этот праздник жизни пока адресовался не мне. Я спрыгнул вниз и прикрыл за собой дверцу. Песок сек, летел и хлестал. Через десять шагов самолета не стало видно. Я чувствовал себя беглецом, подлецом и мудрецом.

Шагов через двести, с забитыми глазами и ноздрями, я надел плащ и чепчик, сел спиной к ветру, оперся поясницей о рюкзак и стал пережидать бурю. По карте помнилось, что железная дорога вряд ли была слишком далеко.

НЕПОБЕДИМАЯ И ЛЕГЕНДАРНАЯ

ДЕНЬ Г

На станции в лесу нас выгрузили под дождем. Построили и провели перекличку под дождем. Приказали скидать вещи в «Урал».

— До расположения части — четырнадцать километров. Больные, с температурой, с потертыми ногами — есть? Напра-во! Шагом — марш!

Первые пять минут мы надеялись, что это шутка. Подойдут крытые брезентом машины с надписью «Люди», и мы поедем. Волглая хвоя лесной дороги подавалась под ногой. Водопады с веток стряхивались за шиворот. Мы промокли насквозь.

Через час мы шагали тупо, безнадежно и окоченело. Бессмысленность этого марша обозлила всех до появления классовой ненависти к офицерам. В плащ-накидках и сапогах они двигались в оцеплении колонны.

— Стой! Привал десять минут. Можно оправиться и закурить.

Сигареты размокли. Портсигаров ни у кого еще не было. Ну, твою мать, уроды, — была общая реакция.

— Ста-анови-ись! Подровнялись. Шагом — арш!

Текло по головам, по лицам, текло под одеждой и хлюпало в туфлях. То есть холодно, возникли мысли о простуде, воспалении легких, смерти и салюте над могилой с красной звездочкой.

— Шире шаг! Сейчас погреемся! Бего-ом — арш!

Через три часа мы готовы были от злобы убивать кого угодно, как по приказу вышестоящих начальников, так и по собственной инициативе. Показались железные ворота с приветствием: «Служи по уставу — завоюешь честь и славу!»

— Не может быть!.. — саркастически отреагировала колонна.

Взвода свели в батареи и разобрали по казармам. Сквозь выбитые стекла гулял ветер, под окнами темнели лужи. Сесть не на что, голый сарай. Сушиться нечем. Пришли.

— Что за вид?! Встать! Строиться! Сейчас идем на прием пищи в столовую. Напра-во! Та-ва-ри-щи курсанты — бодрее!!

Жирные алюминиевые миски скользили в руках. В бурде под кличкой «рассольник» все забивала перловка с тухлым запахом соленых огурцов. Народ заколдобился и пригорюнился.

Капитан с повязкой дежурного по полку прошел вдоль столов.

— Не привыкли? — участливо спросил он и усмехнулся. — Ладно. Это я отдам старослужащим. Съедят... Повар!! Этим — набери почище!

На второе к серым рожкам было мясо. Мясо на десятерых помещалось на дне миски посреди стола. В коричневом мучном соусе плавало по кубическому сантиметру вареных жил на каждого. Размяв зубами, их следовало глотать целиком.

— Окончить прием пищи! Встать, выходи строиться!

В баню запускали повзводно — пятнадцать минут

на помывку. Две шайки холодной воды на человека — горячей не было.

— Товарищи курсанты! Получаем обмундирование!

Подручные розовощекого сержанта кинули в середину предбанника по две связки гимнастерок и галифе. Образовалась клумба из голых задниц с торчащими ногами. Пытались выбрать получше и долго менялись среднестатистическим размером. Опрошенные и переписанные размеры одежды и обуви каждого, собранные предварительно, никого не интересовали.

— Форму надо уметь носить! — давил улыбку сержант, любуясь парадом чучел.

Потом менялись пилотками и сапогами.

Понесли со склада железные разборные койки с панцирными сетками и долго собирали их в два этажа. С другого склада тащили тюфяки. С третьего табуретки и тумбочки. Получили белье, обтягивали койки одеялами, постигая идеальную прямоугольность кирпича.

— Па-ачему возимся?! Батарея, строиться! Сейчас пойдем на оружейный склад получать оружие.

На складах за рядами колючки и дерновой обваловкой нагловатый высокопоставленный прапорщик отделил жестом штабель ящиков. По пять «калашниковых» в ящике, по два магазина из другого ящика: расписался, стал в строй.

— Товарищ прапорщик — а мне? — Четверым не хватило.

— Что для вас выписали — я дал.

— А как же мы... — расстроились безоружные воины.

— Во дурни. Да вам же лучше: таскать не надо, чистить не надо.

— А стрелять? — недоумевали лишенцы.

— С чего ты собрался стрелять, курсант? Ты артиллерист! Что надо — тебе все дадут.

В казарме составили автоматы в пирамиду оружейки, писали фамилии на бумажках, искали чем клеить, искали в стройчасти полка замок и ключ для решетки.

— Па-че-му подворотнички не подшиты?!

— Не успели, товарищ майор!

— Что значит «не успели»?! Три наряда вне очереди! Старшину ко мне!

— Э-э... нет старшины, товарищ майор.

— Трах-тибидох-бздень! Что значит нет?!

— Еще не назначили, товарищ майор.

— Я вам назначу. Вы у меня побегаете. Разгильдяи, раз.....яи, раз......аи, ...ки, ...бы!! Всей батарее — час строевой после отбоя!

Поужинали. Типа обеда без рассольника.

— Почему обувь не чищена?!

— Только получили, товарищ подполковник.

— Так что?!

После ужина подшивали подворотнички и расчищали шершавые сероватые сапоги.

— Кру-гом! Почему задники не чищены?!

Обувь следовало чистить перед походом в столовую: проверяли. Чистота рук не интересовала никого.

— На прогулку! Выходи строиться!

— Запевай!

В осатанении мы заревели с чувством, одобренным майорами:

Солдат всегда здор-ров!
Солдат на все готов!
И пыль, как из ковров!
Мы выбиваем из дор-рог!

Если бы из майоров сделали дрессировщиков, ни одна собака не встала бы на задние лапы. С третьего раза они подозрительно приказали повторить строчки:

...Идут по Укррраине!!!
Солдаты группы «Центрррр»!!!

Велели сказать слова, матерились с удивительной естественностью и громкостью, и гоняли из конца в конец плаца, вскрикивая, как истеричный частушечник:

— И — р-ряз! И — р-ряз! И — рязь, два, трии!..

Да-да: так выбивается гражданская дурь и салагам дают «по́нять службу». Мы просто чувствовали внутреннее перерождение: делались злыми, тупыми, бесчувственными и исполнительными.

— На вечернюю па-верку! — в две шеренги! — ста-ановись!

После поверки нам назначили старшину. В холодной сырой казарме он инспектировал наматывание портянок. Затем отрабатывали складывание формы на табуретках. Затем он поднес к глазам часы и скомандовал:

— Отбой!

О господи, не может быть, вздохнули мы и стали расстегиваться.

— А-ат-ставить! На выполнение команды «Отбой!» дается тридцать секунд! Построились! И-и-и... отбой!

Предписанные распорядком двадцать три часа давно миновали. Мы тренировались в молниеносном скидывании штанов, равнении сапог перед линией табуреток и вскакивании на второй ярус.

— Завтра продолжим, — ободрил старшина и в полночь отпустил грешные души на покаяние.

Мы тщательно убедились, что он ушел, и вынесли резолюцию по текущему моменту.

— Ни-и хуя-а себе вделись!.. — сказали мы. — А завтра что — скальпы снимать будут, или грудью амбразуры затыкать?..

Простыни были сырые, койки неудобные, в желудках бурчала дрянь, и заснуть невозможно. Полчаса пытались, пока ушли в отруб.

Это была преамбула.

А вот и амбула...

В половине первого, только мы заснули и провалились, раздался крик:

— Бытырея! Пъдъемъ! Тревога!

Мата столь дружного и массового никто не слыхал. В сумме проклятий должна была провалиться Вселенная, самоликвидироваться Бог, и только офицеры предназначались гореть вечно с вырванными гениталиями.

— С-суки!

— Да сколько, блядь, можно!

— В один день!

— Забыли «Потемкина», гады!

— К стенке золотопогонников! Да здравствуют трудящиеся!

Мы спрыгивали друг на друга, тыкались мордами в железные углы коек и пихали ноги мимо сапог.

— С оружием — строиться на плацу!

И тут мы стали спросонок замечать что-то неладное. Во-первых, темно: выключено даже ночное освещение, даже у тумбочки дневального. Во-вторых, темно за окнами, на плацу, и во всем полку темно. В-третьих, в гарнизоне происходит какое-то движение: бегают, топочут, приглушенно командуют, перемещаются ротными колоннами... И во всем этом какое-то беспокойство, суета, чтобы даже не сказать паника.

В тесноте выхода кто-то уже наделся глазом на компенсатор АКМа переднего: в ужасе всхлипывая, просит доктора. На лестнице второго этажа мат, грохот, скатывается ком тел, приборов и оружия. На плацу столпотворение. Проталкиваются массами, пытаясь расширить себе пространство и построиться. Всеобщее беспокойство.

О-па. В ворота въезжают грузовики, с них спрыгивают резервисты: старые мужики в штатском, с суровыми недобрыми лицами.

В парке взревывают танки и тягачи. Доносится характерный лязг гусениц.

Никто ничего не знает, тревога растет: в воздухе пахнет войной. Это безотчетное чувство: война. Военный на нее запрограммирован. Эта программа тут же подается из подсознания. Любая тревожная неизвестность чревата возможной войной.

Вокруг плаца и по гарнизону мечутся лейтенанты, как овчарки. Собирают личный состав. Личный состав взводов наполовину из кавказского пролетариата. Те, кто не сумел откупиться от армии. Они демонстрируют достоинство: ленивы, спесивы, малоуправляемы. Свой шик: автомат любят волочить за ремень, чтоб ложа обскребалась по асфальту.

Тянутся минуты; проходит час, другой. Однако, ничего страшного не происходит... Густеет слух: это весь полк подняли по тревоге. Учения. Неужели слава богу...

Мы сразу веселеем. То есть происходящее не есть целенаправленный садизм по отношению лично к нам. Ну, так отлично: посмотрим, развлечемся.

Моросит мелкий дождь. Когда он стихает — тут же жрут комары. Ничего! Лишь бы не было войны.

Полк на плацу стоит и стоит. Грузовики с резервистами едут и едут. Толстые заспанные мужики, частично поддатые: ночь на воскресенье. Их разводят по ротным коробкам, на них не застегивается выданное обмундирование.

В парке сумятица. Половина тягачей и танков не заводится. Технику, стоящую на консервации, срочно снимают. А она стояла по принципу: «не тронь — не сломается». У кого-то слито из баков все горючее. У кого-то распущена гусеница. Орут из-за очереди на выезд из парка. В воротах танк размял полевую кухню, у повара истерика. Везде каша, неразбериха, нервозность...

Через три часа разрешают курить на плацу! Да. В это самое время немцы бомбили Киев. 22 июня. Ночь на воскресенье...

— Враги нам уже лишние, и так конец всему.

— Если без войны такой хапарай, то война — просто тотальная катастрофа.

— В случае ядерного удара взять автомат на вытянутые руки, чтобы не закапать мундир расплавленным металлом.

— Действия по тревоге: завернуться в простыню и ползти на кладбище.

— Р-разговорчики в строю!

Армян с мингрелами кончили вылавливать по деревенским кустам и согнали на плац. В парке геройским решением повалили два пролета забора и кончают выводить ту технику, которая движется.

Светает, моросит, фырчит, воняет, ругается, толкается: все взвинчены, нервничают, звучат команды, движутся люди.

Нормативы велят полку выйти в район рассредоточения в течение сорока минут. Полтора часа — это облом. Итого, полк вытянулся в район к шести нольноль: пять с половиной часов с подачи тревоги.

На большой поляне — полк разомкнутым каре. В центре — инвалид Хоттабыч возглавляет группу старших офицеров. Над зеленой физиономией генерала намотана огромная белая чалма, увенчанная фуражкой. Это новый командарм решил посмотреть, как полк поднимается по тревоге. На второй этаж возвыситься решил. А оттуда ссыпается артразведка. Туда берут здоровых. Чтоб навьючить много можно.

Мчался по лестнице восьмидесятикилограммовый мальчуган: за плечами тридцать кило дальномера, в руках по восемь кило телефонных катушек, на груди автомат. «Твою маттть! по тревоге! под ногами тут, блядь!» И смахнул генерала в темноте крылом дальномера за плечом. Да головкой о батарею. Потом генерала несли в санчасть, накладывали повязку, кололи столбняк и сдували пылинки.

Поскольку по генералу промчался копытами весь разведвзвод, после массажа он нетверд в походке. Герой-командарм. Утечка информации имеет место всегда: тревоги ждал соседний полк, укомплектованный и показной. Там уже технику прогрели, офицеры в казармах ждали. Так он, новая метла свеженазначенная, решил поднять нас: натуральной тревоги захотел.

— Двадцать девять лет!.. армия!.. Сталинграде еще!.. приказ 227 — расстрелять всех на хер!!! командование... долбоёбы... не знают... жопу порву... не боеспособен... неполное служебное соответствие!!!

Да он и челюстью неважно шевелит. На войне как на войне!

Потом десять суток артиллеристы мазали, танкисты вязли и все мокли. То есть: сношали по-боевому.

БУССОЛЬ

У меня была в школе пятерка по арифметике. По физике и по геометрии. По алгебре и по ручному труду.

Буссоль состоит из двух горизонтальных мерных колец с делениями, одного вертикального и окуляра. Этот главный артиллерийский прибор размером с ананас. Нас учили ей три года и еще два месяца. Я так ее и не понял. И никто не понял. Это особенный класс преподавания.

ПРЕПОДАВАНИЕ

— Все понятно? Вопросы есть?

— Товарищ майор, а почему (как, сколько, зачем, когда)?..

В качестве ответа и объяснения повторяется точно то же самое, но уже на регистр громче.

Если все равно непонятно — еще на регистр.

После четвертого вопроса хладнокровный майор отдувается и качает головой, темпераментный громко матерится.

ПАРК

В парке стоят под навесами дощатых ангаров танки, бэтээры, орудия, тягачи, грузовики. Матчасть полка. Проезды меж рядов — от забора до забора.

— Вот эту гаубицу — взяли! Выкатили в проход. Стволом туда разверните. Внимание: орудие — к бою!!

Развели станины, символически стукнули поверх сошников кувалдой, сдернули чехлы, кинули в стопку у правого колеса. Назначенный наводчиком закрепил панораму в корзинке, выгнав пузырек уровня в ноль.

— Слева-справа, поотделенно в одну шеренгу — становись! Вольно. Приступаем к наглядному изучению материальной части стадвадцатидвухмиллиметровой гаубицы М-30. Гаубица М-30 состоит: из ствола (движение указкой), затвора, тормоза отката, накатника (обводящие взмахи указкой), щита...

Если перечислять все гайки, эта простая старая гаубица до хрена из чего состоит.

Проходит десять минут, двадцать, тридцать.

Солнце печет. Песок под ногами раскален. Загривок гимнастерки раскален. Сколько еще стоять? Занятие два часа.

— В походном положении станины закрепляются вместе чекой, поворачивающейся в шарнире, закрепленном...

Сорок минут. Под мышками пятна. Мозг испекся.

Майор в застегнутом офицерском х/б под ремнем и портупеей, фуражка надвинута, пот стряхивает небрежно, будто это и не он потеет.

Никто не слушает, жара тягостна, дождаться бы только конца. Сделает ли он, сука, перерыв? Хочется в тень, сесть, курить, пить.

Через пятьдесят минут майор объявляет перерыв. Курилка — в углу забора, тоже на солнцепеке. Три скамейки вкруг вкопанной бочки. Хоть посидеть.

Через два часа никто не помнит ничего, кроме того, что знал раньше.

Но в тени, сидя, расстегнув воротнички — никогда! Плевать на твои знания. Тебе полагается пóнять службу и стойко переносить.

КОМБАТ

Капитан Бойцев был до обеда отличный мужик. Ладный, складный, по делу и справедливый.

После обеда в батарею приходил заторможенный садист. Он глумился, драконил и не мог попасть пальцем в телефон.

Обеденная норма Бойцева была — семьсот граммов. Он был лучший артиллерист в полку и в свободное время до обеда решал артиллерийские задачи, подставляя в условия все новые данные. Его посылали на все боевые стрельбы и прикрепляли к нему замначштаба, чтоб не давал пить. Замначштаба был когда-то кандидатом по классической борьбе в семидесяти семи килограммах: медведь на коротких ножках.

Замначштаба любил его, как непутевого младшего брата, и иногда уносил Бойцева после обеда домой на плече. Над ними не смеялись, это была просто одна из особенностей полковой жизни. До обеда Бойцев научил нас стрелять.

ПОЛОСА ПРЕПЯТСТВИЙ

Главный армейский принцип — «не переламывайся». Плевать на норматив. Ну, дадут два наряда. Ну, побегаешь в личное время. По фиг дым.

Пробежал, прыгнул, прополз, пролез через нору, кинул две гранаты, пометался в лабиринте — и на фасад.

Курсант Худолей подсеменил на тонких ножках к декоративной зеленой стенке и стал подпрыгивать, пытаясь зацепиться за подоконник высокого первого этажа. Его подсадили.

Он постоял в окне, как бременский музыкант, который сейчас свалится в дом разбойников, и наметил неуверенные движения в сторону окна второго этажа. Его втащили.

Тогда он выбрался на ту сторону, на бревно. И встал на него, прилипнув спиной к стенке. Его отлепили, подвинули на метр вперед, и майор снизу скомандовал:

— Паш-шел!!! Вперред!!! Твою мать!!!

Майорским криком Худолея сдувало с бревна. Он покачался влево-вправо, туда-сюда, как метроном, и начал безропотно падать.

— Стайй-йаать!!! Мать!!! Ловить!!!

Худолея не поймали. Было некогда. Зрелище увлекло и одарило счастьем.

С четырех метров он соприкоснулся со вскопанной землей, лег на бок и сделал лицо подпольщика, молча умирающего под пыткой.

— Ну что у тебя... — проклинал свою напасть майор, ощупывая его и стараясь не придушить.

Под Худолея двое закосили от физической — повели под руки в санчасть.

И у него оказалась трещина в пятке!! Месяц наглый ушлый Худолей, освобожденный от строевой, полевой и физической, сидел в казарме и читал наставления, занимаясь самоподготовкой. И застенчиво хромал, щурясь сквозь очки.

Через месяц его зауважали за умение цинично и твердо устраивать свои дела.

САНЧАСТЬ

Полковой врач был тоже майор. Его звали доктор Менгеле. Как его звали на самом деле, никто не знал. И как он выглядел никто не знал. Это был доктор-невидимка. Тень мелькнет, голос донесется, и нет никого.

Его замещал младший врач полка. Эта вольнонаемная женщина чадородного возраста смотрела с брезгливостью даже на здоровых. Ей удалось работать в армии и не выйти замуж. Этой причины достаточно для ненависти ко всем военным.

Таким образом, санчастью заправляли два фельдшера. Два сержанта. Два друга в нашем полку, два бойца, две гнусные сволочи, гады несказанные.

Этот фельдшерат был коротконог, низкосрак, раннежирен, жаден и терпеть не мог болезней и увечий. Они выглядели генетическим отходом близнецов, и обоих звали Борей. Разница была только в масти. В национальной идентичности. Боря-еврей был мечта антисемита: волосатый, горбоносый, с коровьими глазами и густой щетиной. Боря-русский был мечта русофоба: лупоглазый, веснушчатый, рыжий и курносый. Если повесить их на коромысле, они как раз уравновесили бы друг друга. Они олицетворяли всю худшую клевету националистов.

Они выедали лучшую половину мяса из еды санчасти, вылавливали все лучшее из супа, истребляли половину масла и жрали белый хлеб без ограничения. Работа их состояла в выполнении указаний доктора Менгеле: не расходовать медикаменты.

И — эта метода давала отличный результат! Попавший в санчасть быстро понимал, что никто не препятствует ему сдохнуть. Его горе никого не колышет. Хочешь жить? — выздоравливай, тебе не мешают. Не хочешь выздоравливать? — да помирай ради бога, твоя проблема. Этот спартанский подход активизировал все силы организма.

И хотя санчасть казалась желанным курортом, фельдшерская пара делала пребывание в нем столь противным, что все старались побыстрее выписаться в строй.

Раз в месяц их били. Нелюбимые всеми, они трогательно заботились друг о друге.

ТАНКОВАЯ РОТА

Танковая рота — это среднее между армией и цирком лилипутов. Что за строй пятиклассников на плацу? Танкисты, люди огня и стали, средний рост — сто шестьдесят. Военкоматы сортируют. Чтоб легче в танке помещались. Там тесно ведь. Кавказцу — эти хоть маленькие, но шерстистые. А светлые славяне — чистые дети.

Мы танкистов жалеем. Они и поют как заморыши, маршируя из столовой. В солдатской чайной им не пробиться к прилавку. Однажды наш артиллерист, похожий на эсэсовца стодевяностасантиметровый белесый убийца, избил взвод: три экипажа. Не понравились они ему.

Они пришли ко входу в батарею с нервным требованием честного поединка.

— Чтоо? Да вас, гнилух мелких, я троих любых одной рукой сделаю.

— Да?! Да?! А мы... вчетвером... тебя сделаем!

— Мартышка и очко. Глаз на жопу натяну и моргать заставлю! Павлики Морозовы недорезанные...

— Он старик! Смотри! Ему осенью на дембель. Ты сейчас старика бил, собака, а офицер вообще зверь будешь!

— Вот тогда вы у меня топиться в очке будете. Сын полка...

Потом мы подружились, внимали тоске и затравленности, гастритам от скотского корма. Им даже автоматы не по росту казались.

СТРЕЛЬБИЩЕ

— Че ты там над ухом щелкаешь?! Че ты щелкаешь?! Я те так пощелкаю!!

— Виноват, товарищ майор. Спуск проверял...

— Виноватых в ж... ...т! На огневой рубеж! Оружие зарядить! Огонь!

Долго ползает по давно излохмаченной мишени, торкая огрызком мела:

— Хм. Десять. Хм. Девять. Десять. Так. Ладно. А эта?.. У-у-у... У-у-у... О ё-о-о... Ты ващще, пидарас, куда целился?..

Покончили с тремя пистолетами, побежали взводом к одному автомату. Каждому по магазину, автомат общий. От греха. Над ним вдали майор — как Змей Горыныч над затраханной принцессой:

— Бег-гом! Ко мне!!! Бегом, я сказал!! Что, беременный?! Ложись! Заряжай! Короткими! Как покажется! Огонь без команды!

В двухстах метрах встают из травы фанерные профили: «пулемет» и «два солдата пехота укрытая в окопе». Через пять секунд лягут обратно.

— Че ты ждешь!! Ты че ждешь!! Не рви!!! Я сказал — не рви!!!

Десять патронов — это пять очередей по два. Майор требует по уставу: три короткие по три! Мишени падают. Но не по уставу!

— Магазин отомкнуть!! Встать!! Пошел!! Следующий!!! Бегом, я сказал!!!

Это загадочная армейская специфика. За хорошую стрельбу преподавателя одобрят. Рванув бегом на короткую пятьдесят метров — целиться трудно. Дыхалка, сердце, колебания. Но он не хочет пешком. Он хочет бегом. И орет до одури, как расстрельная команда Жукова при прорыве немецких танков. Аж слюни кипят.

Вероятно, майоры считают истеричность боевым состоянием.

ВИНТПОЛИГОН

Прелестный лилипутский мир — село, станция, дорога, речка, лесок, высота, — и все на площади пятьдесят на пятьдесят метров. Дом с конфету. Макет квадрата на карте.

Майор:

— Цель — минометная батарея в кустах за станцией «Железнодорожная». Подавить. Подготовка данных полная.

Курсант:

— Цель понял. (Судорожная подготовка данных. Истеричным голосом кандидата в майоры):

— Стрелять первому взводу!!! По минометной батарее!!! Прицел сто сорок четыре!!! Угломер сорок!!! Уровень больше четыре-ноль!!! Взрыватель осколочный!!! Веер параллельный!!! Первое орудие!!! Огонь!!!

Майор (щелкая секундомером, записывает время) — связисту, заглядывая в бумажку:

— Восьмая.

Связист на втором этаже нашей вышки:

— Восьмая.

Стрелок на втором этаже заглядывает в свою бумажку. Под номером восемь значится «перелет влево +++». У него шесть винтовочных стволов с казенниками, зажатые параллельно в станок на чугунной плите. Заряжает правый ствол, наводит на кустики. Чуть левее точки прицела — домик с красной крышей. Он миг колеблется и наводит на домик. Ствол стоит мертво, наводишь штурвальчиками, точность абсолютная.

Разрывная пуля разносит микродомик в опилки, слетает прозрачный дымок.

— Ты что, твою мать!!! — орет майор, так что слышно без телефона и на втором этаже, и в облаках.

— Виноват, товарищ майор!!! Прицел сбит!!! — орет стрелок.

— Прицел сто тридцать шесть!!! Угломер тридцать шесть!!! Первое орудие!!! Огонь!!! — орет ведущий стрельбу, глядя на макет в бинокль и отмечаясь по разрыву в делениях. Он помнит о нормативе и отметке.

Эта опера в дурдоме продолжается до окончания пристрелки и команды на поражение. Поражение подразумевается. Если пристрелку обозначают фонтанчики песка и пыхающие дымки от разрывных, то поражение, сами понимаете, расфарширует макет. Хотя всем этого хочется.

— Стой! Записать: цель задымлена!

Эта команда типа артиллерийского «Аминь!».

ПОЛИГОН

— Огонь!

Наводчик убирает лицо от панорамы и бьет правой рукой по спусковому рычагу:

— Выстрел!

Пушка гахает звончайшим оглушительным металлом. Ствол входит почти на метр назад, словно она им подавилась. Она подскакивает на полметра от земли и так зависает. Из-под нее словно выдуло весь грунт, она вцепилась в него лишь кончиками лемехов сошников сзади. Над огневой стоит шестиметровый купол пыли и мусора.

Через миг грунт возвращается на свое место под пушкой, ствол суется вперед в прежнее положение, пушка падает вниз на колеса, и только пыль и мусор стоят долго. В ушах звенит после тугого удара.

— Откат нормальный, — докладывает второй номер.

А вот при выстреле гаубицы уходящий снаряд можно видеть вслед — серое пятнышко превращается в точку, исчезая. Калибр больше, скорость меньше.

НП

Пушечный снаряд пронзает и сверлит воздух с жестким свистящим шелестом. Гаубичный железно шуршит и погромыхивает, как товарный вагон в облаках. По смене тона можно прикинуть место падения.

Пристрелку надо вести на фугасном взрывателе. Чтоб снаряд заглубился и выкинул фонтан земли повыше. На сухом твердом грунте разрыв за километр малозаметен. Пыль взметнется, ветер дымок снесет — и через секунду-две ничего уже нет. (Это только в кино пиротехники обеспечивают столб земли и черного дыма.) Так что сечь попадание надо быстро.

В разлапистые рога дальномера ДП-30 хрен определишь дистанцию. Хороший дальномерщик считает поверх окуляров на глаз. Деления в бинокле дают тот же эффект. Фронтовые офицеры нарезали по козырьку фуражки зубчики. Опустишь на глаза: расстояние между двумя зубчиками равно большому делению угломера. Так и вели стрельбу — по козырьку. И безопаснее, скрытнее: линза не отблеснет, не засекут твой наблюдательный пункт и не подавят.

Для работы с треугольником огневая—цель—наблюдатель достаточно блокнотного листа. Но устав обязывает работать с ПУО. Этот прибор управления огнем — среднее между раскладной шахматной доской и кульманом. При помощи майоров мы знаем его отнюдь не хуже карты Марса.

Все водят ногтем по таблицам стрельбы, учитывают метеосредний, умножают в столбик, делят уголком. Боже, упаси нас от войны.

Наконец, на огневую уходит коллегиально выработанная команда. Когда цель захвачена в малую вилку, ее половинят на поражение, и вся эта мутотень заканчивается до следующего раза.

УКРАЛИ ПУШКУ

Мне снится страшный сон, что буйно, пестро и бестолково прошли пять лет, и меня прихватили под знамена в чине старшего лейтенанта и должности старшего офицера батареи. Наземной ствольной артиллерии, как положено.

Отдельный артиллерийский полк дохнет от скуки в периметре гарнизона. Образовался институт полковых денщиков. Это молодые воины азиатской национальности. Их гоняют в городок с канистрами за пивом, они моют полы в казармах и благоустраивают территорию: чинят штакетник, белят кирпичи бордюров и красят распылителем траву в зеленый цвет. Офицеры контролируют обслуживание техники в парке и несение караульной службы.

Лето, время отпусков и плановых стрельб, в штабе комбинируют. Я заступаю помощником дежурного по полку. Делать нечего. Я подменяю его в дежурке, когда он снимает пробу в столовой или обходит караул, и бодрствую рядом, пока он не раздеваясь спит на топчанчике с полпервого до шести. В дежурке телефон с полковым коммутатором и стойка с офицерскими пистолетами. Из интимного — плитка с чайником под столом и пепельница из консервной, разумеется, банки.

— Твою мать. О-о-о-ох. Дежурный!.. Пиздец. О х-х-хосподи-и...

— Что случилось?

— Я же сказал: пиздец.

— А еще?

— Это все!

Майор Тутов обрушивается на табурет. Он перепуган и раздавлен. Ремни перекручены, полевое пропотело.

— Сука, я застрелюсь... — говорит он, и дежурный вынимает у него из кобуры «макаров» и сует от греха себе в карман.

Короче. Он едет на полигон. Приходит с расчетом в парк. Водитель уже прогрел тягач. И!!! Вместо первого орудия первой батареи!!! Пустые колодки!!!

— Нету!!! Нигде!!!

— А дежурный по парку что?

— Ничего не видел!!!

— А ты... везде в парке смотрел?

— Обрыли!!!

Дежурный бледнеет. Его дежурство. Средь бела дня из парка исчезает орудие.

— Остаешься за меня! — бросает он и иноходью спешит с Тутовым в парк.

Офицерская служба — это перерождение гуманиста в головореза. Офицер упивается своим хамством и карает за невыполнение приказа любой ценой.

Офицер — идеал мужчины: на все готов и ничего не ценит.

Через час возвращаются синие оба. По полку пополз слух.

Черт. Это длинноствольная противотанковая «рапира» Т-12. Новая. Считается секретной. Ко всему вдобавок.

Журнал записей дежурного по парку проверен. Парк проверен. Забор цел. Никто ничего не видел. Пушка испарилась.

Дежурный делает вдох-выдох и с обреченным мужеством звонит командиру полка. Выслушивает дребезг мембраны не дыша. Уходит с Тутовым в штаб для введения оглобли в организм.

Жара, солнце, мухи, звон. Я наблюдаю в стекло, как наш полковник семимильными шагами несется в парк и по бокам, герои на казнь, маршируют дежурный с Тутовым.

— Марсиане ее на воздушном шаре увезли, что ли... — недоумевает командир через час, истоптав дежурного по парку и пробежав вдоль ангаров и забора, как вынюхивающий пес в гону.

— Ё-Б Т-В-О-Ю Б-О-Г-А М-А-Т-Ь!!!!!!!!! — заорал он в небеса и в ярости затопал ногами. Он был недоволен Всевышним.

А в десяти шагах за ним внимательно наблюдал наш особист, полковой уполномоченный армейской контрразведки. Орган, короче. На лице особиста большими буквами читалась возможность выловить шпиона и помочь своему продвижению по службе.

...В восемь вечера заступающий дежурный пошел со сменяющимся в парк. Актировать происшествие.

— Ну? — спросил он.

— Блядь... — сказал мой дежурный.

Пушка стояла на месте. На своих колодках. В чехлах.

Примчался Тутов, обнюхал свою пушку и завопил, как вурдалак на пункте переливания крови.

Пушку брал майор Степченков. Командир противотанкового дивизиона-2. Пострелять. Чтоб свою потом не чистить. Это ж морока! За один удар банника всем расчетом деревянный пыж пробивается по стволу на один миллиметр. Шесть метров: считай.

Полк у нас кадрированный. Солдат мало, офицеров много, техники до фига. По военным штатам он развертывается в арткорпус. Противотанковых дивизионов «рапир» — два.

— Если б на полигоне не бардак — я б тебе как раз успел привезти ее тепленькую! — горячился Степченков. — Тебе ж все равно потом чистить? А так — уже смазка снята...

Его собственная пушка, нетронутая с консервации, значилась в парковом журнале как вывезенная на полигон.

По выговору огребли оба. У маленького худенького хитрована Степченкова лысина от глаз до макушки пожелтела от унижения. А толстый Тутов лысину имел фигурную: по лбу и вискам кайма буйного черного волоса шириной в палец — а в середине голова вся голая, и вот она налилась малиновым цветом.

А ужас неземной, весь кошмар несказанный ситуации заключался в том, что старшим офицером первой тутовской батареи был я. С меня седьмая шкура. И пытаясь прогнать картины трибунала я щипал себя и колол во все места, и никак не мог проснуться от этого сна. А потом мне снилось, что все вот так хорошо кончилось. Чистый Мо Цзы.

ПЕДОКОКК

«Джефф, ты знаешь, кто мой любимый герой в Библии? Царь Ирод!» Я постоянно поминал эту цитату О. Генри, работая в школе.

В своей первой школе я выступал старшим пионервожатым. Я расчесывал на пробор длинные волосы и завязывал галстук под бородой. Комсомолки от меня балдели. Юный Маркс пришел полюбоваться на марксистских внучат.

Мысли об игре с пионерами в «ручеек» и проведении сборов казались мне настолько дикими, что директор выгнал меня за неисполнение обязанностей. На расставание я получил характеристику для тюрьмы и психоневрологического диспансера.

Зав РОНО постучал пластмассовой рукой в черной перчатке и дал мне следующую школу. Был закон: он обязан трудоустроить, я обязан отработать. «Вот вам по квалификации: литература в старших классах».

Месяц я сеял то самое разумное, доброе и вечное в каменистой пустыне, какую являли мозги моих питекантропов. Сущность как ученического, так и педагогического коллектива выразилась в удивительно сходных доносах. Одни ябедничали, что я много задаю, а другие сигнализировали, что я нарушаю программу и прививаю чуждые взгляды.

Зав РОНО исполнил номер на бис и постучал своей костяной рукой по столу. По выражению его лица казалось, что руку ему оторвали за то, что он совал ее куда не надо. Он ранено простонал и вместо расстрела подписал мое направление в группу продленного дня начальной школы. Ниже только уборщица.

Школе следовало присвоить имя Ивана Сусанина. Такого места на карте не было. Кругом раскинулись леса и болота, в которых маскировались военные объекты.

В деревянном домике помещались три класса. Три трудолюбивых божьих одуванчика честно делили ставку воспитателя. Мое явление они приняли как кару за то, что отвлекают свои учительские силы на картошку и поросят в домашних хозяйствах.

Мне нашли комнату в деревне. Я приходил в школу к часу. Половина школы оставалась на продленку: матери на скотном дворе, присмотреть некому. «А где твой папа? — Мой папа демобилизовался. — Мой тоже!» В часе ходьбы базировался вертолетный полк.

Сначала я их выгуливал, пресекая мелкие драки. За хулиганство можно было отобрать мяч и оставить бедолаг без футбола: они слушались.

Затем из сельской столовой за двадцать кэмэ привозили обед: по фляге с первым, вторым и компотом, и коробку нарезанного хлеба. Приехавшая тетка раскладывала порции в школьные тарелки: столовая была четвертой комнатой школы.

С обедами была беда. Дети сдавали по пятнадцать копеек на обед. Двадцать пять учебных дней в месяц, тридцать детей: мешок мелочи и мятых рублевок. Деньги собирались постепенно, а платил я по первым числам. То есть из мешка всегда можно было взять немного на выпить и закусить. И когда наступал день получки, я всю ее отдавал в детский мешок: покрывал долг. Таким образом, я работал как бы за бесплатно. В долговом рабстве у спиногрызов. Это раздражало.

А после обеда первоклассники садились на левый ряд парт, второклассники на средний, третьеклассники на правый, и мы делали уроки. Надо же помочь, объяснить, проверить и держать дисциплину.

Из интеллектуальных развлечений наличествовал только Саша Ленин. Я объявлял ему Ленинский субботник, проводил обыск по Ленинским местам и выслушивал Лениниану про порку дома и пьяную мать...

— Ленин! — усовещевал я. — Кем ты вырастешь? Что еще ты натворишь в жизни?..

Маленький трудновоспитуемый Ленин выстрелил в меня алюминиевой скобкой из резинки с пальцев. И когда я отобрал и дал подзатыльник — выстрелил из второй! Мое педагогическое мировоззрение дало трещину, и из этой трещины я ответно засадил ему скобкой из резинки по стриженой голове!

Дети очень ценят демократизм старших. Через минуту я скорчился за учительским столом, укрывшись портфелем и отстреливаясь. Девочки собирали мне пульки с пола. А мальчики, пригибаясь за задними партами, встречно расстреливали воспитателя.

— Кто испортил стенгазету?! — вознегодовали утром учительницы.

Стенгазета — ко дню рождения Ленина-Общего! — висела на стене над задними партами. Среднее между решетом и мишенью в тире.

Счастливые дети завопили, что газету расстрелял воспитатель. За глумление были репрессированы. К концу занятий пришел я и восстановил справедливость. Три старушки были потрясены. На их веку отправляли на Колыму и за меньшее.

Беззаботность педагогического процесса затрудняли только свои инфант-терибли. Второгодники то есть. По возрасту — один шестиклассник, один пятиклассник и два четвероклассника. Эта четверка коммандос разбивала всем носы, курила в кустах, щупала девочек и публично пропагандировала онанизм. Их можно было только послать за родителями и получить симметричный адрес к собственной маме.

Отобранные дневники старушки заперли в шкафу учительской. А мне наказали не отдавать ни в коем случае. Родители дома спросят: а где дневник? И пойдут в школу разбираться. Тут мы им все и скажем. Вот тогда они хулиганов ремнями выдерут! Таков был педагогический план.

После занятий моя четверка села, нахлобучив кепочки, на спинки парт и огласила ультиматум: без дневников не уйдем.

Н-ну. Я поймал первого, вывел наружу и вернулся за следующим. И понял, что они победили. Входная дверь не закрывалась изнутри. Только снаружи. Выгнанный тут же вернулся внутрь.

Я поймал и выкинул сразу двоих. Снял ремень и закрепил ручку двери за табуретку. И погнался по классам за двумя остальными.

О-па! И вот внутри все четверо: они успели открыть заднюю дверь. А та запирается на засов только изнутри, а снаружи никак. Учительская — единственное помещение внутри школы, закрывающееся на ключ. Я спихал туда двоих, как в накопитель, и запер. Они открыли шпингалеты окна и вылезли! И вбежали в главную дверь.

Две двери, десять окон, четыре пацана. Они гоготали торжествующе и злорадно! Их было не взять...

Головоломка не имела решения. Я не могу запереть школу снаружи, пока не выкину всех. И не могу запереть изнутри, пока они там: слишком много выходов. Пока хоть один внутри — он все пооткрывает, и вбегут все.

А я должен закрыть школу! И хочу уйти к черту!

— Вот так! Дневники давайте!

Я закурил, и в озарении настал мой звездный педагогический час.

Я ушел, и в ближайшей избе купил бельевую веревку. Нарезал восемь метровых кусков и один длинный. Смотал в клубки, сунул по карманам, и вернулся к охоте.

Пока они могут двигаться, их не взять!..

Поймал первого, вволок в учительскую, закрылся, запер окно. Достал веревку! Связал ему руки за спиной...

— Это нечестно! — расстроенно закричал он.

...и конец веревки принайтовил к ручке окна. Потом ноги тоже связал. Вышел и закрыл учительскую на ключ.

Второго я тем же макаром прикрепил в учительской к гвоздю вешалки. Третьего посадил рядом спиной к печной дверце, примотав к ее ручке. Четвертого пришлось ловить долго. Его я привязал прямо к двери учительской снаружи.

— Фашист! — негодовали связанные жертвы с руками за спиной.

Это неприятное обвинение. Но счастье победы перевешивает все.

Я по очереди отвязывал их поводки от креплений и затягивал на последней веревке, длинной и общей. Нанизал четверку в связку.

Так продавали пленников в Африке. Их связанные над щиколотками ножки переступали шажками по десять сантиметров. Ручки за спиной тащились буксировочной веревкой, так что бедняги двигались слегка боком. Они рыдали в десять ручьев...

Невольничий караван вытянулся в дверь на крыльцо и повалился в траву, взывая к высшим силам о возмездии.

Я закрыл школу, разрезал веревки и освободил пленников. Я отечески объяснял, что не надо пререкаться со старшими.

Назавтра старушки смотрели на меня с непониманием и ужасом, как куры на носорога.

— А что делать?!

— Надо было отдать дневники...

— А что вы приказали?!

— Но так же нельзя...

— А как можно?!

— Вы знаете... может быть, это не ваше поприще...

— Это! Не! Мое! Поприще!

Когда я возвращался в учительскую, у меня был мокрый пиджак. На амбразуру, по крайней мере, ложишься молча. Школа отбивает охоту к общению и публичным речам на пять жизней вперед. Из учительской выходят мизантропы, мечтающие о карьере отшельника.

Все это и многое другое я декламировал однорукому заву РОНО, как на эшафоте. Теперь казалось, что руку ему отгрызли в школе.

— Расстаться — это большое счастье, — сказал он, шлепая печать.

WENN DIE SOLDATEN

Жарища в тот год на Белом море стояла страшенная. Все ручьи пересохли. Вода в заливе прогрелась градусов до двадцати, когда это слыхано. Дважды в день после работы, перед обедом и ужином, мы там купались минут по двадцать.

Мы в тот год вели просеку под дорогу, валили по трассе лес и били нагорную канаву. Нас было восемь проверенных кадров: бывший моряк, бывший стройбатовец, бывший геолог, бывший наркоман, бывший суворовец и бывший учитель. А бывшего сержанта дисбата мы поставили бугром. Он закрывал наряды лучше всех в СМУ. У него было неподвижное бледное лицо в кавернах прошлых угрей, рыжий пух на лысине и немигающие бледно-голубые глаза в кровавых прожилках. Он входил и молча не мигал своими глазами на всех по очереди. И они начинали беспокоиться, суетиться, теряли уверенность и подписывали все, что надо, лишь бы он перестал смотреть и молчать. Потому что невозможно было понять, улыбнется он сейчас или зарежет.

Дважды в день, дудя и бумкая на губах марш из «Белорусского вокзала», мы гуськом топали в гору, как восемь гномов. Там мы раздевались до пояса, мазали друг друга диметилфталатом из канистры, и вламывали пять часов с десятиминутными перекурами. Диметилфталат жирный, испаряется с по́том медленно, и полдня комар и сменяющая его мошка́ нас не брали.

Из лесных забав было свалить сорокасантиметровую в диаметре сосну топором за три минуты на спор. Руки от топора, лопаты и лома покрывались геройскими мозолями, приводящими девушек в экстаз.

А дважды в день спускались, купались, нажирались и отсыпались. Готовила у вагончика жена бугра, Маришка, и готовила она хорошо и много. Женское присутствие не давало коллективу звереть в лесу окончательно.

Но не окончательно мы все-таки озверели. Хотя за десятичасовой рабочий день по уму мы делали управлению процентов четыреста, после знакомства с нами Фрейд бы свою теорию сублимации отменил.

— Пила бабе не замена! — сформулировал трудность Саул, критически глядя на свою «Дружбу». — Она только пилит. И то хуже.

Поэтому воскресенья были посвящены культурному отдыху. После завтрака мы резали березовые веники, влезали в наш 157-й ЗиЛ, и с песня́ми летели по петлистой дороге через перевалы в Кандалакшу.

Программа была отработана, и в Кандалакше нас уже знали.

С горы из леса спускалась туча пыли, из пыли вылетал трехосный «ЗиЛ», в кузове стояли семь диких бородатых мужиков и победно горланили:

Wenn die Soldaten
Durh die Stadt marschieren,
Öffnen die Mädchen
Die Fenster und die Türen.
Ei warum? Ei darum!

А стоящий прямо за кабиной Мишаня Козин, с самурайской повязкой над вытаращенными глазами, поддувал это бесчинство густыми оккупантскими звуками губной гармоники.

«ЗиЛ» тормозил у бани, объявляя о себе стуком буфера в стену. Мы выпрыгивали и входили. Теперь впереди раздвигал народ неупомянутый ранее восьмой, бывший боксер. Боря был серьезный боксер, призер спартакиад и первенств Союза в 69 килограммах, мастер спорта. Он был небольшой, осадистый, сколоченный, коренастый, и если вид нашего бугра еще мог вызвать сомнения, то Борин вид сомнений не вызывал. Низкий лоб, медная щетина, мощная сутулость, жестокая угрюмость, из всех преступлений склонен к убийству с особенным цинизмом. Боря входил в парилку в войлочной шляпе и рукавицах, выгонял всех, проветривал, поддавал свежий пар, жестоко хлестал, дирижировал и терроризировал.

Потом мы отдувались в предбаннике, курили и пили пиво. Банщик получал свое, и восемь бутылок «это для мужиков из леса» были неприкосновенны.

На грузовике мы пересекали пустырь, служивший городу центральной площадью, и входили в кафе «Снежинка» напротив бани. Нас приветствовали из-за стойки и заводили Анчарова:

Губы девочка мажет в первом ряду.
Ходят кони в плюмаже. И песни ведут
про героев, про рыцарей и про невест.
Вы когда-нибудь видели сабельный блеск?..

Мы культурно обедали, затоваривались в магазине вином и ехали за другой перевал к археологиням. Июль и август, пока там сидела при палатках студенческая практика Петрозаводского университета, были лучшим временем работ. На тридцать девчонок был завхоз-алкаш и три существа неясной ориентации среднего рода. Мамка-доцентша блюла свой цветник в страхе перед вензаболеваниями, изнасилованиями и абортами. Она их никуда не пускала под угрозой отчисления, и к ним никого. Ее звали Паула, ей было сорок, она была финнка с лицом обветренной козы и телом заждавшейся принцессы. Нас впервые привез туда завхоз, с которым мы познакомились в кафе. После того, как в первый вечер напоили и соблазнили Паулу, ее режим допускал наше присутствие. На нас был конкурс, мы жили хорошо.

— Что уж теперь скажешь, у самой рыльце в пушку́, — мило снисходила Паула и пила с нами ужасный венгерский ром, шестидесятиградусную смесь веселящего газа с конским возбудителем.

Превзойдя практику, девушки уехали, и Бобгугор закрыл нам месячные наряды по куску на рыло. Мы отпраздновали это в «Снежинке», чувствуя себя богатыми, но одинокими. Потребность в интиме приняла неожиданный характер: мы посадили за столик к верному семьянину Боре-боксеру подобранную невдалеке девицу с намерением образовать из них счастливую воскресную пару.

Следует заметить, что зверского вида мордоворот-компакт и профессиональный страшила Боря не пил, не курил, не ругался матом и хранил верность далекой однокласснице-жене. Мы признавались друг другу, что это неправдоподобная патология.

Такова верная мужская дружба, что мы уговорили Борю выпить первую в жизни рюмку водки и закурить первую в жизни сигарету.

Сталкивание добродетели в пучину порока происходило поступенчато. Потом усовестили девицу, что грех не поцеловать беззащитного мальчугана. Оглушенный первым в жизни левым засосом, Боря самостоятельно справился со следующей рюмкой.

Через час вбежали какие-то пацаны с тревожными призывами «там вашего убивают». Мы высыпали на улицу и увидели сцену из фильма «Броненосец “Потемкин”».

С десяток местной молодежи жалось спинами к витрине, вид имея покоцанный. Перед ними, как Малюта Скуратов на помосте, как вобравший голову в плечи неандерталец перед козодоями, похаживал растопыренный набыченный Боря и сипло ревел:

— Ну!! Выходи по одному!! Убивать вас буду!!

— Мы милицию вызовем, — позорно пискнули из шеренги, это было неприлично и неправдоподобно.

Из Бориного ответа мы узнали, сколько есть в русском языке глаголов на -л, обозначающих то, что он делал с их милицией.

Мы выступили с мирной инициативой, сказали парням, что этот — точно всех убьет, мы его сами боимся, принесли Борину девицу и повесили ему на шею, а сами загородили парней, чтоб они смылись.

Пьяный Боря клялся нам, что они плохие люди, и лучше их было убить. И вот что я вам скажу. Боксеры понимают жизнь лучше остальных.

В сумерках мы растянулись вдоль улицы попарно с дамами. Они вели нас к своей общаге, а мы проводили с ними вербальную прелюдию к заветным сказкам, по возможности не выпадая из равновесия. Это называется — погулять и поговорить перед тем как, согласно приличиям. Иначе девушка усомнится, что ты уважаешь в ней человека.

Приятно, как-никак, идти по собственной дороге, которой не было – и стала. К злобе местных, мы получали 400% зарплаты, делая 500% плана. Конечно, таких работничков надо давить на корню (что у нас всегда с успехом и делали).

Я шел первой парой и услышал сзади шум в темноте. Сзади следующий за мной Славулька-матрос, самый здоровый из нас славяно-норманн, сунул своей девушке бушлат и побежал в хвост колонны. Я подумал и побежал за ним. И прибежал, когда один дал ему по ушам, а другой подсек под колени, и он в секунду укатился.

Секунду я смотрел, что их там двое, и решал, кому и как пинком выбить колено, а кому в кадык перекрыть дыхание. Во вторую секунду мне не сильно, но удивительно точно сразу попали в кончик подбородка, и я улетел в канаву.

В канаве было тепло и мягко, там уже лежала вся бригада. Бригада беспомощно ворочалась и грозно кричала.

Никогда ни до, ни после я не видел, чтобы двое так красиво отоварили семерых. Они догнали, вырубили заднего, и затем остальные подбегали к ним по одному с интервалом, каждый за своей порцией. И поочередно, как с конвейера, улетали в канаву.

Помогая друг другу и падая, суля Кандалакше атомную бомбу и Освенцим, мы долго искали в ночи машину и только назавтра вспомнили, что там были какие-то девушки, которые, видимо, куда-то делись.

И вот я пытаюсь прозреть в сочетании этих событий, в последовательности и взаимодополнении любви, греха и кары, некую логику и справедливость жизни, увязанность всего со всем в гармонию души, а гармония души безусловно существует, иначе с чего бы вы вспоминали с таким удовлетворением не столько преступление, которое приятно, сколько наказание, которое веселит отрадной истинностью.

Мы купались до ледостава, выходили из воды дымящиеся, с затвердевшими телами, крича о закалке на всю жизнь, и как только закрыли аккорд и смотали манатки, у меня прыгнула температура тридцать девять, сопли в стороны, вот и все здоровье, спирт и аспирин, все дело в нервах, брат.

СКОТОГОНЫ

В моей московской квартире с утра пораньше зазвонил телефон:

— Михаил Иосифович, здравствуйте! Это вас беспокоит газета «Бийская правда». Мы узнали, что вы когда-то работали у нас в Бийске, это правда? Вы бы не согласились дать для нашей газеты интервью, по телефону?

— Ка-кая газета?.. — переспросил я.

— «Бийская правда», — повторил юношеский голос с неуверенностью в достаточном статусе своей газеты.

— Из — Бийска?.. — с педантизмом маразматика уточнил я.

— Ну да.

— На Алтае?

— Ну... да...

Было девять утра, я был один в пустой квартире и говорил с другой планетой, вращающейся в ином времени прошлого мира.

— Родные! — заорал я. — «Бийской правде» я дам все! Но при одном условии!

— Конечно! — робко обрадовалась трубка. — При каком? Мы все сделаем!

— Вы позвоните мне завтра в это же время и скажете: «Скотоимпорт» находится на улице Краснооктябрьская 113, или улица Краснооктябрьская 213?! Я потерял давно справку, я же от них

ходил в перегон, и вот не могу вспомнить, и все собирался когда-нибудь приехать в Бийск, да ведь все не собраться, конечно, а тут вы звоните, так что уж узнайте, в справочной там или где, город ведь небольшой, и завтра звоните, а я буду ждать, ладно, дорогие?

Назавтра в девять я сидел при телефоне с заваренным кофе и прикуренной сигаретой.

— А «Скотоимпорта» больше нет, — легко сообщил мне славный собеседник.

Я растерялся. Странное дело. Уж страны той давно нет, и то ничего. А тут не ожидал...

— Как же... — возражал я. — Там даже остановка автобуса была, так и называлась: «Скотоимпорт». Вывеска на столбе висела. — Я увидел эту тронутую ржавью вывеску на деревянном столбе электропередач, сером и в рассохшихся трещинах.

— Остановки тоже нет, — сказал он. — Туда автобус вообще не ходит.

— Погодите, — сопротивлялся я. — В Бийске же был отличный колбасный цех мясокомбината, комбинат на монгольском импорте работал!

— А мясокомбината тоже больше нет, — сказал он.

Я охарактеризовал исторический процесс, сказал им все, что спрашивали, и прожил утро с подбитым настроением. Вместо светлой ностальгии, праздника встречи с прошлым — известие об утрате.

Асфальтовый каток времени закатывает смысл прожитой жизни. Смысл нашей жизни отменен очередной сменой генеральной линии. А вот хренушки им в горлышко, чтоб головушка не болталась.

Я налил полстакана, достал карту Алтайского края, купленную в Бийске треть века назад, и стал смотреть наши маршруты, нанесенные шариковой ручкой уже после ходок — для памяти.

ЗМЕИ

— Ну у вас бригада конечно змеи.

— А ты не ходи в наш садик, очаровашечка.

Это Володя Камирский опять кому-то въехал. Так-то он крут, но сдержан. Зона осмотрительности научила. Одиннадцать лет, только освободился. Высок, жилист, широк в кости. Греческий профиль, синие глаза, разбойничья щетина. Только голос сипит и уши чайником. Как поддаст — так ищет крайнего.

В лагере на монгольской границе мы сбиваемся в бригады и ждем скот. Перед приемкой гурта бригаде выдают таборное и питание. Вчера Камирский с Каюровым поехали к монголам менять тушенку и сгущенку на что? на водку. Ну, а потом захотелось общения.

Каюров в бегах от алиментов. Он был поваром в знаменитом владивостокском ресторане «Золотой Рог». На него подали семеро с детьми. Теперь паспорт в Бийске, в сейфе «Скотоимпорта»: Вовка спрятался. Он классно готовит, и при любой возможности, вне очереди. Повару на пункте бросил в морду бачок с кашей и настучал сверху, диктуя рецепт.

— Господа бога душу мать! Кто мою камчу брал? — Жека Шишков такой же здоровый, как Камирский. Но нервный, агрессивный и неавторитетный: много шумит. Он освободился вместе с Камирским: пятерка. Из детдомовских, наверняка он не Шишков. Белая кожа заросла медной шерстью, мышц не видно, а сила неодолимая: чечен или ингуш, дитя переселений. Ходит — будто бодается своей ранней лысью.

Меня Ваня Третьяк позвал в бригаду для равновесия. Он так и сказал: «Миша, ты бригаде нужóн для равновесия. Я ж оно примечаю, ты все время чото делаешь, а сам молчишь. А оно у нас, сам видишь, ребята горячие!»

Сам Ваня худенький, лысенький, седенький, такой цепкий хитрован с прибаутками. Он у нас гуртоправ. Ему лет пятьдесят пять, он тут все горы знает. Еще б ему не знать, у него ограничение по Горно-Алтайской области. Выехать за нее — берет временное разрешение в милиции. Он в войну был полицаем, потом десятка Колымы — и на вечное поселение.

Колька Крепковский его не любит. Ревнует к портфелю с квитанциями. Колька сам хочет быть гуртоправом. Он давно гоняет. Карьере мешает вес: в нем килограмм двадцать. Деловитая мартышка с золотыми зубами. Колька переживает, что его не берут всерьез.

Он дружит с Ноздрей — Колькой Черниковым. Тот ненамного крупнее, но с ядом, хозяйственный такой мужичок. Левая ноздря будто плоскогубцами сдернута. Он любит рассказывать об успехах в городской самодеятельности: «Я ж танцор был. Низовик! А низовики — это трудяги!»

— И зачем ты, трудяга, инструменты продал? — сипит Камирский. — Хоть после тебя в оркестре осталось что?

— Молодой был, — поет Черников. — Шесть лет, Володенька... от звонка до звонка... молодость там оставил...

— Сука, я уже плачу, — говорит Каюров.

Дрова здесь не растут, две восемьсот над уровнем моря, мы собираем в траве кизяки и кипятим чай в консервной жестянке. Пачка на кружку, и вкруговую по глотку через затяжку.

КОНТРАБАНДА

Хозяйственный Колька Черников выменял у монголов на сгущенку две сурковые шкурки. И стал готовиться к провозу меха через границу.

Он отделил от седла потник. И два часа резал его лезвием пополам по толщине. Между двумя тонкими пластами войлока уложил шкурки. И принялся скрупулезно обшивать разрезанный потник по краю. Ровным мелким стежком, кантиком. Вид — настоящее неразрезанного. Так и было. Края совмещены заподлицо.

Нитки и иголка у него оказались припасены заранее.

— Мне и брату на шапки хватит, — хозяйственно объяснял Колька.

Закрепил потник под седлом и так ездил.

Русский народный бизнес. Голь на выдумки.

Как мы потом со скотом перешли границу, никто толком не заметил. Сопки и сопки. Если столбы и стояли когда, их давно сожгли в костре.

Нет, КСП — это не клуб самодеятельной песни, это контрольно-следовая полоса. Ну так ее тоже никто не видел. На скотопрогонной трассе следов столько, затопчут полосу вместе с самой границей.

Когда Колька разрезал шов потника, оказалось, что шкурки подопрели и облысели.

— Ну ты Коля дура-ак, — сказал Ваня Третьяк. — Конь же потеет, ты чо, не знал?

— А чо ты раньше-то не сказал? — курил Колька.

— Дак а интересно же было посмотреть, чо у тебя получится.

Колька побил шкурки в руках, осторожно пощипал, уложил в свой мешочек в таратайке и повеселел.

— Деревни пойдут — обменяю на водку, — сказал он. — Хрен кому дам!

КАРЬЕРА

— А ведь я с Сенькиным гонял когда-то. Нет, чо, нормальный был мужик. Как все. А сейчас видишь как выдвинулся. Начальник пункта.

— По руководящей линии пошел.

МОКРОЕ ДЕЛО

Спал я поначалу плохо. Просыпался с криком и садится в палатке очумело. Старые заморочки.

— Чо-то ты, Миха, нервный. Вроде спокойный, а ночью кричишь. Переживаешь, что ли.

Потом работа вылечила. Спал как бревно. Хоть лужа, хоть что. Организм свое знает, отдыха требует. Голову только забивать не надо.

И вот где-то через неделю, только мы с Кош-Агача к Кураю подходим, сплю я, уработанный. А это значит: спишь, а тебе снится, что ты работаешь. Изводит страшно.

Гоню я в лысую сопку гурт мышей. А мышей — пять тысяч. Ползут ровно, как армия. Но потерять легко, потому что сопка поката, и мышей с краев гурта мне за увалами не видать, я бегаю и наклоняюсь.

И только они, напасшиеся, легли спать и исчезли вообще, как все внутри меня завибрировало крупной машинной дрожью, задрожало горячим гулом, и нестерпимое беспокойство перешло в страх и стало душить до крика.

То состояние, когда во сне ты понимаешь, что спишь. И говоришь, понимая, что говоришь это во сне. Хотя на самом деле это не сон, а реальность, и от нее вся жизнь зависит. То есть, координация полушарий и очагов возбуждения нарушается, видимо.

И сижу я в кабинете у следователя. Стол, табурет, стены в зеленой масляной краске, решетка на окне. Он дотошный. Я спокоен и уверен. И говорю я:

— Не убивал я его, гражданин следователь.

А он, плохо различимый, молча мне возражает, не верит. И я продолжаю на разные лады:

— Гражданин начальник, да не хожу я по-мокрому, вы сами знаете.

И:

— Да не мочил я его, на хер мне это надо.

Одновременно я понимаю, что нарочно играю в литературную игру: кошу под блатного. И одновременно же оказывается, что колет он меня всерьез, и мне вышак ломится. И я говорю:

— Да нечего меня колоть, начальник, мне вышак так и так ломится. Чалму не мотай.

И в конце концов говорю своим, городским, вежливым голосом:

— Да, я его убил, потому что мне так надо было.

И все кончается, исчезает, и забывается напрочь. Сон, чернота, забытье.

А спал я в палатке между Каюровым и Черниковым в ту ночь. Кошма снизу на троих, одеяло сверху, боками греемся. И утром ничего не помню, как со снами обычно и бывает.

Вылезаем утром из палатки, варим чай, курим. И иногда мне кажется, что ребята на меня как-то смотрят так, не совсем как всегда, не совсем понятно. Вроде показывают, что все как всегда, а вроде что-то неестественное. А иногда украдкой как-то интересно, как-то по-чужому смотрят.

Но вообще на такую ерунду никто внимания не обращает, мы проще, и дело есть всегда.

Переход легкий, по ровному, последний такой перед своротом на Курай. Еду за гуртом, курю, на душе смутно. Тоска неясная, что-то вспомнить не могу.

И — вспоминаю! Весь свой сон с разговором — ясно вспоминаю!!!

Это я дал. Это я Вовке с Колькой устроил прослушивание радиопьесы. Можно вообразить.

И стало ребятам наконец понятно, как я тут оказался, и что я тут делаю, и кто я по жизни. Все вопросы сняты. И зовут меня, может, не так, и не из какого я не из Ленинграда, скорей всего.

А вопросов у серьезных людей задавать не принято.

Все осталось как было, но я резко приподнялся. Вырос статус. Появилась доля осторожности в отношении, можно сказать.

Сарлык мирно пасется, пока бригада дрыхнет в палатке, треснув ведро браги, закрепленное литром водки: удачный обмен на полбарана. Когда проснутся — поедут искать более подвижный овечий гурт: тот успел укочевать за сопку.

Лишь однажды мы обменялись плюхами с Женькой Шишковым. Он был гораздо сильнее. Он въехал мне по скуле открытым запястьем — и нетвердо ждал, что будет. Принял раз кулаком по скуле же, отодвинулся, успокоился и повеселел. Нас помирили.

Я остался единственным, кого ни разу не отоварил после банки Володя Камирский. Он рассказывал, что мы с ним оба из Ленинграда.

— Пацан с Невы! — сипел Камирский и иногда менялся, чтобы дежурить ночь у костра со мной. Он шел на сарлыке, а я на баране. У нас было триста сарлыка и две тысячи барана.

БАРБЫШ

Блестячие, Колокольный Бом и Барбыш ждешь с беспокойством. Через двадцать четыре мостика Блестячих над ручьями в витом таежном ущелье — можно проталкивать гурт два дня. На Колокольном Боме — узком пятикилометровом приторе по скале над Катунью — бригады иногда ночуют с гуртом: растянется по тропке и не идет, хоть тресни. А на Барбыше травяной косогор уходит под сорок пять градусов от Катуни в небо, и ребята теряют скот. В дождь он прет кверху и при тумане разбредется в горах, а в жару прет книзу и бешеная вода норовит сбить и унести крайних.

Блестячие и Колокольный Бом мы прошли на диво, а на Барбыше опрокинулась таратайка.

Моросило весь день, и кони оскользались. Баран и сарлык шел пасом, и мы одерживали верхний край. А таратайка с таборным имуществом, кренясь, как яхта, уехала вперед и скрылась. Там подскочила на камне, конь оступился, таратайка на бок, конь на спину, вниз — триста метров. Ваня Третьяк, наш старый полицай, перехватил ножом ремешки хомута. Это красиво сказано — перехватил. Пока он их пилил, получил копытом в бок и совершил оборот вместе с таратайкой.

Потом она катилась вниз, а он держал коня и причитал. Все стеклянное с борщом и рассольником разбилось. Все жестяное с тушенкой и сгущенкой укатилось в Катунь. Чай промок, сахар порвался, расстрел был неизбежен.

Подошли мы со скотом. От жратвы — пейзаж коврового бомбометания. Впряженный в таратайку Ваня вытаскивал ее наверх и матерно плакал. Конь смотрел на него с отвращением. До Абая было четырнадцать дней. Жрать было нечего. Мешок крупы и мешок макарон.

— До деревни дойдем и всем разживемся! — горячечно стелился Ваня.

— Не дойдем, — сказал Володя Камирский. — Я тебя здесь убью.

— Щас ножками стопчу и в Катунь, — всерьез задышал Женя Шишков.

— Не ты первый, Ваня, не ты последний, — хмуро заключил Колька Крепковский.

Тут ливануло, скот потек вверх, и мы погнали дальше. Немного, конечно, засуровели. Так впереди палатки, костер и жратва. А так что.

— Фашистская рожа, сука, падла, я б его в сорок пятом лично бы повесил! — не мог успокоиться Вовка Каюров, особенно чувствительный к потере продуктов.

К стоянке пришли без настроения. Пасти барана была моя очередь.

Гурт лез вверх. Я метался над краем, хлопал плащом и орал. Их две тысячи, а я один. Они тупые, но упорные. А я умный, но лучше б сдох.

Не понимая препятствия, баран пощипал под ногами, смирился, спустился, сгрудился и лег спать. Я отнес седло в палатку, вбил кол и привязал чумбур где трава гуще. Оставил коня пастись и пошел к костру.

Они нашли пень, вырубили углом с подветреной стороны, и в этой полузагородке разожгли огонь. Уже разгорелось, даже плащ над ним держать перестали: дождь не гасит, капли на лету парят, как туманный купол над светом. И в ведре закипает вода. Три литра в чай. Заварим купеческий, пачку на чайник. В остальном быстро сварим макароны.

А баран лежит! Я курю в блаженстве. И кидаю окурок в костер.

И он падает в закипающее ведро.

Меж лопающихся пузырей в движении белых жгутов разошлась пленка бурой взвеси с черной сыпью, и пляшет желтый бумажный клок.

Покушали. Почаевали. Ели вчера вечером, за сутки.

Долгую секунду я боюсь смотреть. Пустая надежда: а... просто снять это... типа накипь... нельзя? Кипяток, стерильно...

Не по закону.

Моя судьба решается в кругу.

Но мне и так пасти после трудного перехода, а Барбыш мы прошли удачно, потеря жратвы своим масштабом заслоняет мелочи, а главное — на Ване уже душу отвели, портрет его отрихтован, и Володя Камирский весел. Народ незлобив.

— Ну что, Миха! — смеется народ. — Давай за водой.

Щедрым жестом выплескивая кипяток, мне вручают ведро.

А вода — это двести метров вниз по скользкому крутому склону. Со свистом на каблуках, тормозя задницей. Слалом с ведром. Не удержаться! Бобслей по-русски. Шпеньки торчат, камни скачут, главное — переставлять ноги быстрее, чем летишь вниз. Сполз боком по осыпи, уперся сапогами в воде. Черпанул из гремучего катунского порога! И на восхождение.

А наверх лезть — как по намыленному столбу. Дождик обтекает, трава убегает, глина смазывается... С ведром воды быстрее на Эльбрус. Я лез минут двести, не меньше пятнадцати. Цепляясь когтями, не дыша в опасных местах. И на коленях, и упираясь задом наперед, как гусеница стремительным домкратом.

Дождь. Влез. На кручу. Поставил ногу. Подаю ведро.

И под задней ногой у меня все исчезает, я взмахивая рукой для равновесия, выливаю ведро на себя, из прогиба перехожу в сальто назад, ведро бьет по голове и со звоном скачет вниз, а я качусь по грязи за ним.

Катунь гремит порогами; что в нее упало — то пропало. Никогда не приходило в голову в ней искупаться: свое здоровье ближе к телу. Резкая красота Алтая воспринимается только с точки зрения удобства скотопрогонной трассы.

Никому в жизни я не дал столько счастья. Их разорвало от хохота. Чуть с обрыва не попадали. Орали, свистели и топали, как стадион.

С двадцатого кувырка я сумел встать и полетел вниз скачками догонять ведро. И догнал, и упал, и мы покатились наперегонки. Наверху было сумасшествие.

Ведро упало в реку и поплыло. Я упал в реку и прыгая лягушкой догнал и поймал его.

— А-а-а-а!!! — умирали на галерке.

Я много пережил и передумал, пока поднялся к костру с водой. Серийное убийство больше не смущало меня.

Бригада утирала слезы блаженства. Любовь окружила меня.

— Знаешь, Миш, даже чаю не надо, — сказал Володя Камирский. — Это ты лучше чаю дал.

— Мих, покажи еще раз, — попросил Женя Шишков. — А я за тебя попасу.

— День здоровья, — отдышался Вовка Каюров. — Миша, спасибо, год жизни прибавилось.

— Ты в самодеятельности никогда не выступал? — поинтересовался бывший танцор Черников.

Я вылил воду из сапог, разделся и выжал одежду.

— Ты у огня посуши.

— Он штаны в суп уронит, — сказал прощенный Ваня Третьяк.

Я вытащил из-под брезента расшатанной таратайки сухие сигареты и сел на опущенную оглоблю.

— Ваня!

— А?

— ... на! Кофе в постель подашь. Я к столу сегодня не выйду.

УЙМОН

Хуже нет проталкивать гурт в дождь через таежный распадок.

Спускаться в сырость баран отказывается, за буреломом крайних не видно. Кони привязаны где-то сзади, ватник мокрый изнутри и снаружи, глотка сорвана, нервы в клочья. Пнешь барана в бок — а он упругий, как мяч, и теплый под слоем шерсти.

Потом замечаешь, что дождь ослаб, склоны раздались вширь, тайга переходит в редколесье, баран набирает инерцию, и надо решать, кто вернется за конями.

И вот уже едем верхами, и ищем в пачке сигарету посуше, остыли от матерных рыданий, отлично прошли на хрен, стоянка скоро, и пастьба здесь легкая, широко и ровно.

Подлесок перешел в пологий луг, а луг клеверный, вот как мы уже низко. Гурт растекается серпом, баран жрет как сумасшедший, и за этим стригущим лишаем, под заголубевшим небом и золотым солнцем, едешь в отдыхе и блаженстве и хочешь петь.

И вдруг впереди за увалом открывается сказка. Огромная долина, километров пятьдесят на тридцать. Желтые прямоугольники полей, зеленые пятна лугов, ниточки дорог, россыпи сел, крапинки стад. Грузовички едут, комбайники ползут. Как понарошке, на макете. Зрение в горах, вдаль да на зелень, обостряется до орлиного, барана на склоне за километр пересчитаешь. Вот все и видно. По краям — горы вверх пейзаж загибают. А внизу эта красота несказанная.

— Уймон! — Грудь переполнена. Хорошо жить!..

И тут меня оглобля съездила по уху. Я почти выпал из седла. В разбитой на черепки голове гудело. Мир был синий и кружился.

Это меня в ухо ужалила оса.

Через минуту ко мне вернулось сознание, и злой оркестр стал распиливать голову. Конь стоял, оборачиваясь на меня.

— Миха, ты чо там? — кричал через расстояние Женька Шишков.

Голова болела до вечера. Ухо распухло как вишневый вареник. Оно зудело две недели и облезало послойно.

В горах все крупное и калорийное. Концентрат солнечной энергии. Шмели летают, как воробьи. Я эту осу вообще не видел! И как точно, сразу в ухо.

Назавтра мы спустились в Уймонскую долину и пошли насквозь. Она вызывала только неприязнь. Грязь и идиотизм сельской жизни. Будто Парень Сверху спустил руку со шприцем и сделал мне прививку от романтизма.

ИМЕТЬ И НЕ ИМЕТЬ

Что скотогону дают в перегон? Пинка. А на каждый день? Это и есть на каждый день.

Конь, седло, веревка. Спецуха, ватник, плащ, сапоги. На бригаду — таратайка, на троих — кошма, одеяло, брезентовый тент.

Нож скотогон покупает в Бийске. Заранее. Это предмет первой необходимости. Хозяйственный, копеек за семьдесят. На все случаи жизни. К ножу стругают ножны или носят в сапоге ручкой книзу.

Все остальное скотогон крадет. Что попалось полезного, то и крадет.

В горах красть негде. Спустившись с высокогорных лугов, пройдя белки, перевалив Чегед-Аман, вскользь касаешься роскоши человеческого общения. Деревни редки, в стороне, и тем они ценнее.

Крадут топор, ведро, кружку, миску. Не понимают, как жили без них раньше. С камнем и жестянкой из-под консервов.

Крадут чайник, кастрюлю, сковородку, лопату, проволоку. Крадут ложки, стаканы, полотенца и ремни.

Крадут там, где уже есть кому продать барана и с кого взять за него деньги. Деньги предназначены на водку. Или одеколон. Или вино, или самогон, или брагу. Их украсть нельзя. Их народ ценит как зеницу ока и без присмотра не оставляет. Они под охраной морального закона. Вещь крадет человек в нужде. Выпивку крадет гадина.

Поэтому скотогонов не любят. Скотогоны проходят, как заблудившиеся разъезды мамаева нашествия. После них остается выжженная земля. Съеденная до корней трава и голые заборы. Веревки тоже крадут. Веревка всегда пригодится.

Проталкивать барана через узкость — кара ада. Баран — абсолютный консерватор и конформист: смысл его жизни — хранить статус кво и поступать едино с соседом. Стоит, и хоть сдохни! Пошел не туда — конец.

Скотогон может мельком присвоить бритву с подоконника, или кувшин с крыльца, или поварешку с помойки. У скотогона развивается собирательский инстинкт, ревность коллекционера. К Бийску он топорщится от походного добра, как кочевник после набега.

Все это скотогон бросает на последнем пункте, острове посреди Бии. Он забывает о ненужном, как ребенок. В бийскую общагу «Скотоимпорта» скотогон возвращается с пустыми руками. Завпунктом скидывает скотогонские сокровища в помойку, отбирая хорошие вещи продавать на базаре.

Ни у кого из скотогонов не хватает скучной хозяйственности перед отправкой в Монголию съездить на остров и запастись в перегон всем таборным. Самые обстоятельные выменивают у пришедших с перегона монгольскую монетку — чтоб сразу повесить на шею; это у нас принято.

МЕЛОЧИ ЖИЗНИ

— Дьявол в деталях.

— Бог тоже.

— Да здравствует маленькая разница!

— И фокстрот под названием «У моей девочки есть одна маленькая штучка».

Книги редко передают реальность. Пища, жилье, одежда, отправление потребностей, ежедневные радости и бытовые неудобства, — все то, что и составляет собственно вещество жизни в процессе жизни, — редко удостаивается упоминания. Они не правы, писатели.

Сначала необходимо передать ощущение совершеннейшей обычности всего происходящего. В любых условиях! Тесный защитный тент высотой по пояс, натянутый над кошмой и одеялом на троих — нормальное жилье. Костерок из кизяков — нормальный очаг для света и тепла, приготовления чая и пищи; а уж из дров и говорить не приходится. Когда пошли равнинные леса, мы срубали три березы, и стволы вдвигали один между двумя навстречу, так всю ночь и горело. А щипать сухие травинки и волокна коры, делая огонь с одной спички — это само собой.

Нормально есть раз в день вечером, нормально не пить сутки, если переход неудобный, нормально баня раз в три недели, потом надеваешь постиранное, и трусы-носки-рубашка на тебе сохнут. Нормально проверить, погладить рукой потник перед седланием, а то случайный мусор сотрет спину коню.

Нормален весь круг естественных жизненных забот. Они просто иначе выглядят. Поить коня и оставлять на ночь на хорошей траве. Ночью в дождь убирать седло под тент в изголовье. С утра совать в карман ватника пачку сигарет и пару сухарей. Не читать, не думать, не страдать, не маяться дурью.

Нормально вставать со светом, разбивать лед в ведерке, отогревать онемевшие пальцы подмышкой, потому что узел на мокром чумбуре замерз и не поддается, срывая ногти. Погода в горах меняется сто раз на дню молниеносно, в дождь и холод застегиваешь ватник и плащ, через минуту палит солнце, ты свертываешь их в скатку и торочишь за седлом. Тороки — это сыромятные шнурки-ремешки. Торок закреплен у седла, двумя концами охватываешь предмет и завязываешь на калмыцкий узел. Калмыцкий узел — это род морского, употребляемый скотоводами, сложен, надежен и легко развязывается.

От ожогов горного солнца образуется короста — на носу, верху ушей и на левой руке, которая все время на поводе. Мы мажем ее солидолом для втулок таратайки. Когда спускаемся пониже, короста сходит.

Дождь в горах ледяной, морозит. А перевалишь Чегед-Аман — и вдруг прямо в ущелье Сок-Ярыка ощущаешь, что дождь-то теплый! И это радостное открытие, будто это и не дождь даже, а так, просто погода такая.

Через месяц ты можешь спать под дождиком, подстелив полу плаща на кочке, а другой полой прикрывшись. Или не спать двое суток вовсе, или бегать целый день рысью в гору и обратно, или орать на гурт так, что слышно за километры, или вырезать кусок филе у освежеванного барана, разделить на кубики и есть теплое с солью, молодое мясо очень вкусно, а ждать готовки нет сил.

А на пунктах проводим счетку: в хошане рукав с форточкой, баран протискивается по одному на волю, а четверо нас считают: один считает вслух и громко отмечает, вскрикивая: «Полста!», а второй его контролирует, третий же в стороне отмечает прутиком черточки на земле, зачеркивая десятки и начиная линейки новых полусотен, четвертый в свою очередь контролирует третьего, чтоб не сбился. Это очень точный способ, две тысячи учитываются без ошибок. Очень редко мы сомневаемся, загоняем гурт обратно в хошан и считаем по новой.

И характерно, что месяцами в седле ни у кого не окривели ноги и никто никогда не сбил задницу.

Кунгур, Онгудай, Усть-Мута, Усть-Кокса, Черный Ануй...

В головке гурта идут два десятка козликов. Они любопытны и самостоятельны, они понимают, чего от них хотят и идут куда надо: тупые бараны идут за ними, иначе при любой команде баран норовит сбиться в кучу и держаться ее. Когда я заснул у костра, один козлик спер у меня из кармана последнюю пачку чая.

БАРАНА ИЗ НАГАНА

Если рельеф совсем уж горист, лесист и неудобен, скотопрогонные трассы соприкасаются с дорогами. Мы с шоферами не любим друг друга. Они пугают скот, мы загромождаем дорогу. Карабины нам давать перестали. В горах все просто. Почему не пробить суке радиатор, чтоб не наглел. Потом замучишься определять, кто из бородатых вахлаков стрелял. А хоть бы и не в радиатор.

По возможности обе стороны стараются извлекать из встреч пользу.

Пьем утром чай у дороги. Солнце встало, баран поднялся, Ваня лагерь ломает, увязывает таратайку. Кайфуем через затяжку. Сейчас седлаемся и погнали.

Останавливается почтовая машина, синий фургон. Слезает из кабины матерый тяжелеющий почтовик лет сорока:

— Ребята, барана не продадите?

— Да он уже встал. Заклянёшься ловить.

Русский баран, алтайский, хвостатый, в броске за задние ноги ловится нормально. Монгольский, курдючный, шустрый, на ногу высок, увертлив как рыба.

— Цену скажите, я заплачу.

— Раньше подъезжай. Свежевать еще. Гнать уже пора, поздно.

У нас заначено рублей тридцать от прошлого барана. Не волнуют лишние деньги.

— Ребята, мне сыну на свадьбу.

— Свадьба не похороны, отпразднуете.

Мужик настырен. Из недораскулаченных.

— Ребята, у меня и выпить уже куплено. Могу сразу водкой расплатиться, если хотите.

Это мигом меняет настроение. Мужик предъявляет коробку с пятью поллитрами.

— Но ловить будешь сам, — снисходит Володя Камирский. — Ну — неси свою коробку! Чего встал, почта уже доставлена. Адресату.

Ваня достает кружки и хлеб. Мы потираем руки. День начинается классно. Хорошо, что бутылок пять на семерых. Если больше, можно ждать проблем, были случаи.

— Так как твоего сына зовут? Ну — за него! А не насвистел?

Шофер почтовика, долговязый лохматый юнец, за этим завтраком богов заменяет нам телевизор со смехопанорамой. Он заходит в гурт, тянет руки и рыбкой прыгает на ближайшего барана. Баран прянул, вильнул, и ловец во ржи уже отбил все брюхо об землю.

— Ловкий он у тебя, — одобряет Ваня. — В комики поступать будет?

Почтовик подзывает шофера, расстегивает куртку и достает из кобуры наган.

— На, убей.

Мы внимательно следим. Боевое оружие. Легендарный наган. В руках не держали, живьем не видели, кино. Стараемся не подать виду.

— Ты что? Дурак? Попортишь! Смотри! — срывается Колька Черников.

Лохматый юнец встал к гурту и стреляет в середину. Как бич хлопнул. Гурт рванул на три метра и встал. Юнец помахал руками и погнал баранов с места происшествия. Искал добычу. Это цирковой трюк: выстрелить в середину гурта и никуда не попасть.

— Хорэ! — завопил народ. — Надырявит тут!

Я не выдерживаю:

— Давай я сделаю.

Беру у пацана готовно протянутый шпалер. Обшарпанная рабочая машина. Над щечкой — клеймо: «Тульский оружейный з-д им. Петра Великого. 1916».

Медленно обхожу вплотную по краю гурта. Ближний ряд барана течет вкруговую навстречу, стремясь оказаться у меня за спиной. Выбираю серого гладуха в пяти метрах. Ступаю шаг вбок, оказываясь прямо перед ним. Он останавливается и смотрит на меня. Держит дистанцию.

Я взвел курок, поднял наган, и у меня начался мандраж. Позорный и неудержимый. Ствол так и заходил.

Я поднял левую руку и положил ствол на запястье. К собственному изумлению, попасть и не опозориться оказалось очень важно.

В полсотне метров бригада замерла. Смотрят. Ждут.

Лоб барана оказался с донышко стакана. И покат, как лобовой скос танка. Почти горизонтален. С боков лба на меня смотрели два внимательных глупых глаза.

Я вдохнул, на выдохе задержался, умерил ход мушки посреди лба и стал выбирать спуск.

В миг попадания ничего не произошло. Чуть дунула в стороны шерсть на его лбу. А он стоял и смотрел. Попал? Я не понимал.

Потом вдруг баран резко, на месте, кувыркнулся в воздухе вбок и упал на спину. И не шевелился.

Я стал дышать, отнес почтмейстеру наган, выпил полкружки и закурил. Уже заседлавшийся Каюров подвез барана и стал с Шишковым свежевать.

— Смотри, — он сунул палец в отверстие чуть правей центра лба.

В комментариях, по жизни кратких и смачных, к подначке просачивалась зависть. Всех мужиков тянет пострелять, ну. Пацаны мы.

— Сколько их резано, сколько гнато, — посмеивался Ваня, цедя остатки, — но чтоб из нагана застрелить, да, Миша, еще не слыхал...

— Комсомольский почин!

ВЕРТЯЧКА

Сдох баран от вертячки. Это вроде скоротечной собачьей чумки для мелкорогатых. Сложился боком, завертелся вокруг себя. Упал и затрясся.

Заметили вовремя, приняли меры. Барану отрезали голову, сняли шкуру, выпотрошили.

Провели совещание. За перегон на вертячку можно списать голов пять. Больше не позволят, вычтут по весу как за питание. Жрать его стремно. Как бы самим червя в мозги не схватить. Бросить жалко. Добру пропадать.

Легко убедив друг друга, что скотские болезни не заразны, а мясо хорошее, решили продать в деревню. Вы чо, пятьдесят рэ.

Крепковский сказал, что он ближнюю деревню знает, раз в шестой здесь проходит, приторочил тушу в мешке и стал огибать гору.

— Ко-ля-аа!! Мы вон там встанем! У озера встанем! Вон того!

Пока резали, пока решали, Женя Шишков, нервный наш, вспыльчивый, уехал с таратайкой хрен знает куда. Его всегда не туда заносит. Его одного отпускать нельзя. Но он попросился отдохнуть на таратайке денек-другой, хватит Ване прохлаждаться, пускай погонит немного, плешь полицейская.

Стемнело. Скот уложили. Сидим у костра. Долго сидим. Лунища лезет, как медный таз! И жрать охота невыразимо.

Голод влияет на соображение особенным образом. Сытый голодного не разумеет, и это взаимно. Голод разъясняет, что съедобно все, а несъедобное не имеет значения.

Я вспоминаю и понимаю, что печень от всех инфекций и токсинов свободна. Такой это орган самоочищения. И ухожу в темноту искать те внутренности. Приношу печень, режу на тонкие ломтики, натыкаю на прутик. Камрады интересуются и присоединяются. Мы жарим ломтики на огне, получше прожариваем, и хоть мало, но едим.

— Кто первый приедет, точно подвешу, — обещает Володя Камирский. Через полчаса он меняет решение: — Обоим подвешу, сука.

Крепковскому пора бы и вернуться. Женя может найтись послезавтра. Первопроходец, тля.

На голой земле и на голодное брюхо сон несладок. В ночи плещется заполошный вопль:

— Господа бога душу мать! — Все ближе и громче: — Господа бога душу мать!

Это Женя Шишков нервничает, что мы не там, где по его разумению мы обязаны быть. И едет на ясный огонь, квартирьер уродский.

— Вы чо здесь делаете?! — вопит он, въезжая в костер. — Я заколебался вас искать!

— Женя, — урезонивает Камирский. — Мы с тобой друзья, но я тебе сейчас въеду! Давай жратву и вали на хрен куда хочешь!

У нас есть тушенка, сгущенка и сухари. Через двадцать минут пьем чай с сахаром и блаженствуем.

Тогда я ясно понимаю, что все токсины, вся инфекция оседают прежде всего в печени. И в почках.

Почки мы съели после печени. Пожарили ломтиками. На огне.

Во многой мудрости много печали. Я боюсь просвещать народ. Холера вам в печень! Смерть Прометея.

— Где Колька, наконец! — нервно дергаюсь я. Надо скорей залить заразу алкоголем. Помогает! Алкогольная щетка, знакомый радиолог рассказывал. От всех укусов в пустыне лечились. Убивает бацилл и нейтрализует яды. Вообще это, конечно, эликсир.

Мужики спят в палатке. Я дежурю у костра. Поменялся с Ваней. Не спится мне. Дикий предлог, конечно. Что это значит — «не спится»?..

У меня начинает чесаться в голове. Тошнить в желудке. Я встаю, верчусь и падаю. Нет — это я заснул и лег на бок.

Курю одну за другой. Спите-спите. Если я подохну, вы тоже день здоровья не отпразднуете.

А! Различается заплетающееся пение! Крепковский едет? Недомерок ползучий.

Он подъезжает и выпадает из седла на спину. К животу, как вратарь, прижал две коробки. Одеколон.

— Миша! — в голос плачет он с земли. — Ш-шапку потер-рял! Н-нож потер-рял! Д-де-деннннньги все! потер-рял...

Он тоже боится смерти. Но идет навстречу расплате:

— Б-буди ребят! Выпить привез! Я сказал — я привез! Как обещал, так и привез!

Ребята уже выползли и вникают.

— Пропил деньги, сука! — вскрикивает Шишков и бьет Крепковского в рыло.

— Бей, — соглашается Крепковский, и Женя исполняет. — Бей! — поддерживает свою экзекуцию.

Народ наш отходчив и понятлив. Напился — это первейшее смягчающее обстоятельство. Он ведь правда потерял шапку и нож. Не нарочно. А доехал. И выпить довез.

— Да ладно вам, — говорит Черников. — Все равно баран больной был. Почти сам сдох. Хоть сколько-то взяли. — И лезет в коробку за флаконом «Кармен».

Я тоже беру пузырек, второй сразу сую в карман. Выбулькиваю в кружку, пью и зачерпываю воды у берега. С ходу повторяю целебную процедуру.

В кармане ватника у Крепковского нашли лук. С огорода сорвал. Нам вез! Все умиляются. Жека кается, обнимается, мякнет.

Внутренний голос говорит, что мы выживем.

— Миш, у тебя лицо, будто ты коньяк в ресторане пьешь, — говорит Каюров, и все рассматривают в темноте лица друг друга.

ДВА ГУСЯ

Стоянка была красоты необыкновенной.

Снежники, белки́, уже кончились. И голые склоны гор кончились, и альпийские луга, и тайга в ущельях. И спускаемся мы с покоренных вершин. Пересекаем плодородную и населенную местность с элементами лесисто-холмистости.

Цивилизация развращает мгновенно. Ее возможности растленны. Ее пороки вдохновенны. Безотказные неприхотливые трудяги оказываются сибаритами и жуликами.

Живая вода цивилизации — огненная вода. Она делает людей героями и объясняет смысл их жизни. Она решает проблемы и снимает заботы. Человек создан для счастья, как зеленый змей для полета.

Змеи полетели в «Сельмаг» добывать счастье для

всех. Мы с Вовкой Каюровым отдыхаем, ночью дежурили со скотом.

Да, так стоянка такой необыкновенной красоты, что душа требует праздника. Светлая березовая роща в излучине ясной речки. Шелковая трава с ромашками. Курчавые облачка в лазурном небе. Резная листва в золотых лучах.

Хочется выразить словами соответствие моменту.

— Давай украдем гусей, — предлагает Каюров. — Я приготовлю. Я люблю гусей готовить.

Мы видели гусей в заводи у деревни.

— Штук пятнадцать плавало, — неопределенно вспоминаю я.

— Двадцать три, — говорит Каюров. — Ты не считал, наверно.

— Вроде там никого было не видно... — колеблюсь я.

— У берега кусты, трава высокая, — голосом диверсанта говорит он.

Берет под таратайкой топор и срубает тонкую березку.

— Ты чо делаешь?

Рубит ствол на части:

— Так а как ты иначе его достанешь?

У него в руках — четыре городошные биты из тяжелой свежей березы. Две он дает мне.

Мы выходим к задам деревеньки. Крадемся через кусты. Заводь шириной метров двадцать. Гуси плавают посредине.

— Разом давай! — полушепотом волнуется Каюров. — Ты отойди, чтоб не задеть. И вперед!

Мы шагаем из кустов по колено в воду и с замахом всей силы швыряем биты в середину стайки. Они вращаются убедительно и бьют куда-то там. Гуси заполошно начинают срываться, но инерция их тяжелых тел велика: почти на месте. Второй бросок!

— Пошли! — сдавленным вполголосом командует Каюров.

Продвигая с бурлением тела в тугой воде, мы торопясь заходим по пояс и выше. Гуси выходят на тот берег, шумя.

— Есть!.. — Каюров хватает за шеи две погруженные в воду тушки, одну сует мне и мы со всей возможной скоростью укрываемся в кустах.

— Отлично... — Каюров опасливо озирается и скручивает слабо шевелящемуся гусю шею. На втором обороте шея неслышно хрустит.

Я подражаю. Шея у птицы удивительно плотная и упругая.

Оглядываемся сквозь ветви на заводь. Гуси успокоились. Людей нет. Палки наши утонули, что ли...

Придерживая гусей под ватниками, возвращаемся в лагерь, планируя скорость действий.

— Щипать надо, пока теплые. — Вовкины пальцы мелькают, как стрижущая машинка.

Я снимаю квадрат дерна, вынимаю землю, и мы скидываем отходы в ямку. Снятый пух я поливаю водой, чтоб не летал. Ловлю с ветвей пуховые комочки. Головы с шеями туда же. Выпотрошили мы их в полминуты. Лапы в яму с потрохами.

— Костер!

Я раскладываю костер, Вовка забрасывает землей ямку и аккуратно ставит дерн на место. Холмик лишней земли ведром ссыпает в речку.

— Ты чо, больше костер давай!

Через пять минут над костром водружена причудливая конструкция из вбитых колышков и поперечных прутьев. На прутья нанизаны ножки, крылышки, грудинка и четверти оставшихся тушек. Они смуглеют, пузырятся и пахнут оглушительно.

Мужики приехали уже кривые и горячо одобрили, налив нам:

— Во Волоха дал! Запах аж до деревни!

— Прибегут хозяева с народом — откоммуниздят вас! — смеется Камирский, мигом дистанцируясь от инцидента.

— Давайте жрать по-быстрому, — неспокойно дирижирует Каюров, шевеля ноздрями. — Готово!

С гурта, оглядываясь, приходит Третьяк и причитает:

— Вы как дети малые. Ты чо думаешь, за кражу судить будут? Тебя мужики кольями забьют!

— Тебя, Ваня, на войне как напугали, ты все дрожишь, — укоряет рассудительный Черников. — Уж бараном-то всегда за два гуся откупимся, ты сам как считаешь.

Ваня чавкает мяконький кусок и лыбится, утираясь:

— Ну и хрен-то с вами...

Деревенские пришли к вечеру, напуская решительность. Покрутили носами, потрясли руками.

— Какие нахххххрен гуси! — блатовато закричал Жека Шишков.

— Приключений себе на жопу ищете? — спросил Каюров.

— Я вас не понимаю, — вежливо просипел Камирский, щуря в сторону синие глаза убийцы.

Их было пятеро, они помялись и ушли. Отойдя подальше, стали ругаться.

ЛЕЛИК

Кони были монгольские и русские. Русские большие и приученные под тележную упряжь. Монголы маленькие и между оглобель не заходили ни за какие посулы.

Коней брали из табуна перед приемкой скота. На глаз прикидывали лучших из оставшихся, арканили, седлали. Коня надо было не столько объездить, как «промять». Дать почувствовать себя. Он седло знал, но за зиму в табуне отвык. Напомнить.

Монгол неприхотлив, как верблюд. Способен не есть не пить сутки. Обходится подножным кормом. Покрывает любое расстояние. Стрелку копыта ему отродясь никто не чистил, не говоря о шерсти.

Степная езда не имеет общего с ипподромной. Отпущенные стремена, носки прямых ног врозь, повод вокруг кулака. И никаких этих английских подскакиваний на рыси. В седле живешь световой день. Не всегда.

Своего коня я назвал Лелик. Через неделю он откликался. Меня спрашивали, почему «Лелик»? Я отвечал: «Кому Лелик, а кому дорогой Леонид Ильич!» Скотогоны радостно смеялись. Ради этого старого анекдота конь и получил нежное имя.

Вначале он дважды убегал в сопки. Приходилось одалживать чужого коня и ловить, а потом пороть по настоянию общества: «чтобы знал». Однажды он укусил меня за ногу и получил по голове. Проверял меня на вшивость.

Лелик был хитрожопый, как всякий порядочный скотогонский конь. Приученный монголами, он понимал работу со скотом не хуже нас. И не желал суетиться, по его мнению, зря. Баран сам знает гурт и направление, и нечего его все время объезжать и собирать. Понукаемый Лелик начинал пыхтеть и активно подпрыгивать на месте, изображая послушное трудолюбие. Этот специальный скотогонский аллюр мы назвали «симулянтская рысь». Поощряемый смехом Лелик старался напоказ. Вытянутый камчой, он обижался и шел мрачным широким шагом в указанном направлении. Движением ушей он показывал, что не желает больше со мной разговаривать.

Через месяц я въехал в дело и признал его взгляды. Когда я совершал правильный маневр, он бежал подо мной радостно и готовно. Скажем, для поворота не стоит объезжать и заворачивать весь гурт, достаточно отсечь малую часть и погнать куда нужно, остальные потекут за ней сами. В пастьбе и перегоне свои нехитрые секреты.

Скотогонский конь послушен и безотказен, и к концу перегона изнемогает. Ребра вылезают гармошкой. По ровному засекается на передок. Получив на пункте питание, скормишь ему буханку хлеба. Смотрит так, что по возможности пройдешь пешком, ведя в поводу. А то совсем без коня останешься. На пунктах брать нечего, там оставляют совсем разбитых, им до весны оклематься. Если на колбасу не отправят... Это уж как у мясокомбината с планом...

В тот раз у нас из семи коней до Бийска дошли четверо. Лелик дошел.

(Мы неделю жили с гуртом на острове. Ждали очередь на сдачу. Коней оставили по фактурам на пункте. Они приходили в себя. Трава по пояс, работать не надо.

На четвертый день Лелик явился к палатке. А поговорить? Соскучился. Посолишь горбушку, похлопаешь по шее. А вкус сахара он не понимал.

Иногда думаешь, что они лучше нас, животные.)

БЕНЕФИС

И вот мы на Острове. Догнали без потерь. Эта ходка кончена.

Баран успокоился на огромной делянке, отороченной жестким кустарником. Пасется и никуда уже не денется. Мы отдыхаем. Дошли.

Днями придет очередь, и баржа в три приема переправит гурт на мясокомбинат.

Давно осень, но здесь очень тепло, комфортно. И дожди не холодные, и заморозками не пахнет.

Заначенные деньги за мясо еще есть, мы находим у пункта лодку и гоним гонца в Бийск, в лабаз. На пункте в последний раз выписываем питание и свежий хлеб. Моемся в баньке, делаем костер и начинаем от души отдыхать.

Завтра со светом не гнать. Но главное, очень главное, гиря с души, это не давит больше ежесекундно гнетущая материальная ответственность. Она мотала нервы и сильно осложняла жизнь. Потеря нескольких голов — это слетят все премии, нет заработков, вычет государственных алиментов, ребята стопчут и сбросят в озеро, и никто искать не станет. Потерял одного — поехал по деревням покупать шкуру для отчета или хоть у цыган козла красть. А ухнет десяток — конец тебе.

Хозяйственный Колька Черников нашел на помойке покоцанную «Смену-8», подладил, купил пленку и стал фотографировать бригаду. В Бийске отдал проявить, напечатать и попытался продавать: получил в глаз и раздал так.

Поэтому сейчас на душе праздник. Малый день победы. Расслабуха, от которой мы отвыкли.

Костер, блики, еда, водка, тепло, сухо, баран спит. И ничего неожиданного не ожидается. Луна! Тишь и звезды.

А отоспались. Отлежались. Расслабились и расправились. И даже мнительный Женька Шишков стонет, что у него температура, а бессердечный Колька Черников сухо издевается, что авось не сдохнет. В перегоне мысль о болезни отсутствует.

А не усталые. Не загнанные. Выпили, закусили, засмолили, повторили. Свободны! Хорошо!.. Кайф!..

Бойцы повспоминали минувшие дни. После очередной произошло расширение сознания и высвобождение творческого начала. Поднялись над собственным бытом и стали рассказывать анекдоты.

Анекдоты дико тупые, топорные. А ребятам нравится!

Черт! Много месяцев мы вообще не рассказывали анекдотов. Ни разу. И ни разу не говорили о бабах. И мыслей не было. Не было позывов. Отчасти чифирок глушит. А вообще — урабатываешься. Вроде и свежий воздух, и движение, и все нормально. Ан на психику нагрузки ложатся. Отдохнуть — выпить — пожрать: пьедестал ценностей на три первые места. За ними остальных не видать.

А все уже поддатые, и мне тоже охота выступить, я тоже хочу внимания и славы, и вставляю меж их перлами наилучшие анекдоты, я их много знаю. И — не катит мне! Из вежливости подсмеются слегка — и дальше регочут над своей тупятиной.

Меня заело. Я просто отбираю ударные и вкладываю все актерские способности! Ни хрена. Ноль. Снисходительный хмык. И дальше радуются своей фигне. Черт. Вроде и нормальные ребята, а вроде и куда делось взаимопонимание. Проклятое искусство разъединяет социальные слои. Но мы же свои!

Я заткнулся и стал вникать в их эстетические запросы. Осталось попасть в унисон. Остальное пролетело.

И я выбираю самый тупой и грязный анекдот. В салонной версии этот ужас звучит примерно так:

«Два рыбака на рыбалке. Один спрашивает: — Ты, говорят, женился? — Да было дело. — Жену-то красивую взял? — Честно говоря, коряга, конечно. — Но хозяйка, наверно, хорошая? — Слушай, неряха, в доме грязь, зайти страшно. — А... готовит хорошо? — Отрава. В столовой жру. — Ну, эта... в постели, наверное, горячая? — Да ты что, бревно холодное. — Зато, наверно, девушкой взял? — Кого?! Ее?! Да ее весь район! — Погоди. Не понял. Дак ты зачем тогда на ней женился? — Чо ты не понял?! Не видишь? На ее глисты сазан знаешь как берет!»

Мужики схватили воздух и рухнули в костер. Они дрыгали ногами, взвизгивали и гасили друг на друге искры.

Следующие два часа были мои. Я солировал, как Карузо в приюте для умалишенных. Я лил грязь, как ассенизатор и водовоз, революцией мобилизованный и призванный, и поток не кончался.

Они умирали, брызгали всеми жидкостями организма и просили пощады. То, что я рассказывал с мрачным неподвижным лицом, добавляло эффекта. Мне не было смешно. Я мстительно вываливал.

Я рассказывал, а сам оплакивал свои невостребованные и пропадающие умственные способности. Я презирал себя и презирал их, но по-разному. Они были примитивны, а я поднимал свой рейтинг.

— О-о-о-о-о!.. — рыдала без сил публика.

Меня просили делать перерывы на выпивку. Водка вдруг вылетала из глоток обратно, человек трясся и сжимал живот.

Это был триумф.

— Чего ж ты всю дорогу молчал! — укоряли меня назавтра и прыскали.

Этот творческий вечер на всю жизнь подорвал у меня доверие к отзывам и оценкам публики.

Вот что я вам скажу. По-скотогонски. Ни хрена искусство народы не сближает. И не фиг выяснять литературные вкусы нормальных людей. Дилемма встает перед писателем, как леший с топором. Или страшно далеки они от народа, или голосуют за легализацию проституции, облеченной в слова о разумном, добром, вечном.

Прошу плеснуть.

ОХОТА ПУЩЕ НЕВОЛИ

НЕОСТОРОЖНОЕ ОБРАЩЕНИЕ

Охотники работали от госхоза «Таймырский». В коридоре барака на Талнахе висела выколотка по латуни: олененок сосет олениху. Московский художник изобразил ей ветвистые рога, и таким образом теленок сосал у быка.

— Вот так и мы! — хмыкали охотники. — Художник-то дурачок, а картина-то со смыслом...

Вертолет закинул нас на Рассоху. Это два часа лету за Норильск, на север по Пясине.

Накануне закинули трех квартирьеров. Рассоха — это базовая точка, оттуда на лодках по участкам в тундру. Река встанет в сентябре, и вскроется в следующем июне. Июль — это время смены и отпусков.

Квартирьеры должны принять хозяйство и подготовиться к нашему приему. Они приняли и подготовились — двое встречали с мрачными харями, а третий лежал на нарах, как покойник, каковым успел сделаться.

Все выругались и стали варить чай на берегу и давить мошку́. Вечером вертолет вернулся из Норильска с ментами. Сфотографировали, описали, погрузили, допросили свидетелей. Двое в голос: выпили бутылку на троих, ссор не было, претензий не было, личной неприязни не было, а только он жаловался на жизнь и говорил, что у него депрессия и он уже вешался. И что, сам покончил с собой тремя ударами ножа в грудь? Да вот просыпаемся, а он мертвый, и нож в руке. А вы чего? А мы ничего не трогали и стали вас ждать.

Все всё понимали. Версия самоубийства всех устраивала: чтоб преступность не росла, глухарь не повис и следствие не загружать.

Здесь работали серьезные люди.

— «Вследствие неосторожного обращения с холодным оружием...» — выводил следователь.

— Так, нары помыли, пол помыли, — велел старший по участку, Салтан Цалагов, сипатый немолодой осетин.

Цалагов был крут, спокоен и справедлив. Его уважали.

— Салтан Цалагович, а с тюфяком чего, и с одеялом?..

— Ну вы чего, сами не понимаете, что все Цалагова спрашивать надо? Сними и положи в кладовую. Да посуши сначала. Новенькие приедут, заберут. Спать же можно.

Мы готовились принять баржу с сезонным припасом: соль, консервы, мука, водка и патроны.

УБИТЬ И НЕ УБИТЬ

Когда мне выдали патроны с утиной дробью пятерка, я им крутил пальцем у виска:

— Ты хоть смотришь, чего выдаешь?

— А чего тебе не нравится?

— Мне же на оленя!

— Ну, и чего?

— Пятерка же! Ты еще бекасинник выдай.

— Да тебе какая разница?

— Это тебе, дятлу, может без разницы что выписывать, а мне-то разница, как ты думаешь?

— Все берут. И ты бери, хватит базарить, слушай.

Оказалось, что разницы нет.

Револь сидит сзади на моторе, а ты на передней банке с кастрюлей патронов между ног. Дюралька подходит к плывущему через широкую воду оленю, уравнивается в трех метрах, бах! и соседнего — бах! Перезаряжаешься и продолжаешь.

Стрелять надо под основание головы, в самый верх шеи. Чтоб не попортить лишний край шкуры и килограмм мяса. На такой дистанции дробь с пыжом летит как кулак.

Олень опускает голову в воду и всплывает боком. Воздух в жирной шерсти и вздутый кишечник держат его на плаву. Речное течение в плоской тундре почти стоит, сплывают туши медленно.

Иногда переправляется огромный табун и «строит мост» — передние уже выходят на берег, а задние еще не вошли в воду. Тогда может не хватить патронов. Один патрон — один олень. Промахов здесь нет.

Жадничать нельзя. Во-первых, всех оленей надо собрать и привезти на берег. Во-вторых, всех надо за сегодня обработать.

На веревочный поводок нанизано десять двухметровых отрезков с затяжными петлями на концах. Сбрасывая тихий газ, Револь подводит дюральку впритирку к оленьей туше. Не слишком перегибаясь через борт, ты чалишь оленя за ногу или рог. И, держа поводок в руке или привязав к банке, вы буксируете этого оленя до следующего, зачаливая и его к связке. Когда набирается десяток, лодка упирается в связку носом и на полной мощности толкает плот к берегу.

Стрелять можно только выше по течению. Чтоб в результате вытолкать их к себе на точку. Сплывают вниз, толкаешь вбок. Против течения ты их не вытянешь. Медленное оно медленное, но и подвесной «Вихрь» не буксир.

По инструкции стрелять положено в ассортименте. Столько-то быков, столько-то важенок, по стольку телят первого и второго года. На самом деле охотник бьет рогачей побольше. Платят с килограмма мяса. Пожелания биологов насчет сохранения пропорций стада все имели в виду.

Олень красивое животное, и голова у него красивая, и глаза, у теленка этой весны головка как у кошки, у важенки средняя, матерый рогач куст над головой несет, и вот они пытаются в последние секунды отвернуть, уйти, и молча, не спастись, а ты целишься точнее и равновесие в лодке удерживаешь, и злоба возникает, что они еще мешать тебе пытаются. Не злоба, но легкое раздражение наготове, негативная реакция на любое их поведение.

Достигший дна под ногами олень спасается со всей мочи. А вплавь не переправе он беспомощен и покорен. Ты любуешься его грацией, преклоняешься перед его фатализмом и стреляешь под основание головы.

...С песцом зимой легче. Снегоходов еще практически не было. Редко кто достал себе «Буран». Путик обходили на лыжах. Капканы по маршруту то есть. Главное не вспотеть кто потливый. Лучше куртку снять и иди себе в свитере, когда разогрелся, а то застынешь потом в мокром.

Если его плашкой прихлопнуло, просто в рюкзак бросишь. А если в капкане еще жив, лучше душить. Беречь шкурку и патрон заодно. А он тянется от тебя как можно дальше и защищается из последних сил. А тебе надо рукавицей перехватить ему шею.

И жалости никакой, одна деловитость. Работа такая.

...Но бить котиков на Командорах я не полетел, как хотел. Дубиной по носу на лежбище? Спасибо за охоту. А мотыгой по черепу на пляже не хотите получить?

РАЗДЕЛКА

На берегу стоят вешалá — навес с поперечными балками на высоте поднятых рук. Под балками висят на крюках за задние ноги оленьи туши, ждут на ветерке-холодке вывоза.

Полоска плоского берега перед ними выстлана досками. На доски выволакивают из воды добытых оленей и раскладывают в ряд.

Сначала надо пройти ряд с топором и плашкой и отрубить им головы. Плашка — это чурочка с вбитой для переноски скобой. Головы откладываются отдельно.

Потом кончиком ножа вскрывается брюшина и выпускается бутор — все внутренности. Они грузятся в носилки, легкие вырываются за трахею и кидаются к кишкам. Носилки относятся в яму.

Сердце надрезается и очищается от остатков крови, от печени отделяется желчный пузырь, сердце и печень кидаются по разным ящикам.

Голяшки с копытами отрезаются, нож проходит суставы через хрящи и связки, ножки выкидываются в те же носилки с бутором.

Затем центральный разрез продолжается до среза шеи вверх и нижнего отверстия вниз, и от него четыре надреза по внутренней длине ног. Ножом аккуратно подрезаешь связующие пленки, крепящие шкуру к мышцам. И надавливаниями кулака отделяешь шкуру от туши, словно отлепляешь марку от конверта.

Обдирать удобнее уже на весу, вдев крючья над суставами задних ног и повесив под балку. Чулки — шкуру с ног, это камус, снимают отдельно. Лобик с головы, род скальпа, — отдельно. Их надо аккуратно сложить в стопу, пересыпав крупной солью для сохранности.

Осталось вырезать из голов языки — отдельно, и вырубить из черепов рога с прилегающим куском кости.

Жесткая оленья шерсть тупит нож мгновенно, все время приходится точить.

Руки и нож ополаскиваешь в воде, от ледяной воды руки немеют, лимфа разъедает мельчайшую ссадинку в незаживающую ранку, на ночь мажешь руки техническим вазелином и кряхтишь.

В первый день от этой работы мутит и тошнит.

Через месяц я вдруг поймал себя на равнодушной мысли, что точно так, теми же действиями, могу разделать и человека. Отделить голову, выпотрошить, печень налево, сердце направо, кишки в яму. Ничего особенного в работе палача нет. Ополоснуть руки, вытереть о штаны, закурить, уже позвали:

— Миша, иди чайку хватанем! — Револь заварил и сел на ящик.

ВАЛЕТ И ТИПАЖИ

Кличка «Валет» на Валерке написана. Большая буква на большом пальце, остальные на остальных. Он тощий, жилистый, кудлатый, шебутной. С такими легко и хорошо.

— Ты меня знаешь, мне деньги по фигу, — плюет и лыбится он.

— А чего работаешь?

— А из интереса. Чтоб по-нормальному.

На разделке он рвал за двоих, потный и веселый.

— Вон тот здорово хуярит! — отметили друг другу нганасаны, на неделю подключенные к процессу решением неких местных органов. Для нганасан это типа на картошку отправили. Природные тундровики, маленькие, субтильные, сто пятьдесят сантиметров на сорок килограмм. А в сопку прет по тундре, как паровоз, хрен за ним угонишься. Работают не то чтобы лениво, просто у них замедлитель в организме. Среднее между охотником и вялым овощем. В тундре жизнь такая: и торопиться некуда, и силы беречь надо небольшие, и потеть вредно. Им запрещено продавать спиртное: спиваются. Мы с нашими двумя разделили как-то свои цалаговские сто двадцать пять граммов. Со стопки у них поплыли масленые глаза, ласковые и наглые щелочки.

На Рассохе были постоянные стычки. В большой непритертой компании народ агрессивен. Смирнейший из людей, тощий и длинный щербатый колхозник Толя при всех пообещал залупистому крепышу Коту: «Еще приебешься — голову «Дружбой» отпилю. Я десятку лес валил, еще могу повалить». Кот посмотрел и стал обходить его за пять метров.

Здоровый лоб Валентинов, сто девяносто в длину и в окружности, повадился травить Петю-очкарика. Петя мелкий, и вообще бывший бухгалтер.

— Вот ты уедешь, а он — останется, — сказал Цалагов.

— Почему?

— Видел я разных людей... — неопределенно пояснил Цалагов.

В результате Валентинову с грыжей вызывали санрейс и отправили в Норильск, а Петя нормально заработал за сезон и остался.

Первым стрелком участка был Коля-большой. Коля вальяжно соблюдал свой аристократизм, в работах не участвовал, валялся с ружьем под рукой — для понта. Кинут в воздух у него за спиной бутылку и крикнут: «Колян, бутылка!» Он успевает повернуться и с одной руки разнести бутылку. У него была хорошая гэдээровская вертикалка с эжектором.

Били мы с Валеркой яму под бутор. Метр оттаявшей земли, потом полметра оттаивающей под воздухом грязи. Стоишь резиновыми сапогами на вечной мерзлоте. Потом яма заполнится оленьими потрохами, тогда засыплем. Кидаем совками грязь, а в воздухе осколки стекла брызнули.

— Урод, — сказал Валерка, вылез и принес чьюто старую тулку и две бутылки.

— Кидай обе сразу, только повыше, — велел он мне, и разбил обе бутылки почти дуплетом.

— Ничо трудного, — сказал он.

Я снимал дерн под расширение ямы. Дерн толщиной на штык лопаты, плотный и переплетенный. Его вырубаешь квадратами и вынимаешь, потом копать легко.

— Всегда ты, Миша, найдешь себе самую легкую работу, — поддел Валерка и курил, пока я дернил. Потом докурил и сделал три четверти работы.

БАНЬКА

Гигиена — это свято. Хотя условия не всегда.

Скажем, туалет. Яму сделали, загородочка: культурно. Но мошка́ совершенно отравляет процедуру. Интимные действия превращаются в ускоренное кино. Скачешь вприсядку и суетишься руками между ног, оберегая смысл жизни. Потом мчишься в бало́к и еще долго давишь и вытаскиваешь, пытаясь заглянуть.

Или мытье. Вроде и не пачкаешься. А прилетели вертолетчики вывозить туши — бог мой: благовония утюга, парфюма и свежести. А они:

— Неслабо у вас воняет, вы как вообще здесь?

Так что иногда, если жертв на горизонте не видно, можно прыгнуть в лодку и помчаться на Рассоху — в баньку. Там она всегда в полуготовности. Лучше приезжать к послеобеду: повар у Цалагова классный, и всегда остается на возможных гостей.

Поздоровались, пожали руки, перекурили впечатления у кого как охота идет, посплетничали об отсутствующих. Продраились в баньке горячей водой. Выпили под обед по сто двадцать пять граммов — это Цалагов норму установил, он так и делит: бутылку на четверых. И поехали восвояси.

— Вы там найдете ехать куда? — напутствовал Цалагов. — Ночь если чего, осторожней.

У Цалагова в прошлом году брат утонул. В ветер поехал и утонул.

Как пишется, «мотор взревел», пять лампочек Рассохи съехали назад и тьма их съела: холмик какой закрыл. И вот тогда оказалось, что не видно абсолютно ничего ни с какой стороны. С носа я еле угадываю Револя на корме.

Облачность плотная, ночь безлунная, тундра темная. Куда мчимся? Где повороты? А если на берег выскочим, порвем дно, погнем винт? А если бревно плывет и поймаем — конец: пробьет лодку. Мы и от доски опрокинемся на скорости.

Валерка наш резвый шапку глубже натянул, в ватник закутался и закурил, пригнувшись. Ему все по фиг дым.

— Мне за твоим огнем вообще ничо не видно! — нервничает Револь.

— Хасанов, а ты почему Револь? — в сотый раз достает Валерка.

— Родители назвали, сокращенное «Революция».

— А. А я думал — «револьвер» без дула.

Довольно глупо утонуть, предварительно помывшись, вслух думаю я, и всем это кажется очень смешным.

Тонут здесь за милую душу. Вот Лисицын весной пьяный вышел на лед и стал каблуком ямку пробивать — напиться они захотели. Оп! — и нет Лисицына, ахнул солдатиком под лед, и больше никто не видел.

— Надо было свечку на окне оставить, — бухтит Револь. — Хрен чо увидишь...

— Ага, и бало́к спалить? — раздражается Валерка. — Чо ты такой бздиловатый, рули давай.

Вообще ничего не видно. Где берег, где река, чернота со всех сторон. Ни малейшего намека на линию горизонта. Никаких признаков линии берега.

Вокруг лодки бурлит и мчится пенная вода. И лодка в кольце этой белой несущейся воды неподвижно находится в центре непроницаемого черного пространства. Рев мотора, тугой шорох струй, и лодка никуда не перемещается в космической пустоте, как во сне.

Это действует на нервы. Теряешь ориентацию. В груди холодок.

Вообще у каждого есть спасательный жилет. Эти оранжевые жилеты валяются под нарами. Их никто никогда не надевает. Это своя этика, кодекс приличия, нормальное поведение. В госхозе все при оформлении расписывались за технику безопасности и за жилеты.

— Где-то здесь поворот... — кряхтит Револь.

— Я скажу! Я знаю когда! — Валерку не проймешь.

Вообще именно так в тундре и исчезают. Вышел из точки А и не прибыл в точку Б. В этой воде не поплаваешь, температура не та и одежда утянет. Дно — метровый слой ила поверх вечной мерзлоты. Искать некому и неизвестно где.

Я даю обет всегда надевать жилет и никогда не садиться в лодку ночью. Все молчат и таращатся в этот полярный вариант тьмы египетской.

— Давай-давай! — подбадривает Валерка нормальным голосом. — Правее давай! Сейчас за поворотом уже близко!

Этого человека нельзя не любить, с ним спокойно в огонь и в воду, не пропадешь.

— Сбавь-ка газ! — командует он.

— Зачем?

— Делай как я сказал.

Сквозь свое тарахтенье мы различаем лай двух наших собак.

В расчетное время лодка шуршит и тычется носом в берег.

Мы растапливаем печь и варим чай. Страхи кажутся смешными, дорога как дорога, нормально доплыли.

— А я уж думал, пиздец, — говорит Валерка. — Хер я еще ночью поеду.

МУСОРНАЯ РЫБА

Я всю жизнь думал, что не люблю рыбу. Потом оказалось, что я не люблю мусорную рыбу.

Когда впервые я попробовал Степиной, повара с Рассохи, ухи из нельмы и котлет из нельмы, я глупо млел от удовольствия. Вкус передать не могу — «сыписьфисцкий», лизать и чмокать.

На своей точке стояла сеточка в сторонке у берега, и раз в день одну-две рыбины из нее доставали: чир, подчирок, нельма, кижуч. Хошь вари, хошь жарь, хошь ешь так. Жарить глупо — родной вкус пропадет. Одну в кастрюлю, другую на стол.

Субудай, он же малосол: снял из разреза малые потроха, нарезал ломти в два пальца, посолил, посыпал накрошенным чесночком. Можно спрыснуть уксусом, от него острей и еще мягче, но грубит родной вкус. Через два часа готово. Если невтерпеж, можно через сорок минут.

Лучшей закуски под стопку вообще человечество не изобрело.

А когда по холоду берешь мороженую, ее строгаешь ножом и потребляешь с заправкой, пока в завитушке ледок не распустился, чтоб холодок уже на языке таял и проявлял вкус. Необыкновенно.

...Когда много лет спустя я пригласил редактора своей первой книги в дорогой ресторан и заказал среди закусок балык, и подали в селедочной тарелке лесенку жидких ломтиков, ну так у нас такие обрезки было принято сбрасывать со стола ребром ладони на пол для собак. Не говоря о свежести. И вызывающей хохот цене шизофреников.

ПРИ СКЛАДЕ

Боря достал «Буран». Покупку привезли на вертолете. И теперь он прибыл в гости. А поговорить!

— А теперь запросто, — с небрежной радостью говорит он.

Поехали кататься. Фантастика, конечно. Летит, как три чемпиона мира по лыжам. Ветер лицо сечет! Боря в очках, я морду ему в спину.

— А поехали Саню проведаем, Лида его может как раз хлеб напекла!

Через час в стороне от реки — нефтебаки на бугре.

— А давай к Володе заедем!

На лыжах ты до Володи два дня идти будешь. Он тут при складе черт-те сколько лет, его все старожилы знают.

— Буран купил, — ходит вокруг и щупает Володя. — Сколько отдал? Очередь долго ждал? Дай проехать! — И с тонким рокотом бензопилы закладывает вираж по белой реке.

— В гости заходите, — приглашает он. Он кряжистый, рукастый сорокалетний мужик, голос зычный, волос в проседь, пальцы в синей росписи.

— Да мы к Сане едем, — отказывается Боря.

— Да чо вам Саня, — в Володином голосе появляется просительность, он смотрит в сторону, пересиливая себя. — Посидим у меня, баба на стол накроет.

— Жена-то как? — спрашивает Боря.

— Скучно ей, — Володя жмет плечом, вздыхает и сплевывает. Он явно обуреваем чувствами, показывать неприлично, а скрывать сил нет.

— В том году как с материка ее привез, поначалу-то ничего было. Интересно, тундра, олень, гуси полетели. А как снег и темно, тоскливо ей, конечно. Поначалу-то. Я еще уйду, по путику или в хозяйстве чего, возвращаюсь — она сидит и плачет. Волки подошли, воют, страшно ей. Баба. Она ж молодая, с людьми привыкла. Заходите.

В холодной хозяйственной половине — ряды распластанной рыбы на веревках, шкаф с пушниной, припас в мешках и ящиках. Ступеньки вверх — жилая комната. Половики, мебель, приемник.

— Катя, на стол собери, гости у нас.

Женщине меньше тридцати, очень толстая, но по-простому миловидная даже. На заплаканном лице такая жажда семьи, детей и нормальной жизни, такое пронзительное желание нормальной женской человеческой жизни, что почти больно смотреть.

Чего не понять. Замуж не брали. Крутой мужик с Севера, с деньгами немереными, с планами купить потом дом на юге и жить на зависть. Север, красоты, простор, еще денег подкопить. Дежурный вариант.

Мы распиваем бутылку, едим борщ и пирог с мясом и говорим, говорим сплошные комплименты хозяйке, Катя оттаивает, начинает улыбаться, шутливо шлепать мужа по руке, шутливо ругаться, сколько еще ждать переезда на материк, хватит им и маленького дома. Мы уважительно хвалим Володины достоинства, которые тут же придумываем.

На крыльце прощаемся без Кати. Володя благодарит нас за гости. Мы благодарим его. Небо из серого сделалось гаснуще-темно-серым, пространство темнеет, свет в основном от белого снега.

— Ты уже здесь сколько лет-то? — говорит Боря. — Валил бы на материк. Деньги-то уже есть, хватит на жизнь, поди?

— А на материке-то чего?

— Да склад этот от геологов давно не нужный,

сто лет законсервирован. Нелегко тебе годами-то здесь жить-то так.

— Чего, нормально я живу, — осмысленно говорит Володя. — Песца бью, чай пью, бабу ебу. — И мочится с крыльца в снег.

ПАУЧОК

Вот после этого я с охотой завязал. Как отрезало. Не то желание исчезло, не то воздух вышел.

Я когда-то любил охотиться. В шестом классе отец впервые взял меня на гусей. А в седьмом подарил малопульку. Однозарядка 5,6мм, шестнадцать пятьдесят в культмаге по охотбилету, нереальная мечта. Из этой мелкокалиберки я с первого выстрела метров за двести убил дрофу. Правда, дрофа стояла. И двух королевских уток метров за полтораста, они у края болотца плавали. Я хорошо стрелял.

Я читал брошюрки, сколько корпусов упреждения нужно брать по летящей крякве или взметнувшемуся из зарослей чирку. И мечтал о настоящей охоте — на горного барана или медведя.

Опять же — кумир эпохи был Хемингуэй. Он охотился в Африке на буйволов и львов. Это входило в идеал мужественного героя.

...И вот иду я пустым проулком, а по солнечному асфальту семенит наперерез паучок, и как раз у него здесь назначено место встречи с моей шагающей ногой. И не в том дело, что я его не раздавил. А в том, что остановился, закурил, смотрел, как он ловко влез в щель меж кирпичей, и думал печально, что не хотел бы убить его, и приятно, что он пошел жить дальше. Что за хрень сю-сю, я не буддист. Но если делал я в жизни черное нехорошее дело, так это убивал на промысле.

Много лет спустя я купил для тренировки хорошую воздушку и сдуру решил, что буду из форточки стрелять по воробьям. И вот прицелился я в воробья, а он сидит на ветке серенький и живой. У меня сердце упало от тоскливой гадливости к себе. И вспомнил я паучка, на материке летом после промысла. Город не помню, улицу тем более, не помню куда зачем шел, его помню.

Я поздравил себя с тем, что не заплакал вслед воробью, унесшему с собой мою любовь, и стал стрелять по крышкам от бутылок.

Я презираю охоту. Когда много убивал, и знаешь, что можешь, знаешь как, и как это просто, то хочется по возможности этого не делать, и жизнь каждой твари ты любишь как свой ей подарок. Больше отрады дарить жизнь, чем отнимать. Если сознаешь свою власть убить — то не убить это дважды поступок, дважды действие. Хотя я допускаю, что сначала надо насытить в себе жажду убийства...

Охотники-любители для меня унтерменши. Убийство для развлечения и оправдательный лепет о «спорте». Инстинкт охотиться и убивать заложен в любом плотоядном животном. Цивилизация лишает его выхода. Охота — это сублимация, эрзац, экстрим, искусственные проблемы, игра с убийством. Игры взрослых мальчиков. Суррогат настоящей жизни.

Утка тебя не убьет. Что может лев против хорошего стрелка с хорошим стволом. Если ты знаешь, что можешь убить — зачем ты убиваешь? Что кабан тебе сделал, он просто хотел жить?

Желающим мужских ощущений — пожалуйста на стажировку в убойный цех мясокомбината. Ознакомьтесь с отрезанием голов и взрезанием глоток на конвейере, в перерыве попейте там же чаю с бутербродом, и успокойтесь.

Честные чувства — в американской дуэли. По стволу, по обойме, и по сигналу — с двух концов в рощицу: кто кого. О. Это да.

Вот автомат в руках вызывает приятное желание уложить прохожего прицельным выстрелом со спортивной дистанции. Это же не животное.

Я думаю, это потому что жизнь такая. Агрессивная.

А паучок был хороший.

ТАЙГА

СОСНА

Из всех убитых деревьев это я помню лучше всех. Из неубитых тоже.

Мы вели очередной ус от магистрали в новые квартала́. Брать еще не выбранный лес.

Магистраль — это центральная рельсовая колея, идущая от поселка по прямой на шестьдесят километров. Усы — это отходящие от нее ветки, ведущие в лесные квартала. Когда лес свален, осучкован и вывезен, рельсы снимают и врезают от магистрали новый ус в новом месте.

Мы врезали стрелку на 39-м километре, загнали в тупичок вагончик, разгрузили себе платформу рельс и повели колею в массив. Протянуть спланировали сразу восемь километров.

На этой работе можно заработать не хуже, чем на валке. Главное — грамотно закрывать наряды. Учитывать и правильно оформлять надо все работы.

Разгрузка рельс (с платформы). Переноска рельс (10 метров). Штабелирование рельс. Переноска рельс (повторная — от штабеля по колее). Рельсы эти легонькие — ТИП-22: погонный метр весит двадцать два килограмма, длина — шесть метров. Впятером эти рельсы летают. Рабочая узкоколейка.

Дальше — лес. Валка деревьев. Обрубка сучьев и верхушек. Распилка стволов на шпалы. Перенос шпал и укладка по колее.

Хороший бугор заставит нарядчика вписать все. Даже перенос ящика костылей от платформы до шитья рельс. И планирование грунта под колею, чего никто никогда не делает, разве уж явный холмик прорезать. И обязательно — каждую стометровку пути от вагончика до фронта работ в зачет рабочего времени.

Ус всегда витой. Обходишь явные неудобья — болотце или бурелом. Карты нет, не смешите. И компаса нет, и теодолита тоже, и на фиг они не нужны. Все на глазок и твою мать. Да и план кварталов-то в леспромхозе примерный. Для наглядности и учета.

Мы тянули нитку на природный маяк. Вдали над зелеными волнами высилась оранжевая стрела.

Эта сосна была вдвое выше самых высоких остальных. Стройная как мачта и нереально огромная, как баскетболист в детском саду. Лес был ей по пояс.

А на вершине зеленела крона, раскидистая, как баобаб или атомный взрыв.

Фантастическая была сосна. Вот такая мутация. Что-то в ней было эпическое, внушающее неясное задумчивое щемление.

Вначале она была очень-очень далеко. Мы так прикидывали, до нее было километра два, или даже три. Мы прошли два километра — и она почти не приблизилась. Это было даже интересно. Мы иногда говорили, сколько же километров до той сосны.

Мы прошли пять, и она приблизилась явно. И мы стали гадать — дойдем мы до нее вообще, или нет. И обозначилось желание — чтобы дойти.

Вы не подумайте, что мы на нее обращали

внимание. Мы пахали, ели, спали, слали в поселок с мотовозом гонца за выпивкой, и если шили в день тридцать звён, то сдержанно гордились собой и заработком. А сосна был мелкий штрих пейзажа, она была все время видна и вечером блестела красным золотом.

А днем на работе она приближалась и делалась все огромнее. Мы толкали за шитьем тележку с рельсами, и они указывали на нее, как прицел.

Мы прошли семь пятьсот, и сваленная просека достигла сосны. Мы сделали это! Мы устроили по этому случаю перекур и в последний раз задрали головы. В высь несусветную тянулся ствол, и зеленые лапы в небе закрывали зенит.

В толщину она была метра два. Шина бензопилы, как я примерился, до середины и близко не доставала.

— Ну, поехали! — сказали мы, и я провел первый пропил, а потом наискось снял первый кусок. Цепь пилы шла в ствол как гигантский топор, откраивая клинья древесины в два сходящихся прохода.

В этом не было интересного, и это было трудно. Я боялся топить шину на всю глубину, чтобы ее не зажало. Опилки из пропила летели обычные, и запах сосновый скипидарный был обычный, и сопротивление древесины, плотность обычные; вот только площадь разреза непривычно большая, бесконечная, и это было неудобно и трудно.

Я осторожно впиливался в массив, и вынул подсечку с направленной стороны падения.

— Ни хрена себе... — сказали все.

Белая от опилок земля была завалена ломтями пахучей древесины. Подсечный пропил зиял, как комод. Сосна нерушимо стояла. Ей пока и полагалось стоять, но уж больно дырища была невиданная.

Я приступил с другой стороны, прикинув размер

пещеры в этом дереве. Вынутая из пропила пила прыгнула, и цепь прорезала мне штанину над левым сапогом. Штаны были натянуты поверх сапог, и прорез был точно против колена.

Вообще работать без тормоза нельзя. Когда убираешь палец с газа, цепь должна останавливаться. Я подумал, что зря не отдал отвезти свой «Урал» в мастерскую. Но неизвестно, отдадут они через час или через неделю. А без пилы оставаться нельзя. Так на авось вальщики ноги и отпиливают.

— Ты осторожней, — сказал Витька, мой толкач.

— Два раза в одно место не попадает, — успокоительно и даже с облегчением проговорил я. Могло быть хуже.

— Давай я повалю, — предложил он.

— Нормально проехали.

Теперь я внимательно вынимал шину из прорези как можно ровнее, следил за летящим серебряным ободком цепи и держал ее всегда в другую сторону от себя.

Через пять минут шина прыгнула и ударила меня в колено. Точно туда, над левым сапогом. Я успел подумать, что боли не будет несколько минут.

Витька издал тревожный возглас. Принял у меня «Урал» и заглушил. Матерно причитая, довел до пенечка и усадил. На штанине расходилась кровь, он ее разорвал и выразил свои впечатления.

Желто-матовая коленная чашечка вылезла наружу из растворившейся кожи. По кости шел бело-розовый шершавый надпил в ширину цепи. Не насквозь, кажется. То есть ничего страшного.

— Миша колено распилил! — позвал Витька голосом военной паники.

Подошли старшие товарищи, опытные и циничные. Сунули в рот чинарь, как приговоренному перед гильотиной, перевязали с меня же снятой майкой, убедились, что хромать могу, и посоветовали хромать в вагончик, пока не развезло, а то потом нести придется. С чем раненый конкистадор, инвалид японской войны, и заскакал воробьем семь километров по буеракам.

Сосну довалил Витька. Я обернулся на звук. Земля загудела.

Ту сосну мы потом мерили рулеткой. Сорок семь метров высоты, ставшей длиной... Полтора метра в поперечнике. Такой никто не видел. Идиоты. Она бы пережила всех нас. В ней была доисторическая величественность.

Аптечка, кстати, у нас в вагончике была по уму, я промыл все перекисью водорода, засыпал толченым стрептоцидом и забинтовал вскрытым бинтом. Съел две таблетки аспирина и запил чужой и глубоко заначенной бутылкой водки. Вечером хозяин щедро объявил, что он мне ее сейчас даст на лечение, и все веселились его поискам.

Ехать в поселок накладывать швы было неохота, и две недели я ползал на подсобных с кличкой «Одноногий олень». Мелкий шрам остался на память.

Больше сосны не было. Пейзаж в том направлении стал скучен и безлик. Колею мы проложили прямо через спиленный заподлицо огромный, как теннисный стол, пень. Ствол с трудом сдвинули в сторону ломами все всемером. Метра на два, чтоб не закрывал габарит.

И никто не мог сказать, на кой черт мы ее свалили. Почему не провели колею на два метра в стороне. Зачем теряли время и труд. Она нам нравилась, мы к ней привыкли, по ней ориентировались.

В простой физической работе безусловно тупеешь. Достижение цели не подвергается сомнению. Цели может здорово не повезти, когда ты ее достигаешь. И цель сопротивляется и мстит тебе как может.

Эта сосна отложилась где-то в нехитром подсознании как флаг крепости, намеченной к штурму. А потом ужасно печально, что когда делаешь дело, некогда быть добрым, зато всегда есть время быть неумным.

ФОТО С МАЛЬЧИКОМ

Мне дали в бригаду шесть пацанов, и это были совсем молодые пацаны. Послушные, глупые и веселые, как щенята. Еще неиспорченные, можно сказать.

Вечером они хватали гитару и голосили дурашливо и душевно:

Какая на ... может быть любовь!..
Какая на ... вера в человека!..
Какая на ... в жилах стынет кровь!..
Из человека — заделали — калеку!

Если мимо в мотовозе проезжали бабы-шпалоукладчицы, их это очень веселило в смысле согласия.

Однажды они поймали на делянке летом зайчонка, и мы неделю жили без борща, пока он не сбежал (зайчонок). Это прелестное серое пушистое существо двумя своими беленькими передними зубками, резцами своими, сгрызало морковку и капусту быстрее электротерки. И тут же откуда-то сзади выкатывался черный горошек. Удивительная скорость обменных процессов. Не надо идеализировать сентиментальность моих юннатов. Гладя зайчонка, они разнеженно обсуждали жаркое к 7 Ноября, споря о размере и весе зайца. Судя по его глазам, дрожи и бегству, он за неделю научился хорошо понимать по-русски.

Первый месяц они били топором по сучьям так, будто хотели сломать и стряхнуть его с топорища. Каждый день я отправлял пару ломаных топоров с мотовозом в столярку. Заметьте, топорища ладили исключительно березовые. Ничего трудного в том, чтобы пускать топор по траектории, используя топорище только как передаточный рычаг, нету. (Это я сильно учено выражаю элементарный навык.) Потом случайно подслушал: это они являют удаль молодецкую — кто на спор быстрее сломает топорище. Я ввел драконовские штрафы, и больше ни одного топора не сломали.

Чтоб было понятней: вот в перекур одному пришло в голову пощелкать кедровых орешков. Он выглядывает плодоносящий кедр потоньше, хватает топор и валит его в спортивном темпе за несколько минут. Все суют в карманы по паре шишек, на чем судьба кедра завершается. Иметь мягкую древесину вредно для долголетия...

Потом у них вспыхнула мода на чифир. Покажи

им, как правильно, и вообще. Дети. Показал, глотнул, передал. Через десять минут выхожу из вагончика — у каждого своя кружка, у каждого своя пачка чаю, хотят «попробовать по-настоящему, а не по два глоточка». Потом час из зарослей торчат шесть пар сапог каблуками кверху, и время от времени эти сапоги попарно дергаются и дрожат. Выползли с зелеными мордами и отказались от ужина.

В поселок завезли партию фотоаппаратов, и они все с получки напокупали себе фотоаппараты. Дешевенькие простые «Смены» по четырнадцать рублей. Самостоятельные мужчины. Купили, потом стали думать, а где проявлять пленки и где печатать фотографии. Решили решать проблемы по мере их приближения. Все сфотографировались с топором, с бензопилой, на трелевщике и на мотовозе. Натура иссякла, а свободные кадры на пленках остались. И в воскресенье все с фотоаппаратами поехали на мотовозе в поселок.

Прошел ливень, а грязь неромантична. По очереди сфотографировались на крыльце магазина с гроздью бутылок врастопырку. Потом выпили бутылки, расширили сознание и углубились в творческий поиск.

Лужа была перед магазином — Гоголь с его Миргородом отдыхает в песочнице вообще. По ней можно было плавать на яхте. И вот двое, которые были не в кирзачах, а в заколенниках, — кирзачи, кстати, леспромхоз выдавал классные: твердые носки, чтоб не раздробить пальцы стволом, и непромокаемые швы, хоть день стой в болоте, — да, заколенники в смысле резиновые ботфорты, — вот двое отвернули до паха ботфорты и зашли в лужу по самое по это самое. И кричат, чтоб их так снимали.

Никогда я еще не видел лучшей иллюстрации народной поговорки в полном варианте: «Пьяному море по колено, а лужа по яйца». Как телом, так и духом мои пацаны утверждали геройскую истину.

А на берегу стоял пацаненок лет десяти и махал вдаль платком. Тоже радовался в жизни своей небогатой.

— Стой! стой, не снимай! — закричали береговым фотографам мои водолазы. Им пришла в голову мысль.

Они осторожно, чтоб не черпануть в голенища воды, выгребли на берег, подхватили на руки пацаненка и с ним зашли обратно. И это выглядело хорошо.

Стоят двое парней по пах в воде, и держат между собой на руках невинного спасенного ребенка. Демографический памятник лесорубам. Художественный постановочный кадр. У всех белозубые улыбки, как при слове «сифилис».

— Отлично! — закричали с берега и защелкали.

— Давай! — подбадривали натурщики и модели.

Мальчик сидел на их скрещенных руках, как на кресле, и корчил рожи.

— Все? — спрашивали натуры из лужи.

— Погоди секунду!

— Все? — они пошли к берегу.

— Стой! Вернись! Вот так еще отлично.

— Ну, все? — им надоело, и они стали выходить на берег.

— Да чо вам не стоится там? Я диафрагму неправильно поставил.

— Так а твоим-то фотиком тебя снимать? Для тебя-то?

— Все? — в сотый раз взывали жертвы фотосессии.

— Ну ладно, все. Эй — все!

Они облегченно выдохнули и вышли из постановочной позы. И в свободном режиме приняли движение к суше, освободив руки.

Лишившись опоры под собой, сидячий мальчик ухнул в воду и скрылся.

Секунду все осознавали происшедшее. Фотографы боялись верить счастью. Шеренга набрала воздух, сложилась пополам и издала восторженный рев, распадающийся на подвизги.

Двое в луже озадачились, глядя. Берег подпрыгнул, тыча в расходящиеся круги по воде. Двое стали смотреть на свои руки, ища пробел в композиции. А был ли мальчик.

Из бурой воды вынырнула головенка лох-несского детеныша. Круглые глаза выскакивали, круглый рот судорожно пытался вдохнуть.

— Вот так и сиди! — орали с берега, целясь в фотоаппараты.

Двое ахнули, охнули, прыснули и загоготали, маша крыльями и валясь друг на друга.

Голова нырнула, повозилась, показалась, и мальчик встал в луже по пояс. Обтекающая находка землечерпалки детским прерывающимся голосом заматерилась с замечательным умением!

Возможности вестибулярного аппарата двоих в луже были исчерпаны: сносимые с ног литром клопобоя «Красное крепкое», хохотом и проклятьями невинного дитя, они рухнули в воду, один баттерфляем на лицо, а другой как в ванну задом.

На берегу агонизировали в конвульсиях и обнимались. Истошные выкрики ансамбля народной самодеятельности просили пощады!

Вода в луже, кстати, была холодная! Те двое повозились спинами над бурой гладью и встали, как День десантника. Теперь мальчик тоже хохотал, радостно в них тыча. Эта любовь вылезла на берег и первым делом потребовала налить для согрева. Мальчику тоже полстакана налили. От простуды.

Пленки им проявил и напечатал карточки леспромхозовский фотограф, который снимал на документы и в ЗАГСе. По интимной таксе. Это дешевле и надежнее, чем покупать реактивы, ванночки и увеличитель (которого нет).

Через месяц пацаны фотики куда-то закинули.

АРХЕОЛОГИ

СУХОЙ ЗАКОН

Народ у нас пьющий, но археологи были — это что-то особенное. Возникало впечатление, что все, что они не могут выкопать, они просто высосут. Оботрут, пронумеруют и опишут.

Сухой закон держался в России с 1914 по 1922 год. В порядке исторической компенсации этому полезному начинанию произошла Мировая война, Гражданская война и две революции. Сухой закон в Америке кончился всемирной Великой Депрессией.

Поэтому мы на острове Березань сопротивлялись грядущим катаклизмам и крушению державы как могли. Мы были историки, и мы спасали будущую историю страны. Мы пили, как защитники Брестской крепости, если бы этим можно было задержать немцев. Мы пили, как гордый «Варяг», который не сдается.

Размер Березани примерно триста на двести метров. По количеству литров на квадратный метр с нами могло бы соперничать только общежитие сельских механизаторов.

Начальником отряда был доцент Виноградов. В жизни его интересовали две вещи: пить и копать. Копать он доверил нам. Питьем руководил лично.

Ему не спалось с похмелья. В семь утра он звенел в лагерный рельс. Из палаток высовывались снулые головы, измятые вечерним пороком. Археологи достигали лопат и опирались на них. Начиналось радостное утро.

Палатки, кухня, сортир, раскоп и пляж — все помещалось прямо под рукой. Мы шли на раскоп и просыпались за лопатой.

Вот и весь остров Березань. На переднем плане памятник лейтенанту Шмидту, на заднем — палатки археологов и раскопы, а посередине линия заглубленных казематов-мишеней: старый полигон для корабельных орудий.

В восемь утра происходил перерыв «на бутерброд». За длинным дощатым столом все тридцать рыл получали по кружке кофе и ломтю хлеба с повидлом.

Виноградов бутерброд не ел. Он собирал по рублю.

На пляже уже болтался моторный баркас с берега. Виноградов грузил связку канистр и отбывал.

У него было лицо хищного и нетерпеливого викинга. Когда он возвращался, там сиял лик миссионера, который обращает в свою веру всех вплоть до кошек.

На раскоп доставлялась канистра. Каждый получал по кружке холодного пива. В этот миг работа археолога была лучшей в мире. Пей да копай!

Солнце поднималось, жара зашкаливала, шли на завтрак, получали по кружечке сухого. Домашнего, виноградного, легкого и коварного. Коварство заключалось в том, что в голове включался поисковик продолжения. Куда бы ты ни шел, а оказывался с тыла виноградовской палатки. В тени под брезентом громоздились канистры. Из них наливали.

— Не заплывайте далеко! — надрывался кривой и красный Виноградов. — Ребята! Или пить, или... плыть!

Пили и плыли. Ну чем не матросы!

Потом спали, потом обедали. Перед обедом сходились кружка́ми. Водку пили обособленно, на нее сдавали добровольно сверх общего рубля.

После обеда копали, купались, ужинали, переодевались, — ночи были прохладными. Садились по склонам ложбинки, как в амфитеатре. И тогда начинали выпивать.

Вот вечером пили «вермут». Самодельное же местное, но крепленое. Перебродившее с сахаром, настоянное для забористости на табаке и курином помете. Это была штука посильнее «Фауста» Гете. Одни ложились тихо, другие скатывались в углубление и там накапливались к полуночи, как триста спартанцев после битвы.

Но до этого вермут развязывал языки, и даже самые тихие мальчики успевали произнести речи о культуре, истории, родине и смысле. Голос все нарастал, потом они падали. Такое впечатление, что люди были сражены собственным пафосом.

ЛЕЙТЕНАНТ ШМИДТ

На Березани расстреляли героя революции 1905 года лейтенанта Шмидта. Петра Петровича. Не всей революции, только ее черноморского филиала. Он командовал восставшим крейсером «Очаков», поднявшим красный флаг. Крейсер расстреляли, а за ним конкретнее и Шмидта.

Озлобленные и измученные борьбой с настоящим, археологи хамски отзывались обо всем, что имело отношение к революции. Если бы выданная ими Шмидту характеристика застала его еще в роддоме, он бы оттуда никогда не вышел. Удавить в колыбели и продать на органы. Вырученные деньги пропить.

Ему было сорок лет, он был призван по случаю войны из торгового флота, он спер корабельную кассу и бормотал смехотворное на суде чести, он не пожелал воспользоваться револьвером с одним патроном, он был уволен с флота, чтоб не поднимать шум позора. Забузившие в 1905 году матросики решили пригласить его в командиры восстания: он офицер, он обижен, он свойски держался. Шмидт, уволенный на пенсию с повышением в следующий чин, как тогда было принято (но без права ношения формы), надел мундир с погонами капитана второго ранга и поехал по кораблям агитировать офицеров. И был сброшен с борта в шлюпку с вырванными погонами.

...В той половине острова, где мы не копали, стояла бетонная стела. На этом месте Шмидт был расстрелян. К стеле вела дорожка из каменных плиток, шагов в пятьдесят длиной. Такая дорожка в никуда шириной с человека. Ночью под луной по ней прогуливались пары, избегнувшие пьянства. Прилично и романтично погуляв, пары сворачивали в густую траву по пояс и там исчезали.

БАНДЕРА РОССА

Начальником же экспедиции был профессор Ленинградского Института археологии. Его звали Дядя, и он осуществлял общее идейное руководство. Он сортировал кости и черепки, проводил классификацию и делал выводы. Он жил один в большой палатке, заставленной ящиками со всеми этими артефактами (не было тогда такого слова: предметы и находки были, а артефактов не попадалось). По вечерам он собирал Виноградова, бригадира копателей Колю и пару ученых теток «на планерки». Там они выпивали в кругу начальства, а потом шли к нам в ложбинку. А Дядя ложился спать. Или даже читал при свечке. Он там один читал. Больше никто не читал. Я не видел.

У него был магнитофон на батарейках. По этому магнитофону он слушал чудовищно матерные поэмы. У него было такое хобби. В нем погиб диалектолог.

Он был маленький, крепко сбитый, лысый, седой, в очках, живчик такой, такой игривый ходок из академических кругов. Археологинь в купальниках он приветствовал одобрением: «Какие попочки!» Он изображал такую старческую внесексуальную грубоватость.

А в воскресенье был выходной и играли в футбол. И Дядя в честь этого почему-то спустил красный флаг, вьющийся над лагерем на высокой дюралевой мачте.

Он стал делать с этим флагом что-то странное. Непристойное. Он стал попирать его ногами и делать жесты.

Потом он оказался одет в красные трусы.

Это был не флаг. Это были его красные трусы. Они висели над лагерем на флагштоке. Странно, что под ними еще в пионеры никого не приняли.

Старый профессор был коммунист. И вообще археологи были советские люди. Но с юмором. И обозленные на советскую власть за разные трудности.

Дядя расправил свои красные знаменные трусы и стал носиться по поляне, как паровоз. Он хорошо играл.

Потом снял трусы и поднял обратно на мачту.

КОМПОТ В ОЛЬВИИ

Ольвия располагалась недалеко от Березани. При впадении Буга в Черное море. На лимане.

Крупнейший был город северного Черноморья. На его месте ничего не построили — такая удача. Раскопан капитально. Площадь, улицы, гимнасии, храм, алтарь, колоннады. Великий народ были греки.

Мы неторопливо копали квадраты двадцать на двадцать метров и просеивали грунт через сито. Не переламывались и хорошо жили.

Раз недели в полторы жили плохо. Мужики в очередь дежурили при кухне. Таскали фляги с пресной водой, снимали бачки с кипящим супом и драили посуду. И заготавливали дрова из всего, что можно сжечь.

И остужали компот из сухофруктов. Раскаленный бачок относился к воде. В илистое дно установили несколько камней для опоры. На эту строго горизонтальную площадку опускался бачок с драгоценным вкусным компотом. Вода не доставала до края сантиметров десять. Кругом зеленела камышистая осока. Безопасная технология.

Так каждый третий день в компоте плавала речная дрянь! Вплоть до головастиков в уже остывшем. Этот природный феномен сокрушал разум не только рядовых землекопов, но и докторов наук. Как?!

В свой черед я принял все меры лично. В награду за тщательность в моем баке плавал соменок. Над ним посюсюкали и вылили в реку вместе с компотом.

Назавтра я велел позвать меня к снятию компота. Пришел с раскопа. Не помогая, проследил за установкой бачка в воде. И сел курить. Мне принесли чаю, пожелали успеха и стали смеяться издали.

Вода в лимане ровная, как ртуть. Течение слабое, разлив широкий. Ветра нет, солнце палит. Борт бачка над водой — сушайший. Перед обедом народ полез купаться. Но это метрах в пятидесяти ниже по течению, еще и кусты отделяют место. Я уставился на бачок: вода не колыхнулась даже.

Вдали, по фарватеру у того берега, медленно прополз сухогруз. Не плеснуло, не шелохнулось.

С военного аэродрома за берегом поднялся огромный Ту-160, растопырив крылья на взлете, и полез в небо. Я — на компот! Да нет, причем тут самолеты...

Уже жрать зовут. Ну, значит сегодня без фокусов.

И вдруг!!! На ровнейшей поверхности! Метрах в десяти от берега! Поднимается волна! Сантиметров двадцать! И катится к берегу! И за ней — несколько поменьше...

Я с воплем вскочил в воду и выдернул компот. И держал в руках, боясь двинуться и глядя в загадочную водную даль, пока волна облизывала меня до плавок.

Еще поколыхалось и утихло.

Оно утихало, а я смотрел, как Ньютон на гнилое яблоко.

Перед обедающим собранием я произнес речь по гидродинамике, которую познал только что в прикладном объеме.

Судно идет далеко, в километре-двух, и медленно. И волн от него никаких. И вот прошло уже минут пятнадцать, оно уже ушло далеко вниз, когда тихо передающаяся по глубокой воде отвальная складка-волна достигает нас. И тут на мелководье она выпячивается, поднимается, растет и перехлестывает в наш компот! А через полминуты — опять ровное зеркало.

А мы-то долго бегали к компоту, завидев проходящий корабль! А от него — никаких волн. Ну, посмотрим — и уходим.

Меня слегка уело, что ни одна сволочь не оценила глубину и тонкость открытия. Кивнули и дальше пьют компот. И некоторые добавляют в него вермут.

БРОНЗОВЫЙ ЛЕВ

Любой советский человек мечтал найти клад или выиграть в лотерею. Но не получалось. Это был единственный способ разбогатеть легально и сразу.

Мы снимали штыком лопаты тонкий ломтик грунта и бросали на сито. Мелочь просеивалась. Находки покрупнее обнаруживались сразу. Их обкапывали детским совком, палочкой, руками.

Березань и Ольвия две с половиной тысячи лет назад были выведенными колониями великого Милета. Здесь были жилища, захоронения, культовые сооружения и мостовые. И мечта археолога — помойки. На помойках концентрировались остатки всего. Это была сокровищница историка.

Археолог не думает о рыночной ценности находок, как прозектор не думает о духовных качествах трупа. Наибольший восторг вызвала граффити, подтверждавшая факт какой-то битвы в соответствующем году. Дядя с Виноградовым просто целовались.

Человечьи кости и черепки посуды. Кости стучали легко и сухо. А глиняная посуда была поразительно тонкая и изящная. Греки умели обжигать глазурованную глину тоньше и легче фарфора.

Изредка попадались древнейшие серебряные монеты — «дельфинчики». Как блесна размером с мизинец. Это была цена овцы.

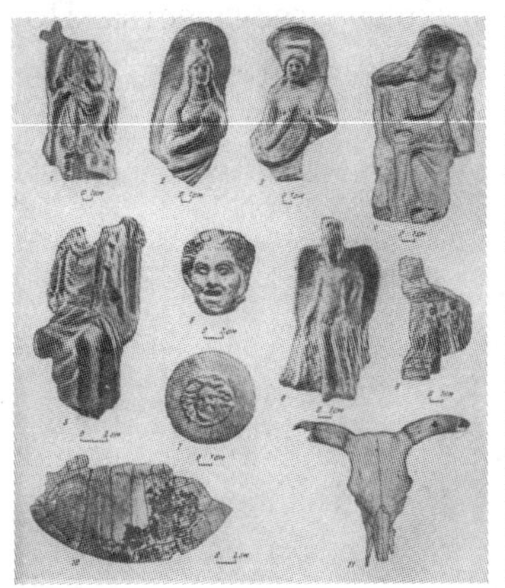

Археологические находки из Ольвии: статуэтки, монеты, графитти и килики — сосуды для питья. Нереальное чувство — выпить родниковой воды из керамики, из которой пили две с половиной тысячи лет назад.

Ты не просто видишь, но ощущаешь, что у тебя под лопатой. И когда на срезе земли обозначился край твердой горошины, я потер и поковырял пальцем. И вытащил не то желудь, не то червячка, под твердой земляной коркой которого угадывались более сложные очертания. Я кинул его на одежду, а в перекуре сунул в карман.

Не то чтобы я решил разбогатеть, присвоив культурное достояние государства. Но любопытно.

Вечером я спустился к воде и размочил кокон. Проявился тонкий длинный лев с хвостом на отлете и проработанной гривой. Он был как ящерка длиной с мизинец.

Это было не золото. Явная бронза. Совесть сказала, что ей уже легче. Похожие львы есть в Эрмитаже. Я оставил этого льва себе. В конце концов, это была любовь с первого взгляда.

Это единственное, что я украл у государства. Пошло оно. Пусть само копает.

Царьград

ФИКТИВНЫЙ БРАК

О, это отдельная песня! Картину художника Федотова «Неравный брак» помните? Ну, так все было иначе.

В Петербурге на Преображенском кладбище лежат шесть поколений моих предков. Начиная с николаевского солдата, с георгием за крымскую войну получившего право местожительства в столице: как инвалид, то есть выслуживший армейский срок ветеран. Гордость у меня была — прописки не было. И мне там жить не полагалось.

Отец выбыл из Ленинграда в армию в 1942-м году. И никогда уже не вернулся. Он остался жив, прослужил еще тридцать четыре года по гарнизонам и уволился в запас в Белоруссии подполковником.

Жил еще дед в двух огромных комнатах коммуналки на Садовой. Он мог прописать меня одним способом: оформив опекунство над собой. Крутую дедову натуру вариант опеки приводил в ярость. Он был независим с четырнадцати лет.

В юридической консультации меня выслушали за три рубля и сказали, что вот если бы я женился. На ленинградке. Это все, что советовал закон.

Отец написал письмо однокласснику. Одноклассник работал главным прокурором Ленинграда товарищем Караськовым. Такие карьеры делались на костях. В срок я пришел на прием и получил вежливое разъяснение его помощника, что прав на прописку по закону у меня нет.

Черт! Меня учили уважать закон. Ловчить стыдно. Мошенничать позорно. Еще меня учили добиваться своего. Ну, и как совмещать Моцарта со злодейством?

Я жил в комнате надолго уехавшего друга. Заработанные и припасенные деньги таяли.

Дни проходили в «Сайгоне» за кофе маленьким двойным и стаканом портвейна. Знакомые проникались темой и обсуждали варианты. Здесь толклись и гудели спекулянты, нищие поэты, гомосексуалисты и городские сумасшедшие. Здесь нервно издевались над властью, и каждый третий был стукачом.

Появились кандидатки! Меня возили на смотрины. Мы обсуждали условия делового соглашения и оставались недовольны друг другом.

И наконец через фарцовщика, интуристовского переводчика и парикмахершу мне нашли отличную жену. Для фиктивной она была вообще блеск. Мы поверили друг в друга с первого взгляда.

Милую пышку лет на пять старше меня звали Наташа. Она работала дамским мастером в салоне на Невском. А вот где она жила! Она жила на Площади Искусств. Окнами на Русский музей. Итальянская, в те времена улица Толмачева. Между филармонией и Пассажем. На четвертом этаже. Стояла зима, и от этих вечерних снежинок на памятник Пушкину за окном было вообще обалдеть.

Балдеть оставалось недолго. Дом шел на капитальный ремонт с последующим расселением. Райисполком ремонтировал его за госсчет и забирал на квартиры себе. Такое-то место да под пролетариатом.

А жильцам будут давать жилплощадь в своем районе согласно санитарным нормам. Девять метров на человека плюс семь на семью. Но не меньше шести на одного.

У Наташи с дочкой от прошлого брака было две комнаты метров по двадцать пять. При расселении ничего лучше одной комнаты в худшем месте им не светило. Прописывая меня, она могла претендовать на бóльшую площадь и вторую комнату.

А потом? Кто его знает. Я накоплю денег и найду способ записаться в очередь на кооператив. Или куплю комнату в дачном строении за городом. Или мы разменяемся с приплатой, чтоб ей досталось две комнаты, а мне тоже одна: приплачивать буду я, естественно.

А пока я буду нормально снимать. Главное — прописка дает возможность жить и работать на законных основаниях.

На тот момент фиктивный брак с пропиской стоил в Ленинграде семьсот рублей. Эти семьсот рублей были заначены мертво.

Это было удачное знакомство. Мы оба боялись, что другой передумает. Общие приятели выступали гарантами.

От подачи заявления до заключения брака следовал месяц. В течение этого кандидатского срока она вводила меня в свои компании. То есть после каждой встречи приглашала заходить завтра, а назавтра в квартире гулял уже следующий состав. Знакомые стали повторяться только ближе к концу испытательного пробега.

Наташа была из центровых. Через ее парикмахерскую переталкивали косметику, бижутерию и шмотье. Фарцовщики приносили сумки, мастерицы предлагали импортный дефицит знакомым клиенткам. Отношения с клиентками перерастали в дружбу семьями и коллективами.

Две клиентки были женами музыкантов филармонии. А муж одной мастерицы был штурман дальнего плавания. Таким образом, профессиональный состав этого общества борьбы за изобилие был замечательно демократичен. Парикмахерши, фарцовщики, музыканты, моряки и спортсмены. Спортсмены тоже сдавали привезенное из загрансоревнований.

Наташа обожала готовить. Собирающиеся гурманы прожорливо ели и азартно пили. За столом обязательно оказывался официант, или бармен, или мясник, или продавец. Стол украшался икрой, балыком, джином и виски.

Меня воспринимали как новичка в клане. Предлагали приодеть и устроить в бармены. Нормальный чувак носил джинсы «Вранглер», замшевые башмаки с бахромой «Плэйбой» и нейлоновый банлон. Замшевый пиджак варьировался с кожаным или синим суконным «клубником», это уже под серые фланелевые брюки и сорочку с галстуком. Запястье оснащалось электронными «Сейко» на стальном браслете. Дубленка, ондатровая шапка, мохеровый шарф. Рыцари Невского. Инкубатор золотого сословия.

Незамужние парикмахерши оценивали меня как свободного мужчину. Я с омерзением оформлялся в альфонса. Деловая сделка норовила превратиться в образ жизни. Коготок увяз в сладком, и птичка дергалась.

Настал день надругательства над законом. Голову кружило глумление над всем святым. Невеста цинично облачилась в сфарцованное белое платье. При виде ее готовности я понял, что Ленинград мне отнюдь не обязателен.

Черного свадебного костюма, равно как похоронного и делового, у меня не было. Я был нарядно одет в бежевый клетчатый пиджак, брюки с манжетами, чехословацкие сапоги из свиной кожи, розовую рубашку и галстук узором «китайский огурец». Весь гардероб был на мне, но ему не хватало торжественности. Вот какой-то высокой страсти и клятвенности ему не хватало.

В ЗАГСе бесчинствовал ремонт. Свиристела дрель, звенела пила, стучал молоток. Лестница была завалена мусором. Мы проваливались сквозь разобранный пол. Известковая пудра придавала облику куртуазность восемнадцатого века. Табличка «Зал бракосочетаний» разошлась трещинами. Дверь не открывалась. Господь как мог противился осквернению таинства.

Наташины друзья привыкли решать свои вопросы под Богом. Они закричали, потребовали у пространства, пнули все вертикальное, и добились материализации двух теток. Осознав жениха и невесту под бледным прахом хозработ, тетки угрызлись совестью.

— Как неудачно! Ну что же это! Такое событие! — заливалась одна, ковыряя ключом дверь.

Милый амбал Гена, валютчик с галеры, взялся за ручку двери и без усилия оторвал. Дрыгнул ножкой, замок вылетел, как семечка, сезам растворился, треснув створками об стены.

— Пожалуйста, — вежливо сказал он.

— Благодарю вас, — светским тоном сказала тетка.

Вторая пристроила через плечо красную ленту и достала кожаный бювар с гербом Советского Союза. Нас установили посреди пыльного коврика.

— Цветов нет, — неодобрительно сказала ленточная тетка, похожая на брыластого гренадера при знамени.

— Ой, да ерунда, — покладисто сказала Наташа.

— От вас позвонить можно? — скрипуче спросила свидетельница Галя, в зеленом брючном костюме джерси похожая на кобла с зоны.

Через четыре минуты запыхавшаяся уборщица из

Наташиной парикмахерской притаранила букет. Это были вполне кладбищенские хризантемы, чуть обугленные морозом. Других цветов в Ленинграде зимой не было.

— Дорогие Наталья и Михаил! — начала профессионально чревовещать тетка голосом продажного пророка.

— Да дайте же мы вам хоть музыку поставим!.. — взмолилась второстепенная тетка и сняла газету с проигрывателя в углу. Пластинка зашипела и стала играть Мендельсона.

Как писал Стендаль о казни Жюльена Сорреля, «Все произошло очень просто и без всякой напыщенности с его стороны». Поцелуй новобрачных был убедителен на радость делопроизводительниц ЗАГСа.

Внизу мы сели в белую «Волгу» Лазаря Кагана и проехали триста метров до дому.

Стол был накрыт Наташиными подругами. Для праздника девочкам и попойки мальчикам годился любой повод. Фиктивность повода как бы компенсировалась реальностью застолья. Аж ножки подламывались.

— Ну, в общем, молодые, это ваше дело, что вы там будете делать, — встала с бокалом Наташина заведующая. — Насчет детей тоже сами решите. Короче, я желаю вам счастья!

— Горько! — добавил амбал Гена.

— А ты, Геночка, ващще дурак, — сказала Наташа. — Тебя еще в спальню позвать со свечкой?

— Я тебе позову, — недобро бросил Наташин гражданский муж Моценят. Тоже парикмахер, но мужской. Он сидел далеко и недослышал. Ему тоже было немного не по себе на торжестве.

То есть веселье налаживалось с самого начала.

— Я желаю молодым успехов во всех делах, — разумно и дипломатично проговорил Лазарь Каган, один из самых почетных гостей. И все деловые радостно выпили.

Лазарь был сын знаменитого пианиста и сам знаменитый гешефтмахер. Он скупал задешево иконы по северам и переправлял за бугор. Носил иконы носильщик. Покупал и расплачивался помощник. Лазарь только руководил. Он одевался в фабрику Володарского и «Скороход», не пил, не курил, и никогда не имел больше десяти рублей в кармане. Вскоре его все равно посадили.

— Люблю повеселиться, особенно пожрать! — продекламировал муж сестры подруги новобрачной, богатый автослесарь в тельняшке. Жрал он, как гибрид удава с мясорубкой.

День оказался вечером, все страшно любили друг друга и каждый рассказывал самое интересное, добиваясь слушателей. Еды и питья не уменьшалось, что характерно.

Каган пафосно дарил Наташе серебряный самовар. Моряк тащил из сумки и примерял на ее дочку чудное заграничное пальтишко. Скромной очередью вдавились соседи с цветами и поздравляли нас обоих. Гена вложил в подарочный конверт пятьдесят долларов, что было очень серьезной суммой.

Скрипач из филармонии подарил рыжего Манделя — однотомник Мандельштама, стоивший у холодняков на черном рынке семьдесят рублей.

— На серты в «Березке» купил, — пояснил он.

По взглядам читалось, что интеллектуала оценили высоко, но как больного на всю голову.

Вдруг женская часть гостей превратилась в немолодых баб с зовущими глазами и веселым визгом.

— Все должно быть эстетично! — убеждала корпулентная фея, задирая подол и показывая скрипачу французское белье. Он закатывал глаза и тянулся щупать качество.

Попасть в туалет не удалось, там кто-то обрубился, девицы барабанили в дверь, свидетельница Галя в уже мокрых брюках согнулась поперек коридора: ее тошнило.

— Да пустите же! Горячо же! Не удержу! — с шипением причитала перед ней соседка, пытаясь донести с кухни кастрюлю с супом.

— Кого ебет чужое горе, — мучительно выговорила Галя, перегораживая коридор, и вывесила харч соседке на фартук.

Ванная была также блокирована. Звуки за дверью ввергали в смущение тех, кто вздумал использовать ее вместо запертого туалета.

— Если там не убийство — то это любовь! — констатировал Каган.

Бедлам перерос в драку мигом и незаметно. Вот только что автослесарь перед большим зеркалом в углу выпускал тельняшку из брюк. И вот его кулак влип Гене в глаз. И вот слесарь улетел и сбил по дороге скрипача. Подруга скрипача, не опуская подола, р-раз! — пятью когтями по морде, как кошка, раскрасила Гену и получила шлепка в зад, от которого ноги и бюст отпрыгнули с туловища. Телохранитель отряхивал поднятого с пола Кагана, Моценят давал пощечину новобрачной, соседи утаскивали свои поломанные стулья, а Галя в мокрых брюках целилась махнуть шампанской бутылкой хоть кому-нибудь по башке.

— Ну, я пошел? — спросил я Наташу.

— Мишулечка, все было замечательно! — обернулась Наташа, пиная встающего перед ней на колени Моценята.

— Вот так гуляют на свадьбе! — ликовала эстетичная с оторванным подолом и подбитым глазом, держа бездыханного скрипача за что не надо.

Я вышел в снежную ночь. Наслаивалось и прессовалось ощущение, что в один день я женился, перестрадал, развелся, отсидел срок и предал родину. Этот день победы порохом пропах. Это не моя чашка чаю.

Через неделю у меня в паспорте стоял штамп прописки, и я стал устраиваться на работу.

Скрипач прожил с эстетичной неделю безвылазно, и Мравинский уволил его из оркестра, а жена избила. Гена выбил слесарю зубы и оплатил дорогой протез. Галя в коридоре сделала минет соседу Никифору Петровичу, и соседки перестали с ним разговаривать. Эстетичной дали три года за совращение двух пионеров в пионерском лагере, где она летом работала пионервожатой, им все завидовали, на суд их не пустили, я клянусь, что это все чистая правда. Наташа растила дочь и спекулировала потихоньку. Ухажеры конкурировали за ее внимание. Моценят уехал в Канаду. Выпив, звонил Наташе и звал замуж.

Она была добрая, хлебосольная, беззащитная и безбашенная. Я заходил раз в месяц-два для поддержания отношений, и она всегда пыталась меня накормить. С такой периодичностью ее сумасшедший дом казался просто веселым и гостеприимным.

Через полтора года мы развелись. Дом расселили и вывели на капремонт. Я получил свою замечательную восьмиметровую комнату на Желябова, между Театром эстрады и ДЛТ.

ГРУЗЧИК

Если было в этой работе что-то удивительное, так это расценки. Двадцать две копейки тонна. Негабаритный груз — двадцать восемь копеек. Негабаритный — это когда его невозможно возить на тачке или удобно складировать в штабель. Типа металлических оттяжек для труб и конструкций. Подлезаешь под ржавый сноп и корячишься, как муравей под поленом.

Что характерно — бригада зарабатывала по двести — двести двадцать рублей в месяц. При скользящей пятидневной неделе — десятка в смену. Сорок тонн холеры на сундук мертвеца. Пять тонн в час.

И ни одного богатыря не наблюдалось. Мужики как мужики: вид средний. Между вагонами забивают козла в диспетчерской, перекур перед нарядом:

— ...так я сейчас бочку двести кило — хоп на горб: и пошел — только так!

В первый день мы вдвоем с Яном Воронелем забили в вагон шестьдесят тонн этих стяжек — на горбу. Никогда так явственно я не ощущал, что подыхаю. Все внутренние органы дрожали по отдельности. Сел после смены — и три часа встать не мог. Курил и дышал. Народ посмеивался:

— Первый день? Втянешься.

Когда тело еще помнит тренировки, где с партнером на плечах приседаешь, отжимаешься и ходишь гусиным шагом, то все кажется легко — пока не попробовал. Я пришел на Московскую-Товарную срубить деньжат по-быстрому. Но слухи, что платят ежедневно после смены, обманули. Пришлось ждать аванса и расчета, а где месяц — там и второй.

Бригада идет цепочкой по кругу: склад — вагон — склад. Работают поровну и поровну получают. Равный среди равных, ты упираешься, как вол двумя рогами.

Тачка грузчика короба не имеет, вместо него — поддон из стальной полосы с наклонным козырьком впереди. Козырьком подбиваешь под низ стопу ящиков, корóбок или бочку, крюком «наливаешь» — кренишь сверху на тачку, ловишь равновесие и катишь по трапу. Кованый крюк с веревочной петлей в проушине висит на плече.

Под крышу вагона груз забивается элементарно. Скажем, обувь пакуется в фанерные ящики куб метр на метр, деревянные рейки по ребрам. Полста кило. Берешься с боков за верхние ребра, руками и спиной выдергиваешь его вверх-на-себя, на взлете поддаешь снизу коленом, ящик уже на уровне головы, и теперь толкаешь его руками вверх и чуть от себя, и он взлетает выше твоих вытянутых кверху рук и ложится на верх штабеля. И в этом абсолютно ничего трудного, только чуть-чуть сноровки: каждое движение прибавляется к предыдущему, разгоняя полет ящика.

С прочими грузами аналогично. Вот только пятидесятилитровые бутыли с фруктовой эссенцией, перевозимые в реечных рамах со стружками, требуют осторожности: не кантовать. Я одну разбил мимо трапа и перепугался вычета с бригады. Ни хрена: составили акт с кладовщицей, что лопнула от заводского брака тары и перепада температур.

— А ты уж и загрустил? Жаль вина давно не попадалось... с бракованной тарой.

Через полтора месяца я втянулся и отупел, как деревянный. Стал стучать в домино. Наилучшим отдыхом желалось выпить и полежать. Особенно после ночной. И денег всегда до фига!

Когда кореша на станции предложили мне аристократическое место кладовщика в камерах хранения вокзала — сто двадцать плюс столько же чаевых и ничего не делать, — я понял, что пора сваливать.

ЖБК-4

Труд был делом доблести и геройства. Иногда не без того.

Еще в школе меня болезненно огорчили строки Александра Блока: «Работай, работай, работай, / ты будешь с уродским горбом / за долгой и честной работой, / за долгим и честным трудом». Честно это да, но долго ни в коем случае! Жизнь коротка — мир велик.

Нигде я не зарабатывал двести рублей с такой легкостью, как на железобетонном комбинате. Он располагался за Обводным на улице Шкапина. Десятилетия спустя этот пейзаж снимали как Берлин 45-го года. Все выглядело так, будто район бомбили по ночам.

Бесконечный пролет формовочного цеха гудел, вибрировал и дрожал. Мостовой кран носил чугунную форму под высотным потолком. Сырые бетонные секции труб и мостовых опор сохли ровными рядами в уходящей перспективе.

А мы квасили! Ударно перевыполняли план по потреблению косорыловки. Вот в этом и заключалось геройство — не упасть и не попасть куда не след.

Вот здесь меня чуть не расплющило в донельзя буквальном смысле.

Вообще все было обычно. К десяти утра скинулись по рублю и сгоняли Саньку за двумя фугасами. Ирка спустилась из кабины раздатчика, и мы выпили впятером. Потом Володька сбегал в раздевалку и принес из своего шкафчика бутылку водки, припасенную к обеду. Андрей отошел к дальнему столу, в смысле вибростолу, и одолжил ноль пять портвейна до завтра. Не сбегавшим остался один я, кто и притаранил «Московскую» и два пива на остатки мелочи. Видимо, пиво оказалось лишним.

«Но процесс!..» — сказал поручик. Все дело в процессе. Его необходимо описать. Он несложен. Ремеслу бетонщика можно обучить шимпанзе в течение часа.

На вибростол кран опускает чугунную ванну три на два метра, с конфигурацией выступов внутри. Вчетвером помещаем в ванну арматуру — как ажурный матрас, сваренный из стальных прутьев. В отверстия бортов ванны суем «закладные» — стальные цилиндры вроде обрезков лома, они входят меж прутьев арматуры, оставаясь торчать шляпками снаружи. Потом за прави́ло подводишь раструб раздатчика, машешь в кабину наверх: сверху в ванну выливается доза бетонного теста.

Вот! Потом ручным электрокраном цепляешь стальной поддон из стопы рядом, и накрываешь поддоном ванну — дном кверху. А потом все вчетвером стягиваем ванну с поддоном шестью струбцинами — по три слева и справа. Надеваешь струбцину петлями на крюки и завинчиваешь вплотную. Кнопка стола: три минуты вибрации, смерть мозгу.

Все. Весь труд с премудростями. Кран уносит ванну в дальний конец, а по пути она в воздухе оборачивается на сто восемьдесят градусов — поддоном книзу, ванной кверху: так отцентрована. И один идет по цеху за ней. Когда кран опустит ее — этот один развинтит и снимет струбцины и вытащит закладные, и понесет подмышками обратно.

А кран поднимет освобожденную ванну, она в воздухе снова повернется емкостью кверху — и все по новой. Цикл. (Мотоцикл цикл-цикл, а старушки больше нет!)

Теперь вы можете работать формовщиком, вы все знаете.

На трезвую голову большинство работ занудно. Чтоб занять себя, мы пьем. Тем более что пока кран носит ванну туда-сюда, да пока грохочет вибростол, — почти все время делать вообще нечего.

Итак.

Трехтонная чугунная ванна плывет в воздухе, и в ней полторы тонны бетона. А внизу иду я, чтобы в дальнем конце цеха развинтить струбцины и вынуть закладные. С чем пойду обратно.

Я думаю с удовольствием о двухсотрублевой зарплате, о душевном покое и о социальных преимуществах пролетариата. И иду. А пролетариат, кстати, мне в спину еще и какие-то теплые слова говорит. Это прямо умиляет. Выпили — и выказывают любовь друг к другу. И я оборачиваюсь, чтоб тоже сказать им что-нибудь приятное.

И вижу с удивлением их грубые лица и грубые слова на губах. Именно вижу, а не слышу, потому что в формовке прочно глохнешь. А руками они машут непонятно, причем как-то вверх.

Я перевожу глаза вверх, и вижу, что на меня падает ванна.

Вообще под ней ходить нельзя. Надо в пяти метрах сбоку. За это расписывались в технике безопасности. Но человек идет по прямой. Такова его историческая сущность.

А ванна уже повернулась, раззявилась от поддона, с другой стороны струбцины слетели, и все это близится на меня.

Поняв, что оно действительно падает на меня, я принимаю решение отойти, и спокойно делаю несколько шагов назад. И оно падает рядом, и пол в цехе бухает многотонно.

Подошли ребята, и мы спокойно, мягко, укорили друг друга: кто ж это забыл струбцины с одной стороны завернуть? Пьяный рабочий человек спокоен, бесстрашен и миролюбив. Трезвые у нас просто не выжили.

Главное в профессии бетонщика — не попасть под замес. Не спиться. Не потерять слух. И в культурном обществе не просмаркиваться с шумом, зажав пальцем одну ноздрю и выстреливая серую цементную пулю из другой.

А в обед нам подогнали еще двух стройбатовцев. Маленькие забитые киргизы. Стройбатовцам велели собрать все пустые бутылки в закоулках цеха и объяснили, где пункт стеклотары. Через два часа они вернулись с тремя флаконами настойки горькой 28°. Им сделали внушение, что белые люди такого не пьют, и тоже налили. По деньгам все сошлось — кристальные азиаты.

Когда мы курили в раздевалке после работы, я страшно развеселил народ. Я им процитировал жаргон «скорой». У них причина вызова имеет свое наименование: «Падение с высоты», «Рука в станке», «Попал под поезд», «Автослучай», «Придавило тяжестью». И как венец всего и он же корень — «Отравление жидкостью». Перечень жидкостей неограничен: от технического спирта, тормозной жидкости и окномоя до политуры и фруктовых эссенций.

Когда мы вылезли из душа, оказалось, что Володька еще не мылся. Он не мог попасть в душ. В смысле в дверь. Он отходил, целился, принимал направление, по пути его сносило вбок и по стенке втирало в угол. Он осмысливал происшедшее, отходил обратно и стартовал по новой.

Мы завели его под струю. Он упирался и материл нас беззлобно:

— На фига?.. н-не надо!.. я ч-чё, я сам м-могу... просто хотел войти... ссс... с-с-сходу!..

Потом я стал бояться. Бояться приятной и беззаботной обеспеченности этой жизни. Ничего не знать, никуда не лезть, ничего не добиваться. Свои двести. Записывайся в очередь на кооператив, копи деньги, езди на месяц в отпуск, ни о чем не думай, через пятнадцать лет будет у тебя все как у людей: квартира, мебель, к пятидесяти годам на машину скопишь, и на нее очередь подойдет.

Только раньше сдохнешь. Люмпеном.

— А могли бы уже третий разряд получить, — неодобрительно кинули мне трудовую в отделе кадров.

ЦИРКОВАЯ ИСТОРИЯ

Этот телефильм не мог получиться изначально, когда офицер Куприн не понял механики Ньютона. Исаак Ньютон был великий ученый и человек глубоко верующий, а Александр Иванович Куприн был скорее пьяница, как подобает русскому литератору. Ничего удивительного, что взаимопонимание не было достигнуто.

В рассказе Куприна цирковой артист изобретает удивительный трюк. Он разбегается с трамплина с двухпудовыми гирями в руках. Отталкивается и летит на тумбу приземления. И на середине его полетной дуги зрителям ясно, что он не допрыгнул. Низко идет. Но тогда он отпускает эти две гири — и взмывает кверху, облегченный! И приземляется ногами на тумбу.

Конфликт в том, что знатоки в атасе, а зрительская масса равнодушна. Ей эффекта мало, ей поострей подай чего. Не понимают гениальности трюка! И бедный гений цирка, мечтавший покорить мир и сердце любимой, остается ни с чем... Такая трагедия.

Прикол же в том, что увлекавшийся воздухоплаванием и аэропланами Куприн не понимал, что человек не обладает подъемной силой. Ни статически, как воздушный шар, это ясно. Но и динамически, как движущийся в воздухе предмет, он тоже подъемной силой не обладал. Крыльев нет, воздух вверх не давит, летит по инерции, как камень или снаряд. Выпустит гири? Ну и будет продолжать полет рядом с ними, потому что инерция прыжка смещает их в одном направлении. Это самолет подпрыгнет, сбросив груз, — его подъемная сила вверх тянет. А здесь летящее по инерции тело просто разделится натрое.

Короче, артиста жаль, хоть он и выдуманный. А вообще они все умерли. Причем давно. Было время утешиться.

А мы были еще живы. Перебивались как могли. И снимали телефильм по этому рассказу Куприна. «Цирковая история». Довольно цинично к нему относились. Из всех искусств опиумом для народа является телевидение.

Валили февральские снегопады, и режиссер спешил захватить натуру. Он надеялся, что синяя снежная штриховка петербургских пейзажей эстетически уравновесит менее удачные элементы фильма.

Натура на выезде — это та же киноэкспедиция, только ехать близко. Тонваген, камеры, декорации, костюмы; «рафик» с актерами, автобус с административной группой, грузовик с резиновой булыжной мостовой и свечными фонарями; треноги, барьеры, люстры, прожектора, мегафоны, операторы, осветители, гримеры, ассистенты, — мат и неразбериха. Все как у больших.

Выехали в темноте. День кончился. Он в Питере недолог зимой.

У Русского Музея долго выгружались и устанавливались. Светили боковой вход в Малый Оперный. Из зоопарка приехала пролетка. Ей настелили резиновый булыжник и поставили деревянные фонари. Два главных героя втиснулись на сиденье, как бананы в стакан: торчат и свешиваются в стороны. Крупные мужчины. И ездят взад-вперед.

Режиссер недоволен, что они выглядят крупнее лошади. А они замерзли, в сюртуках и цилиндрах. Портрет в стиле русского модерна: уши синие, нос красный, щеки белые, взгляд черный.

— Стоп мотор! Всем слушать! Делаем так. Вы выходите из дверей. Продолжаете разговор. Садитесь в экипаж. Крупно: лица. Крупно — колесо по снегу пошло. Начали!

Оператор ездит по двери трансфокатором и выносит приговор:

— Нет. Там надпись над дверью. Театр ордена Красного Знамени и вся муть.

Режиссер сражен его идиотизмом:

— Так не бери верх двери!

Оператор шокирован его глупостью:

— Я же беру их в приближении из двери! Фон!

У директора все наготове! Ватман, краски, плакатные перья:

— Где художник курит?!

И через пять минут велели прикрепить над дверью вывеску: «Нумера “Англетер”».

Теперь про нас с Бобкой. Мы с Бобкой на этой картине работали декораторами. Декоратор — это не тот, кто делает декорации. Это тот, кто их двигает. Рабочий-монтажник. Три рубля за съемочный день. Мальчик для битья за все.

Директор держит ватман с вывеской, как демонстрация за мир. Бобка волочет лестницу. И я лезу на лестницу. На стремянку.

Я лезу ногами. А руками держу вывеску. Старинная дубовая дверь высотой метра четыре. А наверху вывеска театра, ее надо закрыть.

Я долезаю ногами до верха стремянки, перекидываю ногу на ее другую сторону, утверждаюсь в равновесии, и тянусь руками как можно выше пристроить свой бумагокартон. Мне его надо хотя бы одной рукой придерживать, другой приставлять к нему гвоздик, а третьей бить молотком. А третьей руки нет, поэтому неудобно.

Я принимаю позу, как беременная каракатица в балете Чайковского. И после каждого удара молотком ловлю равновесие. А метель метет, и под ватник дует. И холодно так дует, да прямо по ленинским местам. Я даже глаза скосил вниз: что ж там так дует?

Там, на достигнутой высоте искусства, брюки на мне лопнули по шву — от пупка до копчика!!! И два прожектора держали в точке прицеливания мои парадные трусы цвета снежной метели!.. И труппа профессиональных кретинов во главе с актрисами и заслуженными артистами республики взирала на этот феномен!!. Конечно, я потерял душевное равновесие и вслед за ним физическое. Одна актриса мне нравилась. А брюки были новые и единственные, из хорошего ателье.

Я увидел, чего куда дует, и стал падать вместе с этой четырехметровой стремянкой. Идиоты, собравшиеся внизу в круг, задрав головы, вместо того, чтобы ловить меня, поймали стремянку. Я стряхнулся с нее, как муха, и упал на резиновые булыжники.

Я поднялся и ушел за угол в ритме обычного образа действий, типа профессиональный монтажник всегда так спускается с лестницы. Бобка принес мне от костюмеров реквизитные штаны чемпионского размера, я подкатал их, стянул ремнем и продолжал исполнять свои обязанности. Соучаствовать в издевательстве над искусством.

Первый блин комом. Лиха беда начало. Хрен редьке не товарищ.

Художник Сергей Сергеич, изломанный, насмешливый и грубый, говорил:

— Лучше воевать два раза с немцами, чем один раз с финнами. Я прошел, знаю. Точно вам говорю: эти разгильдяи точно студию сожгут. Вы держитесь ближе к выходу!

И добавлял про фронтовую интуицию. И был прав!..

Главные съемки были в цирке. По ночам. Как положено: два часа приготовлений на двадцать минут съемок. Что характерно: трое скачут как укушенные — остальные скучают и ждут. Потом следующие трое. Организация.

А главную роль исполнял Игорь Борисович Дмитриев. Высокий стройный седеющий барин. Развратно-ироничный и мудро-высокомерный. Лицо такое. Сплошь белогвардейцев играл. Играть положительных советских ему было нельзя — слишком изящен и вальяжен. Вот такая фактура! Гениальный был актер, тогда еще без званий.

Игорю Борисовичу Дмитриеву, истинному ленинградскому интеллигенту, было в те поры сорок пять лет. Четверть века спустя я удостоился его дружбы: он начитывал на кассету мои «Легенды Невского проспекта».

Скучая и покуривая, при тросточке и цилиндре, он стал переставлять ноги попеременно так, чтобы переместиться с арены за кулисы. Длинные такие сухощавые ноги в натянутых клетчатых панталонах. И скрылся, герой-любовник.

А на арене примеряются, переставляют свет, репетируют реплики, пьют кофе из термоса, рассказывают анекдоты и матерят начальство. Я люблю тебя, жизнь.

И вдруг в сознание пробивается странный звук, он усиливается, ветвится в многоголосье, вопли и ревы, какофония и ураган, бешеный ночной концерт в джунглях, светопреставление, барабанные перепонки лопаются, слушать жутко, свирепое зверье и все муки ада!

Все аж на задние ноги присели.

Цирковые дежурные со стонами хватаются за головы и бегут за кулисы. А оттуда бочком, застенчиво, появляется обратно Дмитриев. Он смущенно пожимает плечами и делает невиноватое лицо.

Несчастные звери спали в своих клетках. И лев спал, мордой в угол. А Дмитриеву захотелось посмотреть на морду. И он тихонько почесал льву над хвостом. Чтоб привлечь внимание. А тот спит. Дмитриев подумал и решил почесать льву под хвостом. И ткнул своей тросточкой куда не надо. Со сна лев рявкнул возмущенно!

От этого рева в ужасе заверещала проснувшаяся шимпанзе: рефлекс, рядом лев обещает смерть! Тогда затрубил слон: обозначить, что тревога, пусть все убираются с дороги, он бежит! Ну, после трубящего слона завопили все остальные: светопреставление, спасайся кто может! А поскольку в основном подневольные животные боятся и ненавидят друг друга, в природе-то, нервы у них сдали, конечно. Голосят, сердешные, и в клетках бьются!

Цирковые устроили нам выволочку.

— Вы тут что, все идиоты? Из мира кино? Ну просили же как людей — к животным не ходить! Внимание: всем — на хрен! Вон!

Наутро режиссер унижался в дирекции и бил себя

кулаком в грудь и в голову. На следующую ночь мы сожгли цирк.

Я немного утрирую, советский цирк так запросто не сожжешь, но дело было.

Хлопнула «десятка», мощный дуговой прожектор, верхние створки кожуха разлетелись, хлопья горящей сажи усеяли всю арену, осколки раскаленных электродов посыпались аж в зрительские ряды. Зажигательная бомба!

Директор, Аллочка наша, блондинка в брючном костюмчике, просто ласточкой пикировала на очаги загорания. Гасила, не щадя живота своего и груди. Все суетились, подскакивали, покрикивали, поливали водой и чаем и затаптывали подошвами.

Алый цирковой ковер, покрывавший арену, стал в горелую сеточку.

Нас изгнали с позором.

— А я что говорил? — развлекался Сергей Сергеич. — Художник — это пророк! Вы меня слушайте, ребята.

Поскольку все в мире взаимосвязано, в ту же ночь сгорела гостиница «Европейская» со своим рестораном «Крыша». Эти погорели капитально. Фасад покрыли сталактиты черного льда. Все, что не догорит, утопят пожарные.

Директор цирка разорвал договор и пожелал нам сдохнуть.

И фильм совсем уже было досняли в студийных декорациях, но тут посадили режиссера. За распространение венерических заболеваний среди несовершеннолетних мальчиков. То есть он залетел по трем статьям сразу: мальчики, несовершеннолетние, венерические.

Тут нам стало дурно. Панически вспоминали, кто с ним ночью кофе пил из одного стаканчика, а кто целовался при встрече. И шутили с особенным цинизмом.

Это вполне неудачная шутка, что секса в СССР не было. Размножались еще как, и даже против желания. Рефлекторно. Во исполнение супружеского долга, и в нарушение его же, от избытка любви к жизни и процессу, и так, между делом. Но две вещи не приветствовались: педерастия и сифилис. Вот это социалистической идеологии было чуждо.

Тогда неформальное собрание съемочной группы вспомнило и несовершеннолетнего ассистента режиссера эстонского мальчика Пеэтера, и то, что у артиста Дмитриева вечно гостит очередной племянник, и то, что Жан Марэ знаменитый гомосек, и все бесповоротно разбежались. Не долетел цирковой прыгун до своей тумбы, и даже бросание режиссера в тюрьму не помогло.

Но в туалет еще месяца два отправлялись с беспокойством.

А мы с Бобкой осели на фильме «Танцует Валентина Муханова». Она была примой того самого Малого оперы и балета, где у меня брюки лопнули. Ее муж Гера Замуэль совершенно не походил на балеруна — маленький, узкоплечий и очкастый. Я специально пошел смотреть, как он танцует «Петрушку». Потрясающе! А балеринки щипали в перекурах виноград жеманно, как корпию, и постоянно хотели двух вещей: жрать и трахаться. Жрать было нельзя, чтоб не толстеть, а закомплексовали их всех в Вагановском училище. Когда мальчики отрабатывают поддержки, две жалобы от девочек, что он ее не так трогает, — и отчисление. Поэтому так высок процент голубых, фригидных или нимфоманок в этом мире искусства.

А заместо радио висел у меня тогда на гвозде динамик громкой связи с подводной лодки. Друг подарил. Втыкаю я проводок в радиорозетку — а там Пушкина читают. «Станционный смотритель». Да как! Я такого гениального чтения прозы не слыхал. Вся суть дана в мудром грустном голосе... И: «Читал заслуженный артист республики Игорь Дмитриев». Ух ты зараза...

Ну?! Неделя — и я встречаю Дмитриева на Аничковом мосту! И говорю ему все слова с придыханием. А он снимает кепочку клетчатую английскую со своих кудрявых седин:

— Спасибо вам, — говорит, — на добром слове.

И дальше пошел — играть своих порочных дворян и царских генералов. И нечего было интеллигентному человеку делать на тех телефильмах.

КАЗАНСКИЙ СОБОР

СТИГМАТЫ

Я пришел в Казанский собор 22 апреля, в день Всесоюзного коммунистического субботника в честь дня рождения Ленина, и не важно было, на какой день недели приходился субботник. Танцуют все!

Церковнославянская золотая вязь в длину фронтона вылезала над крылья колоннад: «Всесоюзный государственный музей истории религии и атеизма».

Отдел кадров освидетельствовал мой университетский диплом и выдал красные корочки «Министерство культуры РСФСР». Внутри корочек было написано: «Младший научный сотрудник». Я влился в ряды научной интеллигенции.

Но работать головой оказалось еще рано. Путь в науку лежал через реэкспозицию. Это юмористический вариант пути в звезды через тернии.

Реэкспозиция — это: ре-экс-позиция. Позиции делают экс и ре-позиционируют, но уже иначе. Типа перестановки мебели со сменой штор и обоев.

Толпа младших и старших научных сотрудников под управлением доцентов, возглавляемых профессорами, сверлила, вбивала, клеила, переносила, пилила, резала, примеряла, поднимала и роняла вдребезги, попадая себе по пальцам. Я был приятно поражен неформальными отношениями в академической среде.

Мне дали плексигласовую пластинку с дырочками по углам и велели привинтить вон на тот планшет, прижав под плексиглас какую-то картинку. Шурупы в ДСП лезть не хотели. Эти древостружечные плиты так спрессованы и таким пропитаны, что их надо сверлить. Но электродрель была одна на всех, дрелей ручных и коловоротов не было, я украл молоток почтенной дамы и гвоздем наметил дырочки.

Статуи и витрины в главном нефе и подвальном этаже чуточку перемещали, экспонаты чуточку заменяли, этикетки чуточку переписывали, свет ставили чуточку иначе. Интеллигенция негодовала, что ее за ту же зарплату перевели в рабочий класс, и демонстрировала полную свою непригодность по Марксу выступить в качестве производительной силы.

Потом они посмотрели на часы, закричали что ж такое, положили планшет на две тумбы и быстрей пожарных накрыли на нем стол из сухого с водкой и бутербродов. Повеселели страшно и выпили за Ленина с бревном.

А я крутил свои шурупы, докручивая порученное мне количество. Меня приняли не на постоянную, как обещали, а сначала два месяца временно типа испытательного срока. И я налегал своей крестовой отверткой, давил всем весом на ладонь и менял руки, уставая.

И вот уже иду я по улице с бутылкой к друзьям, а кругом настроение, будто с уроков отпустили. Развлечений было мало, люди радовались любой возможности не работать.

Пришел в компанию, застолье приветствует, сажают, наливают. Я им — про первый рабочий день в

Казанском соборе. И тут они переглядываются, и на меня — со страхом:

— А что это у тебя за стигматы?

У меня посреди ладоней — кровавые дыры. От отвертки. Старался.

— А, это? Я же говорил — реэкспозиция! Пришлось на кресте повисеть немного.

— Нет, серьезно!

— Если честно — сам только что заметил. Может, к кожнику сходить? Или к священнику?

— Слушай, ты больше в этот собор не ходи.

Ржали и безбожно пили за то, как Господь метит шельму.

ЭКСКУРСИИ

Экскурсоводов в Казанском не было. Экскурсии водили младшие научные сотрудники. У нас была экскурсионная нагрузка. Нагрузку калькулировал замдиректора по научной работе. Мне он нарисовал два часа в неделю. Чтоб не сильно отвлекался от полезного ручного труда.

Первая тема была общая: обзорная, как у всех. Вторая — согласно определенной научной ориентации: возникновение и ранние формы религии.

Термина «стадный инстинкт» мы еще не знали, но к экскурсантам относились примерно так. Сливаясь в толпу и доверяя свои мозги специально обученному сотруднику, люди превращаются в идиотов автоматически.

— А сколько всего колонн в Казанском соборе? — спрашивали они и смотрели с внимательностью баранов перед новыми воротами.

На этот вопрос было много ответов. Цифра варьировалась в зависимости от настроения мэнэеса.

От семидесяти двух до ста сорока четырех. Лишь бы четное число. Сбрасывая им на уши лапшу, ты взмывал над своей зарплатой и униженным статусом. Ответ был местью за вопрос. Спросил — на.

Второй дежурный вопрос:

— А сколько весит люстра?

А сколько бы вам хотелось? Двести семьдесят шесть килограммов подойдет? Не впечатляет. Тонну восемьсот семьдесят! А четыре тонны двести сорок не хотите?! Ой, не может быть!.. Хо-хо, еще и не то может, она же литой бронзы! Да-а?.. А вы как думали!

На самой вершине купола, на золоченом шаре, креста в те советские поры не было, а торчал небольшой шпиль; и очень хотелось убедиться, что осталось в шаре хоть гнездо от креста: невелика высота — но духоподъемна.

Больше всего народу нравилось, что архитектор Воронихин был внебрачным сыном графа Строганова от крепостной. Папик дал ему вольную, протежировал поступление в Академию Художеств и обеспечил двухлетнюю стажировку в Италии. И уж победа в конкурсе проектов на новый столичный собор тоже без папы не обошлась, будьте спокойны. Пилить казну и тогда хорошо умели. Советских людей эта биография самородка буквально завораживала. Внимали, как дети в кукольном театре, которым Буратино читает программу КПСС.

Еще им нравилось, что Кутузов, оказывается, похоронен здесь, а сердце его в серебряном сосуде похоронено в Бунцлау, а сам Кутузов был масоном. То есть с наибольшим успехом впаривалась информация сюжетно-биографического характера.

А категорически не нравилось то, что противоречило вложенным ранее убеждениям.

— Так мы что... не происходили от неандертальцев?! Как это... А как же Дарвин?.. А от кого тогда? Я думаю — здесь вы не правы: вот Энгельс писал...

— Так это как это — что же, религия всегда была?.. И попы?.. Да ну-у — и как это ученые могли установить, спрашивается?..

Сведения о реальном, скорее всего, существовании Иисуса Христа как исторической фигуры, — отвергались как идеологическая диверсия:

— Это кто же вам позволил такое говорить? А еще комсомолец, наверное!

Доверчивый народ в большинстве своем гордился государственным образом мыслей и попов готов был ссылать на Колыму. Так учили в школе, в газетах, по телевизору и на политзанятиях.

Черт возьми. Это мы, штатные платные атеисты, хранили историческое и материалистическое обоснование религий! В забитых книгами и иконами закутках мы чокались:

— Ну — за святую веру!

— За Магомета!

— За Шакья-Муни!

ДОСКИ

— Сейчас поедешь на товарный двор, привезешь доски.

— Какие доски?

— Для подиумов в боковых нефах.

— Сколько их?

— Чего сколько?

— Досок.

— На месте разберешься.

— А документы есть?

— Какие еще тебе документы!

— Ну... накладная... спецификация... ассортимент.

— Вот документы там тоже на месте получишь и привезешь.

— Машина какая?

— Машина? А на троллейбусе не доедешь?

— А обратно?

— Слушай, ну ты что, ребенок, вообще ничего не можешь? Закажешь в автопредприятии, оплата по безналичному.

Еду. Ищу. Опрашиваю всех. Нахожу доски. Двенадцать кубометров. Шестиметровая дюймовка, двадцать сантиметров ширины. Договариваюсь о машине. С грузчиками не договориться — их безнал не колышет, а у диспетчерской свои заботы. Звоню в музей, велю столяру гнать пять-шесть рыл молодежи. К вечеру с шестью мэнээсами загружаю шаланду. К ночи разгружаем ее под колоннаду.

— Ты чего привез?

— Не понял.

— Вот именно что не понял! Они же сырые! Я что за тебя, от завэкспозиции выслушивать всякое должен?

— Значит, так. Сказали привезти — привез. Какие были!

— Ладно, ладно. Только их надо высушить?

— Где я их высушу?!

— Ты меня удивляешь. Где сушат доски?

— В жопе!!

— Ладно, ладно. Не кричи! Позвони на фабрику музыкальных инструментов Луначарского.

— Балалайку для церковного хора купить?

— Ты поостри еще, работничек хренов! Там сушильные мастерские. Оплата по безналичному.

Заказываю шаланду. Снимаю мэнээсов. Везу на фабрику. По акту приемки их уже не двенадцать кубов, а одиннадцать.

Звонят через неделю. Еду, забираю, заносим внутрь, складываем в штабель. Завэкспозицией тщательно мерит штабель рулеткой, перемножает на бумажке. Девять с половиной кубов. Матерится со вкусом и виртуозно: хранитель культуры.

— Усушка и утруска, Георгий Георгиевич. Везли, бросали, сушили.

— Чтоб у вас так усохло, чтоб трясти нечем было!

Приходит директор, клеит прядь поперек лысины:

— Юра, да обойдемся мы без этих досок. Я с самого начала был против подиумов. Они перспективу едят.

— Это вы меня, Слава, все едите! Вашу мать, полгода ждал этих вонючих дров!

Через полгода:

— Доски отвезешь в Гатчину, сдашь на древообделочный комбинат. Вместо них возьмешь древостружечные плиты на планшеты. Я с замом по производству договорился.

Грузим. Явно меньше девяти с половиной кубов. Десяток досок мы со столяром сами унесли в столярку, пригодятся.

Зима, серо, скользко, шаланда еле ползет. Ноет, выматывает душу и ползет. Эдак я вернусь завтра.

— Давай, отец родимый! — погоняю извозчика. — Я тебе сколько хочешь часов и километров подпишу!

— Да скользко же.

— Нас же все обгоняют, ты посмотри!

Он бубнит про гололед, резину и тормоза. Но я давлю на него, он давит на газ, мы разгоняемся: бодримся, веселеем.

И на повороте слетаем с дороги в кювет, в поле. Шаланда опрокидывается на бок, выворачивая замок тягача. Доски — веером по всему снежному полю.

— Как они меня заколебали!.. — молюсь я лесопильному богу.

Водитель безропотно обследует свое несчастье. Мокрый снег выше колен.

— Трактор нужен, — произносит он священное заклятие. Он маленький, старый, скромно-жуликоватый, и его ничем не пронять.

Я уезжаю на попутной в Гатчину. Организовывать помощь с древокомбината.

Зам по производству спокоен, будто они только и собирают доски по полям. Звонит насчет трактора, отряжает работягу мне в помощь на погрузку, гонит со мной разгрузившуюся во дворе шаланду.

В собор я вернулся послезавтра.

— Слушай. У тебя уже есть опыт работы с пиломатериалами...

— Юрий Арсентьевич, вы какого роста?

— А что?..

— У нас с Гомозовым в подвале шесть досок осталось, он из них прикидывает гроб на продажу сделать.

РЕСТАВРАЦИЯ

Где-то вверху под сводами, на полпути к раю, торчали два полукруглых балкончика. Там, среди света и воздуха, помещались два привилегированных кабинета. На один каждое утро карабкалась и задыхалась Софья Абрамовна, профессор Рутенбург. Писать монографию о раннем христианстве. С собой она волокла судки с обедом. Наверху пряталась запрещенная плитка. Спускаться и подниматься дважды в день было свыше ее сил. Десять лет она писала заявления на кабинет внизу. Там все было занято директором, хозчастью и экскурсоводами. Раз в год она грозила директору выброситься с балкона.

На втором балконе бессменно, как в гнезде, жил реставратор Семен Израилевич. Казалось, он там и вылупился лет семьдесят назад. Он умудрился провести себе в гнездо параллельную телефонную линию, и теперь только седой птичьей головкой крутил над краем. Телефонировал заказы с доставкой наверх.

Семен Израилевич снисходительно и сочувственно относился к всеобщей неумелости и безрукости. Расставаясь с выполненным заказом, он безнадежно махал рукой и отворачивался, вздыхая. Отреставрированную икону четырнадцатого века, отмытую, осветленную и закрепленную, на отпаркетированной доске с ювелирно собранным левкасом, он вложил Рашковой в руки и сжал ее пальцы поверх предохранительной шелковой бумаги, Рашкова порозовела от благодарности и любви к искусству, пискнула все слова, поцеловала Семена Израилевича в лобик и уронила икону с балкона.

Внизу с ней от истерики сделался приступ смеха.

— Четырнадцатый век!.. — заливалась она. — Четыре тысячи рублей! Ха-ха-ха!.. Пополам... ха-ха-ха!

А в столярке телефона не было, поэтому к нам пришли из экскурсоводской и передали вызов наверх.

— Вот эту картину, — застенчиво сказал Семен Израилевич, — надо отнести для дальнейшей работы в реставрационные мастерские Русского музея. Они ждут. Игорь, я могу доверить только тебе. И твоему... другу. — И он показал пальчиком на огромное полотно два на три, вылезавшее на лестницу.

— Семен Израилевич, — сказал Игорь, — эту мондулу я лично год назад поднимал к вам на веревке. С Валерой и Толиком.

— И что? — не понял Семен Израилевич.

— Хорошо, я понял, — сказал он.

Он достал из шкапчика у стенки две мензурки, поставил на табурет, снял с полки колбу и отмерил струю.

— Немножко спирта, — пояснил он.

Шпателем отделил в кастрюльке два ломтя массы типа студня и расположил на жестяном подносике. Студень пах рыбой и медом одновременно.

— Осетровый клей? — понюхал Игорь.

Мы закусили реставрационный спирт реставрационным клеем и сказали, что и ничего бы страшного от курения картинам не было. И стали примеряться к картине. Она не пролезала в повороты лестницы в стене.

— А снять с подрамника нельзя? — интимно заканючил Игорь. — Я бы мигом! А потом обратно как было.

Мы спустили картину на веревке и отнесли в Русский музей. На набережной канала нас парусило, как яхту.

Да, так я всего лишь хотел сказать, что когда мы выносили из Русского музея картину после реставрации — нас никто ни о чем не спросил: ни в охране, ни на выходе, ни во дворе, ни милицейский пост у ворот. Тащат двое в черных халатах здоровенную картину через главный вход — и так и надо.

— Давай завтра еще одну вынесем! — размечтались мы.

ПЫТОЧНАЯ КАМЕРА

Прошлый завхоз, Михалыч-старый, был дока. Он двинул четыре тысячи квадратов реставрационного оцинкованного железа, перекрыл собор обычной кровельной жестью, на разницу купил черную «Волгу», полученную по музейной разнарядке, и свалил в туман, сделав ребенка восемнадцатилетней машинистке.

Новый зам по АХЧ, Арсентьич, завидовал предшественнику обескураженно. Все было сперто до него.

— Административно-хозяйственная часть — базис учреждения, — повторял он. И посылал нас с Игорем на разведку в неучтенные закрома и забытые залежи.

— Полный списочек запасников представите — чего, где, сколько!

В бесконечных подвалах западного крыла колоннады недавно нашли восемнадцатиметрового Будду. В тридцатые годы его привезли из Бурятии, разоряя дацаны. Разобрали по секциям, перегрузили с верблюдов в вагоны, и свалили здесь. Потом все вымерли в блокаду, а документацию сожгли в буржуйках. Теперь Будде радовались, как кладу. Описали, обфотографировали и сделали две кандидатские диссертации. Арсентьич так горевал, словно найди его он, так продал бы на медь.

В одной из экспедиций в катакомбы восточного крыла мы нашли паркет. Роскошную буковую плаху. Стопки были ровно обернуты буковым же шпоном и обтянуты латунной проволокой.

— Миха-алыч забыл!.. — умилился Игорь. — Он по-срочному увольнялся, дир следствием грозил.

Паркета набиралось квадратных метров сто. Было естественно продать его кому-нибудь для дачи. Мы прикинули стоимость и поздравили друг друга с праздником.

Вдохновленные нежданным богатством, мы углублялись в подземные ходы, как кладоискатели. Фонарик выхватывал из мрака ящик застывшего цемента, кладбищенский железный крест, полное собрание сочинений Сталина, чей-то бюст с эполетами и банки из-под краски. Мы пригибались гуськом, свод стукал в макушку.

Вдали показался свет.

— Интересно, куда это мы вышли?..

Проход расширился, свод поднялся, электрическая желтизна обогатилась багрово-красным оттенком. Донесся фальцет Жеребиной, перечислявший ужасы Средневековья. И мы выбрались с тыла в пыточную камеру, которой замыкалась подвальная анфилада экспозиции. Стараясь не порушить жаровню, дыбу, муляжи палачей с жертвой и прочие испанские сапоги, полезли наружу.

Нас оглушил хоровой вопль. Вопили дети, и ледяной ужас смерти являл себя в невообразимых дискантах. Там оцепенел класс пионеров, и волосы их стояли дыбом. Посреди их высилась Жеребина, глаза ее расширились за границы очков и она хватала ртом воздух.

Мы сделали успокаивающие жесты — и тогда они ломанулись прочь, в панике спотыкаясь и падая друг на друга. Снесли вертушку с фотографиями, опрокинули витрину и рыцарский доспех, крик рассыпался на звуки индивидуального спасения с надрывными задыхающимися подстонами. Мужественная Жеребина, как мать-наседка, прикрывала их сзади раскинутыми крыльями, суетливо подпрыгивая.

— Какие-то беспокойные пионеры, — сказал Игорь.

— Ну, не мы же их испугали, — усомнился я.

Через пять минут мы отпаивали Жеребину заначенной бутылкой пива, влив туда для лечения отстоянной политуры. Она не попадала сигаретой в рот и смешливо взрыдывала. Детей след простыл, прощальные угрозы учительницы мы застали.

— Вы же идиоты! Кретины! Надо же думать! Дети! Там же темно! Я же специально рассказывала, чтоб страшно! И тут вы! Рожи! Это же ужас! Можно же сойти с ума!

Народ млел в восторге и требовал реконструировать ситуацию в деталях. Картина складывалась незаурядная.

У пятиклассников по истории Средневековье. Учительница сдала класс и гуляет. Жеребина им в подвале — про инквизицию, аутодофе, «норнбергскую деву» с шипами внутри футляра, охоту на ведьм и пытки еретиков. Экспонаты подлинные. Пробирает.

А вот и главный экспонат — настоящий пыточный подвал. Вот это дыба, на ней пытаемого поднимают к потолку, вывернув руки. Это жаровня, на ней раскаляют щипцы рвать тело. Это испанский сапог, он раздавливает кости ног. Полутемно, потому что подвал освещен только светом углей жаровни. Монах за столом записывает признания. Несчастная жертва лежит на скамье обнаженная, в крови (ну, чресла прикрыты), палач с подручным приступают к новой пытке.

И тут в полутьме камеры проявляются два зловеще бледных мужских лица. Чернобородые, с горящими глазами. Они плывут на высоте роста и близятся к нам. Сейчас они покинут камеру! Это высокие худые мужчины в черных балахонах, они живые, они вперились в нас, выбирая жертву!!!

Конечно оцепенели. Конечно заорали. Конечно побежали.

Свет на камеру был поставлен так, что задняя стенка подвала неразличима в полной темноте, ее ободранный кирпич незаметен. И вот вышли мы, в черных халатах и темных штанах. И оба бородатые — у Игоря по контуру чернеет, у меня посредине. Вошли в белый поперечный луч на высоте лиц. Маски смерти и живая мимика.

— Они же полкласса описались! Мальчики же с девочками вместе! Ну вы же хоть соображайте! — Жеребина стала материться.

И таковы законы психологии, что, приятно освеженные этим маленьким приключением, мы только через неделю вспомнили про паркет. Которого на месте не оказалось. Арсентьич двинул. И смотрел добрыми отеческими глазами.

ГОЛУБЬ МИРА

«...и старый клоун Пикассо, изготовивший по заказу Коминтерна марксистскую голубку, загадившую все стены нашего прекрасного, но — увы! — беззащитного Парижа». Помню со школы эту газетную цитату из мемуаров Эренбурга.

Начало не предвещало дурного, скорее наоборот. К обеденному перерыву Игорь Гомозов, мой технический руководитель и старший столяр, открыл дружеский сюрприз: бутылку портвейна и четыре беляша.

— С утра купил, — принял он похвалу своей предусмотрительности. — Пойдем загорать на крышу?

За колонной черный бархатный занавес скрывал дверь в стене.

— Именно то, — сказал Игорь и отрезал половину занавеса на подстилку.

Мы затопали внутри стены по бесконечному маршу лестницы. Потом она стала винтовой, еще выше каменные ступени сменились металлическими, мелькнуло ощущение подъема на тот свет.

Наконец, мы вывалились через слуховое окно на пологую двускатную крышу, просторную и зеленую, как стадион.

— А? — сказали мы. — Класс!

Внизу шумел Невский, а мы загорали в трусах напротив купола Дома книги. Так чувствует себя снайпер на небоскребе или человек-невидимка. Мы чокались, жмурились, жевали и наслаждались прикосновением ласкового бархата под боком. Черное нагрелось горячо, а ветерок с канала Грибоедова освежал кожу.

— Как прекрасно быть столяром! — пожелал нам я.

— В Казанском соборе, — уточнил Игорь.

Потом мы курили, гуляя по периметру парапета и высовываясь по грудь. Мы рассматривали любимый Ленинград под непривычным ракурсом сверху, как марсианские космонавты.

— Купол! — воскликнули мы. — Мы всегда хотели залезть под купол.

Энтузиазм первооткрывателей распирал нас. Хороший портвейн, хорошая погода, хороший друг. И по железной наружной лестнице, закрепленной меж окон барабана, мы полезли в небо. Над жестяным карнизом купола, венчавшего барабан, близ перекладин открылась дверца.

Внутри замыкалась широкая круговая балюстрада. В центре, как цирковая арена, огражденная низким бортиком, зияла гулкая пустота.

Вид на Невский проспект и улицу Софьи Перовской (Малую Конюшенную) с купола Казанского собора. Кстати, наши экспозиционеры (лучшие в мире) содержали интерьер храма точнее и гармоничнее, чем сегодня церковь.

Мы заглянули вниз, фиксируя положение тела и чувство опоры под ногами. Крошечные отчетливые люди ползли мышиным стадом: Перова вела экскурсию. Голоса не доносились.

Я успел подумать, что купол должен умножать и посылать звук, как огромный рупор.

Черт толкнул в ребро.

— Моли-итесъ мне-е в хра-аме мое-ом!.. — загудел я вниз как можно внушительнее, словно джинн из сосуда.

Мы отпрянули назад к стене.

— Ты что, охренел, — фырчал Игорь.

— Где ж услышать глас всевышнего, как не в доме его, — прошептал я.

— Между прочим, директор может выгнать.

— Да? Сам будет оргстекло фрезой пилить.

— Если настучат, ему в Смольном могут выговор дать.

— К психиатру, батенька, к психиатру! Коллективное бессознательное.

Напомнить народу о культурной традиции не вредно, успокоили мы себя с достигнутых горних высот.

Оштукатуренный свод над головой вовсе не был серо-голубым, как виделось снизу. Он сиял белизной. Из центра опускалась бесконечная штанга люстры — стальной стержень в руку толщиной.

— Купол не сплошной, — узнали мы.

— Верх свода отдельно от внутреннего свода. Над ним.

По продолжению наружной лестницы мы взобрались до самого золотого шара, венчающего макушку купола. Креста тогда не было, из шара вздымался небольшой шпиль. Типа елочного навершия.

Пониже чернела битой рамой еще одна дверца, с площадочкой под ней.

— А там что?

В проемы вылетели голуби.

— Вот где они живут!

— Давай пару поймаем.

— В соборе выпустим.

— Они поднимутся к куполу — и исчезнут!

Великовозрастные идиоты. Нечего делать. С одной бутылки портвейна.

Мы составили план. Разделили функции. Я сяду в дверце лицом внутрь, заслонив ее. А Игорь пойдет в глубь межкупольного пространства и шуганет. Они захотят улететь в дверцу, а мимо меня трудно протиснуться. И я двух поймаю.

Там было метра полтора меж кирпичным сводом и жестяной покрышкой. Он ушел, согнувшись, и шуганул!

Грязный пыльный ураган мощным потоком вышиб меня из дверцы!!! Он больно бил крыльями в лицо и царапался когтями! Я зажмурился, дышать было нечем. Выгнувшись спиной наружу, я цеплялся за косяки. И все воняло.

— Эй, ты держись! — закричал Игорь, схватил меня за ноги и втащил внутрь.

Все стихло. Одинокий голубь трепыхался в темной глубине.

— Твою мать... — сказали мы, в ужасе глядя друг на друга. И стали хохотать.

Мы были обгажены с головы до ног. Под огромным куполом у них таилось главгнездо. Тысячи птиц поднялись в воздух, птичий базар, и сбросили на самоубийц удобрительное аммиачное гуано.

Если считать голубей в храме Божьем реинкарнацией Духа Святаго, это была скорая и соразмерная кара за святотатство и узурпацию слов Его в доме Его. Такая несерьезная мысль пришла нам позднее.

Сверху одежду отчасти защитили рабочие черные халаты. Мы сняли их и изнанкой обтерли лица.

— Выкидывай, — швырнул Игорь. — Новые выпишу.

— А голова... — потрогал я, глядя на его рельеф.

Он с омерзением касался себя там и сям.

— Нельзя так идти.

— А как идти?..

Мы спустились на крышу, разорвали злосчастный бархат и полчаса утирались.

— А что это вы какие-то запачканные? — интересовались в экспозиции. — А чем это так... пахнет?..

— Мужской одеколон! «Икар»! Греческий!

— Да?..

Полдня после обеда ушли на мытье, стирку и сушку.

В экскурсоводской на выходе Перова курила с девчонками.

— Ой, а у меня такое было!.. Вы не слышали? — повторяла она на бис. — Вот прямо как голос везде зазвучал: «Говорит Бог, и вы все должны мне молиться». У меня половина группы слышала. А половина не слышала... Помните еще, как плачущая икона — плакала тогда?.. Ребята, а вы не слыхали?

— А ты пей с утра больше, — сказал Игорь. — Не то услышишь.

— Что-о?..

— Лучше, конечно, портвейн.

ИВАН ГРОЗНЫЙ

Когда в Русском музее я вижу бронзового Ивана Грозного работы Антокольского, меня влечет пошлепать его по шее. Ни с одним царем судьба не сводила меня столь близко, и ни с одной статуей я не был близок так интимно.

Ленинград — город истории и искусства, здесь любое событие имеет культурные корни яркие и ветвистые, как проекция молнии под землей. Вначале Екатерина затащила в постель Понятовского.

Ну да. Молодой красавец-граф был ее бойфрендом. Точнее — одним из фаворитов. Величие императрицы сказывалось и в том, что сексуальные отношения с лучшими мужчинами России направляли их в орбиту государственных свершений. Итого, Понятовский после раздела Польши был посажен начальником ее большей и лучшей части, вошедшей в Россию.

Ему, любимому католику, перешедшая в православие лютеранка Екатерина построила костел. Естественно, костел наименовали Святой Екатерины. При жизни Понятовский там молился, по смерти его там похоронили.

После Второй Мировой войны Советская власть Понятовского выкопала и подарила коммунистическому польскому правительству. В знак дружбы, как кошка дохлую мышку. Получился оскорбительный намек. В Польше Понятовский считался русский прихвостень, царская подстилка и продажная сволочь. Поляки рассыпались в благодарностях, захоронили с почестями и прибавили еще один аргумент к ненависти к России.

Осиротевший костел директор Казанского собора выпросил себе. Под филиал и административные помещения. И мы стали переезжать.

Музейщики — особые люди. Особенно экспозиционеры. Сначала решили переселить в костел статуи. Чтоб они получили свою долю благоустройства. У нас там толпились шеренги статуй. Алебастровые копии Дрезденской галереи. Директор не чаял, как от них избавиться.

— Да ведь побьются при перевозке, Владислав Евгеньевич!..

— Не обязательно. Зато сколько места освободится.

Но две статуи были серьезные. Настоящие. Одна — мраморный Мефистофель в натуральную величину. Голый и белый, он сидел на мраморной же тумбе, обняв тощее колено и вперившись дьявольским ликом в пространство. А вторая — бронзовый Иван Грозный, задумчиво раскинувшийся в кресле типа домашнего трона. Знаменитый Марк Антокольский был скульптор экономически продвинутый и удачные работы тиражировал сериями. И все — авторские, родные, престижные, дорого стоят. Вот две.

Я уже трудился в статусе особы, облеченной директорским доверием. Имел полномочия привлекать народ. И вот нас собралось столяр, рабочий, шофер, художник, фотограф и десяток мэнэесов мужского пола. Я совмещал обязанности дирижера и надсмотрщика.

Алебастровые статуи наша муравьиная куча перемещала без проблем. А Мефистофель врос в пол. Я прикинул объем, умножил на вес мрамора, и получил тонну. Трудности стали понятны. Мы закряхтели, заскрипели, запердели и сдвинули.

— Сначала надо затащить в кузов самую тяжелую, — справедливо рассудил Игорь Гомозов. У кого как, а у нас рабочий класс был умнее интеллигенции.

Иван Грозный сидел у квадратной колонны. И он не сдвигался никак. Ни в какую сторону. Никакими «раз-два-взяли». Если бронзовое литье окажется сплошным, он потянет тонн пять. Но это невозможно! Должен быть полым!

Мы застучали в бронзу, как звонари в бомбоубежище. Глухо.

— А как рабы строили пирамиды? — озадачились мы и принесли из запасников веревку типа трос. Обвели вокруг Ивана и в две линии ударили копытами, как на празднике перетягивания каната. Веревка затрещала! Царь не обращал внимания на нашу возню, жестокая бронзовая ухмылка оставалась отрешенной.

Мы объявили брэйн-штурм и побились головами о стены.

— Читайте книги... — сказал я.

— Какие книги?

— Про пиратов! Игорь — стамеску и молоток. Женя — ведро горячей воды и пачку мыльного порошка.

Мыло лили на палубу врага в абордаже — чтоб скользили и падали.

Разболтали ведро мыльного раствора. Подбили стамеску под постамент Ивана и осторожно подлили в щель. И так с трех сторон, чтоб под низ просочилось.

— А теперь — аккуратно: мыльную дорожку до дверей.

За два конца заведенной веревки впряглись по семеро. Мы с Игорем втиснулись меж спинкой бронзового трона и мраморной стеной. Уперлись удобней спинами, коленями и локтями. Задушенная команда:

— Раз!.. два!.. пошшеелллллл!!.

Йес! Статуя шевельнулась, сдвинулась, поехала — и пошла, пошла, пошла!

— Давай! Давай! Не останавливаться!

Мы повернулись и толкали сзади, держа ноги вбок от мыльного следа. Трон разогнался по скользкому, упряжка летела!

— У-тю-тю-у!..

По мыльной трассе, по мраморному полу, бронзовая масса — со свистом.

— Хорош. Стой. Тормози.

А уж хрен. Летит.

— Стой! Держи!!! Назад!!!

Разогнанный тонный бронзовый таран с хрустом вломился в дубовую дверь собора. Так вышибали крепостные ворота.

Мы оцепенели. Глаза боялись видеть.

Дверь треснула.

— Ой бля... — сказал народ, готовясь к расстрелу.

— Фигня, — сказал Игорь Гомозов. — Смешаю опилки с эпоксидкой и зашпаклюю.

— Эта трещина с революции семнадцатого года.

— Дух Ивана Грозного штурмует дух Казани, — объяснил Серега Некрасов. Он был самый интеллигентный из нас.

По брусьям, по паперти, по мыльной смазке мы заволокли Ивана в кузов подогнанного вровень грузовика. Рессоры просели.

После этого Мефистофель был нам — фью. Прочие тем более.

Я встал в кузове, поддерживая под ягодицы Венеру и Артемиду. Красивые снежные хлопья садились на обнаженную античную толпу. Вандальское зрелище, жертвы зондеркоманды. Беззащитны в грузовике, как партизанки перед виселицей.

— На первой езжай! Тихо, ровно...

Мы пересекли Невский, заложили разворот по каналу, площади Искусств, мимо «Европы», и по Невскому до костела. Со скоростью пешехода. Народ балдел. Иностранцы щелкали камерами.

Ревнуя к нашей славе, директор пришел в костел наблюдать и вдохновлять. Мы застелили лестницу брусом, полили мылом, тащили спереди и толкали сзади.

— Вот так работали на стройке пирамид, Владислав Евгеньевич!

Директор обиделся. Доценты и доктора наук за глаза называли его циничным эксплуататором.

— Рабы хреновы... — отреагировал он.

Иван скользнул с брусьев, как рухнувший косо с платформы танк, и размозжил директору большой палец ноги.

АВТОГОНЩИКИ

В АХЧ вечно говорили о машинах. Странный народ толокся.

— Это друзья Юрия Арсентьевича — автогонщики?

— Это друзья Юрия Арсентьевича — жулики, — вразумительно ответствовал Георгий Георгиевич, завэкспозицией и мой верховный шеф.

Если он был высок, строен, беспечен и гриваст, то его друг и директор Слава, он же Шер, хотя Шердаков, был его лысо-корыстной копией. Слава требовал, чтобы Казанский во всех возможных случаях и документах именовали МИРА. Музей Истории Религии и Атеизма. «Вам звонят из МИРА!» Не то из МИДа, не то из МУРа, хрен вас знает: на всякий случай слушали с опаской.

Слава хотел двух вещей: стать член-корром и ездить на черной «Волге». И работал в этих направлениях. Поил командировочных приятелей из Института Философии и купил по блату списанную «Волгу» на бюджет музея. Вот ее и требовалось привести в божеский вид. Отремонтировать, выкрасить и вылизать.

Юрий Арсентьевич радостно набрал прохиндеев на ставки уборщиц и сторожей. Они трындели на жаргоне фарцы, курили «Мальборо» и прихватывали наших мэнээсок.

— Владислав Евгеньевич, мы договаривались, что я буду вылизывать вашу машину, а не ваш зад, — с невообразимой наглостью и собственным достоинством заявил один, и Шер съел.

— Юра, — сказал другой Арсентьичу, — давай я сам буду тебе платить те девяносто в месяц, что ты мне выписал, только чтоб я это долбаное железо больше вообще не видел.

Это были ребята из шайки угонщиков, освободившиеся по условно-досрочному. Они пришли на легализацию: работа, трудовая книжка, справки для прописки и т.д. Наши зарплаты оставляли их в непонимании.

С Сашей, бывшим чемпионом-раллистом и перегонщиком краденых аппаратов в Среднюю Азию и на Кавказ, я иногда ездил по хозяйственным надобностям. Он садился за руль раздолбанного, списанного, перечиненного «рафика» как хищный зверь на гоночный мотоцикл. Прогревал, газовал, и рвал с места пулей, топя педаль и переходя с первой на прямую.

Он не держал по городу меньше девяноста. Микроавтобус дребезжал, трепетал и разваливался. В поворот он вписывал вираж на двух колесах, не снижая скорости. Заскакивая правыми на тротуар, мертво осаживал перед светофором, и ни разу сосед слева не посмел возразить.

— Кто чует машину — того чует сосед, — скалился он. — В городе только дураки бьются.

С ним было весело. Полный симбиоз биологического организма и разваливающегося железа.

Он разбился через три года в угоне, слетев с дороги, когда встречная из-за грузовика вышла ему в лоб.

СИГНАЛИЗАЦИЯ

— Вы кто?

— Кто скажете, Владислав Евгеньевич.

— Вы что заканчивали?

— Вообще?

— В частности.

— В частности все, что начинал.

— Вы кем работаете в музее?

— Владислав Евгеньевич, у меня тоже вопрос. Я кем работаю в музее?

— Вы за что получаете зарплату?!

— Мне кассир не говорила.

— Вас давно пора уволить!

— Меня — уволить? Меня давно пора наградить!

— За что?!

— За боевые заслуги! За оборону Ленинграда! За спасение утопающих!

— Где сигнализация?!

— Вот я вам сигнализирую!

— Прекратите паясничать! (Хлоп по столу.)

В кабинете присутствует наш отдел кадров Наташа Лубенец. У Наташи большая грудь, тонкая талия и бедовые черные глаза. Она регулярно залетает. Сейчас она наслаждается поединком двух самцов и испускает женские флюиды. Дир распускает лысый хвост. Я не могу поджать свой в Наташином присутствии. В конце концов, я моложе и лучше выгляжу.

— Кто позволял вам садиться?! (Хлоп по столу.)

— Владислав Евгеньевич, у меня в вашем присутствии ноги слабеют.

— Я спрашиваю: где сигнализация?! Что вы пишете?!

— Младший научный сотрудник. Экскурсовод.

— Что?

— Помощник главного столяра. Заместитель заместителя заместителя по административно-хозяйственной части.

— Кто?

— Снабженец. Курьер. Бригадир младшенаучных грузчиков. Первая фреза собора — пильщик оргстекла.

— Что вы бормочете галиматью!

— Отвечаю на ваш вопрос кто я.

— Я вам сам отвечу, кто вы! Вы работать собираетесь?!

— Уже нет.

При серьезных нотах Наташа встает и тактично уходит, цокая по каменному полу. Мы ни на секунду не отвлекаемся на симфонию заднего фасада лучшей фигуры музея, просто внимания не обращаем. Кураж сразу спадает. Секс-бомба оживляла смысл диалога.

— «Прошу вас...» Хрена лысого я тебя уволю.

— Нет уж увольте, возразил Чичиков.

— Когда наконец будет сигнализация! Ты что, ничего не можешь поставить!

— Я все могу поставить! Хоть к стенке, хоть пистон! В этой «Главсирене» очередь два месяца, а что я?

— Так раком их поставь! Омаром, силь ву пле!

— В гробу они меня видали!

— А я тебя где видал?..

— А давайте минное поле поставим в коридоре. Чего там сигналить.

— Иди работай! Не подпишу!

Последний месяц мы с ним жили душа в душу, лучшие друзья. Извинялись за расставание.

Наташа ему не дала. Мне тоже.

НЕВЫНОСИМАЯ МЕЛОЧЬ БЫТИЯ

ВОДКА С ПЕЛЬМЕНЯМИ

Боже мой боже мой, какой нужно иметь злой умысел и искаженную психику, чтобы темной ленинградской зимой, в слякотный вечер пятницы после получки, не снизойти спасительной мольбе организма о водке с пельменями.

И вот, на фоне метеорологии «мечта алкаша» я двигаю мокрые ботинки в сторону «Генеральского» гастронома. Моральный императив утвердил меню. Бутылка водки и пачка пельменей. Реабилитационная доза для снятия стресса и восстановления иммунитета.

Цель близка: Гоголя угол Невского, напротив касс «Аэрофлота» — две ступеньки вниз. Место центровое, с выпивкой нормально. Толпа толчется и сопит: у мужиков получка. Электричество, бакалейный запах и грязь с опилками на полу.

И — нет сегодня тут водки! Бормотуха, сухое, фигня. И пельменей тоже нет.

В растерянной толпе страдает знакомое лицо. Мишаня Клементьев, однокашник. Тоже после университета, тоже сторублевый специалист, разведен и с комнатой в центре. Стандартный здоровый запрос в глазах: поллитра водки и полкило пельменей. Утомленная психика, приличное воспитание!..

И естественно, мы идем в «Елисей». Там толпа еще издали перед входом. Мы проталкиваемся, хотя информация висит в воздухе, горит большими буквами: водки нет! В отделе напротив нет пельменей. Боже мой, через Невский в лучах Екатерина со всеми, матушка-государыня, любовниками, а в имперской столице нет водки молодым активным мужчинам.

Из интересного в «Елисее» только друг, наш третий друг, Бобка Кожевников. Корпоративная анкета: тоже университет, тоже сто рублей, холост без алиментов, комната в центре. По бедности фантазии мечта тоже стереотипна: бутылка водки и пачка пельменей.

— Угол Литейного! — сказали мы и стали месить слякоть вдоль Невского дальше.

И в половине седьмого вечера пятницы, на Литейном проспекте угол Невского проспекта же, в гастрономе первой категории снабжения, тоже нам не было. Ни водки нам не было, ни пельменей. А был злой народ, тяжкая атмосфера петербургской истории и цитата из главного советского поэта Владимира Маяковского о том, что для веселия планета наша мало оборудована. Из веселья магазин предложил нам только четвертого нашего друга Шуру Попова. Университет, сто рублей, специалист без алиментов, без водки и без пельменей. С комнатой, в которой не хрен делать.

— На Пять Углов! — жизнерадостно указал Шура после приветственных речей, где цензурными были предлоги «ни» и «на».

И мы, хлюпая ботинками и носами, бодрясь и матерясь, в грязь и мразь предначертанного пути и образа жизни, проволоклись до следующего перспективного магазина.

Пять Углов — чудное место, чтоб получить по морде. Невыпивший человек раздражителен и быстр на руку. Мы удачно отмахались от ребят с Разъезжей, тем более что протыриваться к прилавку было незачем. Водки и пельменей не было ни нам, ни им, и никому.

— К цирку идти надо было, — разглаживал синяк Кожевников.

— Отсюда лучше на Ватрушку! — резонно просчитал Клементуля.

— А потом на Гороховую, — провел маршрут и я.

...На чертовой дикой окраине, без трех минут девять перед закрытием, в паршивой стекляшке, двадцатом магазине за вечер, мы прыгали перед кассиршей и криком убеждали продавщицу. Мы покупали четыре бутылки «Настойки Стрелецкой горькой» и четыре пачки «Фрикаделек Московских». Водки и пельменей в Ленинграде не было.

Ближе к десяти, выстроив раскисшие туфли под батареей, мы угромоздились наконец за стол, выпили дрянь и закусили дрянью.

— Ну что ж за херня-то за такая, — сказали мы. — Люлька трех революций! Интеллигентные люди с университетским образованием! С-сука, не надо ваших виски и рябчиков, но в пятницу после получки! Полбанки и тарелка пельменей! Неужели непосильная роскошь?!

Мы обсудили и осудили политическую ситуацию.

— По стакану «Стрелецкой» членам Политбюро — и власть свободна! — пожелал Мишаня.

— А если я захочу угостить девушку — что я ей предложу? — укорял еще не сдохшую власть Шура Попов.

— Лишнее слово — «угостить».

— Купи ей в аптеке денатурата и презерватив, — посоветовал Кожевников.

ПОЗДРАВЛЕНИЯ

За две недели до праздников на почтах выстраивались очереди. Народ покупал поздравительные открытки. Выбирали покрасивее, разные. Один поздравляемый получал от тебя только одну открытку и сравнить разнообразие не мог: но об этом не думали. В одинаковости всех купленных открыток было бы трафаретное отношение к близким людям. Поэтому требовали три таких, и две сяких, и по одной той и этой, ой, и еще с розочкой четыре штуки и две с салютом.

Люди общительные и многородственные писали пачки поздравлений. Отправлять следовало дней за десять до праздника, иначе перегруженная почта не успеет. Иногда открытки аж в почтовый ящик не лезут: забит, ждет выемки.

Дед умер перед Первым Мая. На столе осталась пачка неотправленных открыток. В его семье была куча родни. Сослуживцы, коллеги, друзья. А он был человек внимательный и аккуратный.

Я взял эти открытки не знаю зачем. Они были только что надписаны его угловатым, резким, раздельным почерком. Так сразу выбросить рука не поднялась. Я знал часть адресатов. Отправить — чтобы оценили внимание ушедшего уже человека, прочувствовали? Ну, уместно ли так...

Открытки остались забытыми у меня в глубине шкафа за мелочью. Я наткнулся на них через год. В апреле.

И вот это чувство невозможно описать... Искушение святотатством? Черный юмор? Узурпация власти над потусторонними сношениями? Озорство циничного негодяя? В груди буквально шампанские пузырьки ужаса и восторга, как перед первым парашютным прыжком.

Рука судьбы взяла за шиворот меня, не имеющего силы сопротивляться, и заставила опустить несколько открыток в синий ящик на углу квартала.

Я пытался представить себе чувства человека, получившего поздравление от родственника, умершего год назад. Пожелания с весенним Первомаем. Здоровья и счастья. Характерный дедов почерк ни перепутать, ни подделать было невозможно.

Это должно говорить о любви, которая сильнее смерти? Или внушить сверхъестественный ужас от привета с Того Света?.. Или попытаться списать на случайное совпадение неаккуратной почты?..

Должен ли человек делиться этим известием с близкими? Что должна чувствовать семья?.. А двое поздравленных — узнают ли друг о друге, обсудят ли ситуацию, обменяются предположениями?

А может, я зря усложняю и накручиваю, люди не так уж впечатлительны. Вздохнут лишний раз, помянут добром лишний раз: мало ли почему открытка могла год где-то проваляться. А если чья-то шутка, то очень кретинская и не смешная.

Но. Через год. Я повторил. Бросил к Первомаю еще несколько открыток.

Я не мог объяснить себе смысл черного эксперимента. Старые люди. Жить осталось мало. И вдруг получают поздравление от родственника, который уже Там...

Молодость, конечно, чудовищно жестока. Некое адское изящество этой дури бесчеловечной — влекло.

Нет, необходимо добавить, что большинство этих людей я не знал, а к тем, кого знал, был достаточно равнодушен. Они воспринимались как люди чужие и сторонние, люди вообще, или даже несимпатичные.

Но — живые, приличные, не злые, в общем хорошие и ни в чем уж подавно не виноватые!

Ужастик. Готический роман. Сатанинское наваждение. Психосадизм.

Через два и три года я повторил отправку, страшась разоблачения.

Потусторонняя власть слова над людьми тащила меня.

ШЕЛКОГРАФИЯ

Когда Бродского выслали за 101-й километр, наступила эпоха борьбы с тунеядцами. Не важно, на какие заработки ты жил — главное, что ты больше двух месяцев не работал. Особенно если вообще постоянно не работал. Ты подпадал под закон. Милиция обретала право на твою судьбу. Донос соседей решал ее.

Было такое слово: БОМЖИР. Без определенного места жительства и работы. Бродяг отправляли на поселение. Однако за неработание лишиться своего жилья и прописки было как нечего делать. Суд, тунеядство, выписка, высылка в места исправительного труда. Совхоз, стройка, целина. Ежемесячная регистрация в милиции. Удержание тридцати процентов заработка.

Поэтому социально неродные личности устраивались и ловчили. Мечтой сияло стать секретарем члена творческого союза — хоть писателя, хоть архитектора. Те имели право на секретарей. В литфонде или худфонде оформляли договор, писали минимальную зарплату 60 рублей. И ежемесячно тунеядец приезжал расписываться в ведомости. Денег реально не брал — но и не делал ничего. Это называлось «трудовая книжка работает».

Был еще вариант: совместительство. Совмещать работы официально было трудно. Разрешение, ограничение, налоги, то-се. Поэтому официально оформлялся один — а реально работал другой. Это устраивало все три договаривающиеся стороны: нанимателя, исполнителя и зиц-работника.

Итого. Когда тошнота от работы делалась непереносимой, а внимание соседей опасным, я устраивал на работу свою трудовую. Дело требовало знакомств, разумеется.

Чем же плохо числиться шелкографом. Например, на фабрике музыкальных инструментов имени Луначарского. Звучит необыкновенно изящно. Типа кардинал Ришелье вышивает шелком, наигрывая при этом на мандолине.

С реальным шелкографом, который в пяти местах заколачивал штуку деревянных в месяц, я подъехал на фабрику. Директор кивнул, глянул паспорт и трудовую, и подписал заявление. Завотделом кадров глянул и оформил. Эти двое были в курсе. Они обязаны. Дир отвечает за все, а кадры представляют КГБ.

Остальные остаются непосвященными. Незачем. Работу всю эту шелкографическую реальный исполнитель привозит, будто он курьер от меня. Работа — надомная! Что и ценно!

В аванс и получку я стою очередь к фабричной кассе, предъявляю паспорт, расписываюсь в ведомости и отвожу деньги кому надо. А он отделяет мне пятнадцать рублей. Я отбрыкивался, но мне разъяснили, что это закон: десять процентов, или десятка от мелких дел, или пятнашка от суммы покрупнее, — это положено платить тому, кто предоставляет свою трудовую и возит зарплату. Эти пятнадцать мне были просто как найденные.

Но. Если на Солнце есть пятна, то дыры в тонких мирах — их отражение. Провал в такую дыру выглядит примерно так:

Отхожу от кассы. И ко мне — мужик. Берет за рукав и ведет речь:

— Я давно хотел с вами встретиться! Вы такой неуловимый! Как я рад, наконец!

Я надуваю щеки и валяю ваньку с мобилизацией всех способностей.

— Я главный технолог. У меня к вам ряд вопросов. Как удачно! Пройдемте в цех, я вам все покажу...

Трах-тибидох. Господи, помоги мне сделать умное лицо.

И полтора часа он мне сует гитары и балалайки всех фасонов, тычет в кружочки вокруг дырок, каемочки и точечки, и парит мозги китайской грамотой. А у меня в голове все плывет от кивания.

— Я рад, что вы со мной согласны. Ведь так же рациональнее, правда? Вы плохо себя чувствуете? У вас такой вид...

Вид у меня был что надо. Я уже прикидывал, сколько мне дадут, или удастся обойтись условным сроком и ссылкой.

С трудом уйдя живым и доехав до моего деловара-шелкографа, я устроил бенц:

— Хоть объясните? что говорить? полтора часа! как кретин!!! а если донесет?.. стукнет?.. а если снова?! младший технолог? или средний инженер? там этих музыкоделателей полная фабрика!..

— Ах, — сказал он. — Что же, конечно, обязательно, как же так, кто их вообще куда тащит соваться, рационализаторы хреновы, мало им своей работы, так в мою лезут. Технолог!! хренолог...

Через два часа я привез домой сумку вещдоков. Там были рамочки, куски шелка, клей, баночки, пузыречки, кисточки, валики, растворители и разбавители. Я мог открывать мастерскую на дому. Шелкограф в рабочем интерьере.

Вечером сидим с друзьями. Дымно — комната

восемь метров. Выпиваем понемногу. Звонок к соседям. А через минуту — стук в мою дверь.

Участковый, лапа моя. Улыбается застенчиво. И счастливое лицо соседки за плечом. Конец тунеядцу, и собутыльникам его с девками мало не будет от родной советской милиции.

Ах, говорит участковый, что ж у вас так накурено. Напитки употребляете? Нет, гости не запрещены. И двадцати трех часов еще нет, пожалуйста. А... паспорт ваш... можно? А работаете... где? А... трудовая ваша... там?

Через час очумелый капитан мог ответить на все вопросы технолога, задолбавшего меня утром. Я показал ему, как натягивается шелк на рамку, и как он спрыскивается лаком из пульверизатора. Как кисточка макается в растворитель, вытравляется по лаку рисунок марки, а фон закрепляется утюгом. Я расплавил пока на плитке воск и пояснил распределение краски по валику и накатывание марок на чистый шелк.

Капитан снял шинель, уместился на диван меж гостей, принял стакан портвейна и закурил. Соседи ваши, по секрету, склочные гады, сказал капитан. Второй донос. Он же обязан отреагировать. А тут человек пашет на дому, как папа карло. Они, суки, не иначе хотят комнату отобрать. Хабалка с колбасного цеха и муж-таксист. Ненавидит он такую публику. Вы звоните мне, если что.

Слушай, так ты что, реально шелкографом работаешь, сколько же получаешь, ошеломленно залюбопытствовали друзья после ухода власти?

Инструктор по шелкографии для всех интересующихся, сказал я. Сегодня с одиннадцати утра.

ЖЕЛТАЯ ПРЕССА

ЗОЛОТЫЕ СЛОВА

Я работал в газетах два раза по девять месяцев. Отчетливый срок декретного анти-отпуска. Зачатие ощутимо происходило в первый день, и в положенный срок из меня рождалась черная ненависть ко второй древнейшей. Это нервировало окружающих, мешало им справляться с собственными чувствами, и меня ласково толкали в увольнение, любя вслед. Но поначалу, как полагается, было приятно.

«Скороходовский рабочий» был прекрасен. Беззаботные звезды и пораженцы в анкетных правах, и все цинично расстаются с комсомольским возрастом. А журналист — это было круто. Представители элитной и романтичной профессии. Знакомишься с девушкой, вы кто и то-се, а я журналист, не верит, покажешь удостоверение — ух ты, и сразу другое дело.

Я пришел в «Скороходовский рабочий» 22 апреля, в день Всесоюзного ленинского коммунистического субботника. Это у меня вообще был какой-то Юрьев день перехода с места на место. И что характерно — каждый раз невпопад.

Нет, приняли отлично, выпили нормально, все что-то делали, я предлагал себя на подхвате, классная контора. Интересно стало назавтра.

Номер «Скороходовского рабочего», четыре полосы, пять раз в неделю, десять тысяч тираж, единственная в мире газета обувщиков, читается на дюжине фабрик объединения в Архангельске, Петрозаводске, Новгороде и Пскове помимо Ленинграда, — вышел с радостной шапкой на первой полосе:

«ПЕЗДА ПОШЛИ
ПО ЛЕНИНСКИМ МЕСТАМ»

Мы рухнули на пол, не веря счастью. Когда встали, оказалось, что мамка-редактриса встать не может. Ей нужна «скорая» для предынфарктного состояния. Из больницы ее перевезли в райком партии, и оттуда с партийным выговором повезли обратно в больницу, через неделю из больницы — на совещание к Генеральному, директору всего объединения то бишь, и оттуда нет, не на кладбище, а снова в больницу. Но тогда уже из больницы — на работу! Правда, всех лишили премии, но никого не посадили. Тогда мало сажали.

Редактор «Ленинградской правды» в тот же святой день так легко не отделался. Правда, у него и газетка покруче была. Весь ее разворот, оснащенный фотографиями, был посвящен Ленинскому субботнику.

И вот в центре разворота характерная картинка: обвешанные оружием ребята в камуфляже радостно скалятся на фоне пальм, и в каждой руке — по отрезанной голове негра.

И подпись под клише: «*Ударно потрудились сегодня ребята с “Электросилы”!*»

Народ умер в экстазе. Что ударно, то ударно. Как, что, почему такое наслаждение?!

А на четвертой полосе в международном обзоре — неприметная фотка каких-то работяг с носилками и лопатами, и подпись: «Зверства португальских колонизаторов в Анголе».

Газета в металле, перекинули клише одного формата, а подписывающий редактор, не говоря о корректоре, в клише ведь не вглядывается, их текст и макет заботят. Одно касание — и всем марципаны.

Редактора «Ленправды» имел в Смольном Романов лично, босс и бог колыбели революции, и из его кабинета уползал беспартийный безработный с инвалидностью по геморрою.

И вдруг открылась эпидемия опечаток — это при тщательности той эпохи! Советская власть начала рушиться на вербальном уровне. Вначале было Слово — таки да.

Ленинград оклеили красочными афишами в алых тонах: радостные цыгане пляшут и поют, тряся бубны. И надпись — через весь лист — крупно:

«Академический
ордена Дружбы народов
ЦЫГАНСКИЙ ХЕР»

Такого просто не может быть, и вот опять. С тех пор и много лет ни одной цыганки в Ленинграде никто не видел. Власть просто озверела, узнав, что афиши провисели сутки. Цыганскому хору велели передать, что при пересечении границы Ленинградской области стреляют без предупреждения.

Поэтому афиша «60 лет советского цирка!» была воспринята болезненно. Афиши сняли, Главлиту строго указали, а также запретили цирковым вообще праздновать этот юбилей, сказав, что сами понимать должны, что, идиоты? Только что отпраздновали 60-летие Великого Октября, вы что, все клоуны, или из-под купола на голову упали?

И немедленно «Вечерка» в патриотичнейшем материале о подвиге советского народа в Великой Отечественной войне ляпнула: «Как говаривал Александр Васильевич Суворов, “прусские русских всегда бивали”!» Интеллигенция, призывавшая чуму на голову государства, публикацию горячо одобрила. Редактора пригласили на дружеский расстрел в Пятое управление ленинградского КГБ, и полученные инструкции закрепились в нем как маниакально-депрессивный пацифизм.

Даже до нас, заводских газетчиков, ревниво подчеркивавших вышестояние своего статуса над многотирастами, докатилось эхо политической кампании. Все формы политики, истории, идеологии, экономики, государственной иерархии, карьер и зарплат, — избегать решительно. Мир, труд, май! Культура, семья, любовь. И не хрен. Побольше о природе.

На этот призыв молодежная «Смена» откликнулась ярче других. «Первый самолет с яйцами!» — был гвоздь номера. Когда первый восторг стихал, и снова можно было дышать, читатель узнавал, что куры на Кубани стали нести яйца со скоростью чемпионата по пинг-понгу, народ устал пихать в себя яйца всеми способами, их не успевали вывозить фурами и вагонами, пароход плывет — салют Мальчишу! И вот начали вывозить самолетами, отправив первый самолет с яйцами прямо в Воркуту. Надо сказать, оргвыводы были мягки, Смольный тоже имел чувство юмора в лояльных пределах.

Окрыленная успехом и развращенная безнаказанностью, «Смена» решила повторить успех бестселлером «А в Крыму уже сажают!». Они-то имели в виду картошку и вообще раннюю посевную по случаю ранней весны. Но смысл глагола «сажать» был у ленинградцев в генах. Заголовок вызывал растерянность, оторопь, страх, и только потом непонимание, и только потом ядовитый истерический хохот. Редактора сняли, и только. В направлении газеты, видимо, ощущалось нечто идеологически выдержанное.

Господь определенно любит шутить, и определенно любит не всех. Ничем иным нельзя объяснить сюрреалистическую историю с миниатюрой юмориста Голявкина, которая несколько лет валялась в журнале «Аврора». Ее поставили как раз в номер, посвященный семидесятилетию Дорогого Леонида Ильича Брежнева, причем юмореска называлась «Юбиляр» и начиналась фразой: «Даже странно подумать, что этот гигант еще жив и находится среди нас».

Главный редактор вылетел с работы впереди своего визга, как выразился классик, и после инсульта безвредно мычал на пенсии в ореоле народного страдальца.

Потом это вдруг резко прекратилось. Цензор и редактор работали как двуручная пила, редактирующая елку до формата столба. Тексты читались на предмет не содержательности, не свежести, не яркости, но скрытой вредоносности. Никаких намеков и поводов для наказаний.

И скороходовцы пробавлялись мелкой прелестью, поставляемой двумя старыми дурами, которых редактриса специально не увольняла: чтоб молодежи было об кого точить зудящие когти. Их вершинным достижением остался призыв:

«Нам нужен живой и зубастый настенный орган!»

Это они звали повысить качество цеховых стенгазет.

ЗАВТРАК АРИСТОКРАТА

Единственная настоящая роскошь — это роскошь человеческого общения. Так сказал де Сент-Экзюпери, и мы смеялись, что только от графа и выше это могло открыться французам, которым остальная роскошь уже по барабану. Французы в Ленинграде от нашей роскоши просто опомниться не могли, спиваясь каждую ночь в новых гостях. Да вы же счастливы! — восклицали они. Вам бы еще одежды побольше, и квартиры побольше, и еды всегда в магазинах, и коммунистическую партию запретить, а зарплата у вас какая? И все начинали смеяться.

Что касается нашей роскошной жизни, то Гришка Иоффе всю жизнь выплачивал долги за трехкомнатный кооператив. А Витька Андреев хотел жениться на Наташке Жуковой. А Вовка Бейдер желал подстригать свою бороду исключительно в «Астории», вот хош у него такой вырос. А Серега Саульский вознамерился каждый день обедать. У него вообще случались периоды заботы о себе.

Кстати, это он таскал меня по французам, у него после французского отделения остались интуристовские связи, и он иногда подрабатывал еще переводчиком.

Кстати, когда мы читали в «Мартине Идене», что делавший карьеру скупой банковский клерк сам готовил себе обед дома на керосинке, так осуждение Мартина было непонятно. Мы все готовили сами себе дома на керосинках, семейные, конечно, холостые жрали как придется. Было бы из чего готовить. А где же есть? В столовках? Дают отраву, а в итоге накладно. Кстати, применительно к Америке упоминались только столовые для безработных. В ресторанах ужинали миллионеры. Остальной народ пил в барах виски.

Вот Серега наобщался с французами и из патриотизма и самолюбия вдруг внушил себе, что он должен каждый день скромно обедать «в приличном месте». Приличным местом полагался, например, «Капрашка», он же Дом Культуры им. Капранова (кто такой?!) — там было кафе, и это рядом.

Я ходил с ним по дружбе и за компанию, мы ровно брали и ровно платили, типа пополам или по очереди. А с получки, подогнав редакционные дела, решили пообедать в «Метрополе». Середина буднего дня, пусто и быстро, без дыма и оркестров.

И вот сидим мы с ним со своим скромным заказом в «Метрополе», и на весь зал заняты всего три столика. За одним столиком Юрий Никулин, он сейчас в Ленинграде на гастролях. Слева и справа у него по даме, перед ним «Столичная» и шампанское и много хорошей еды. А в другом конце — молодой шахтер с подругой, черная кайма и самый дорогой коньяк. И он все время порывается подойти к Никулину за автографом, из-за колонны выскакивает официант и берет его на корпус. И это наводит нас с Серегой на размышления о бренности славы и богатства.

Мы платим по счету, курим с кофе и обсуждаем сравнительный достаток шахтера и клоуна. И свой недостаток.

— Значит, так, — говорит Серега, — давай считать в среднем. Одно мясо. Нормальное. Не самое дорогое. Рубль семьдесят, скажем.

— Рубль пятьдесят, — говорю скромный я.

— Рубль шестьдесят. Два. Три двадцать. Салат. Допустим, по полтиннику. Рубль. Четыре двадцать. Два кофе. Четыре шестьдесят. И бутылка сухого. Семь шестьдесят. На чай официанту, баловать не фиг.

Итого — наш с тобой обед стоит восемь рублей на двоих, согласен?

— Сегодня десять. Но это «Метрополь». А вообще так.

— Ты сколько получаешь?

— Сто десять.

— А я сто тридцать. Итого — двести сорок на двоих. А обеды наши сколько стоят?

— Восемью три — двадцать четыре. Тоже двести сорок. Рублей в месяц.

— Погоди, — говорит Серега. — Что за херня такая получается?..

Мы пересчитываем и даже пишем на салфетке, как физики в кино. И по сравнению с салфеткой Серега становится вообще черный.

— Теперь я понял, почему никогда нет денег, — тянет он и смотрит, кого бы зарезать. — То есть это все наши с тобой зарплаты. Две наши зарплаты полностью ушли на обеды.

— Нет, — говорю я. — В неделе пять рабочих дней, это получается двадцать два таких обеда... сто семьдесят восемь рублей. И остается еще шестьдесят два рубля на двоих... это до фига.

— А в выходные я что, обедать не должен?! — злобно раскаляется Серега.

— Но хватает ведь и на выходные.

— А если я еще хочу... купить носки, например?!

— Ну... надо выбирать — или обедать, или носки.

И вот эта дилемма просто привела его к нервному срыву.

— А если я хочу и обедать, и ходить в носках?! — завопил он трагически, как прокурор при землетрясении.

Никулин с дамами обернулись и посмотрели на нас одобрительно.

— Михайло! — калился и шипел Серега. — Смотри.

Мы с тобой журналисты. Не хрен собачий. Мы кончили университет. Мы пишем в ленинградской газете. Нас печатают, нас читают люди. Мы работаем, твою мать!! И мы что же, не можем позволить себе каждый день обедать?!

— А ты завтракать не пробовал?

— Пробовал! Я завтракаю! Я завтракаю, блядь, чашкой кофе и круассаном в кафе под домом. Тридцать пять копеек. Это десять рублей в месяц. А где я их возьму, если я обедаю?!

— А ты в метро платишь?

— Плачу! Это еще... три рубля в месяц! А еще я курю! И между прочим тридцать пять копеек пачка «Опала» — еще десять рублей в месяц!

— Серега. Вот ты купил джинсы...

— Штаны! А если я хочу купить штаны!!! Я что, не могу купить себе штаны???!!!

— Есть дешевые штаны.

— Сука, на что мне жить?!!! — завопил Серега подошедшему официанту. — Я не хочу носить дешевые штаны!! Пусть они сами носят свои дешевые штаны!! Почему я обязан носить дешевые штаны? А кто будет носить нормальные штаны?!

Официант смешался и покраснел.

— Чего стоишь?! Бутылку «Столичной» и два салата!

— Какие салатики?

— Столичные! Что непонятно?

Мы вмазали по фужеру, проводили взглядом Никулина, подозвали шахтера и дали ему два автографа на меню от знаменитых журналистов. Он зарабатывал втрое больше нас вдвоем.

— Так что мне теперь — в шахту? — спросил Серега. — Я для этого учился? А если я хочу работать журналистом, есть три раза в день и носить штаны с носками?

— Тогда вали отсюда, — посоветовал я.

Он засуровел, задумался, проклял Запад и сказал о своем суворовском училище и каперанге отце.

Через полгода Серега женился на Кристине, стажерке из Сорбонны, и уехал с ней в Париж. Французский у него был классный.

НАЕДИНЕ С ФРЕЗОЙ

В каждой советской республике цвел свой русский язык. А Ленинград оставался эталоном.

Полет мысли в «Молодежи Эстонии» был, но на высоте крокодила: ныззэ́нько. После «Скороходовского рабочего» таллинский Дом Печати поражал роскошью и бездельем. Журналисты сидели по двое в просторных кабинетах с отдельными телефонами, пили кофе в затемненном баре с музыкой и неделями ждали выхода своего материала на полосу. Этот материал преимущественно писался дома от руки и сдавался машинистке в машбюро. Линкольн Стеффенс работал не здесь.

Меня приняли хорошо, потому что у меня был знак качества: вчерашняя ленинградская прописка. С этим знаком качества меня призвал в третейский суд ответсекр, старый партийный эстонец.

— У тебя свежий русский язык, — польстил он. — Скажи — это хороший заголовок? — и повернул гранки ко мне. Там значилось:

«Наедине с фрезой».

Автор шедевра извивался от волнения. Он истачал нетленку о знатном фрезеровщике.

Я зауважал ледяной эстонский юмор. У них в лице ничто не дрогнуло. Эту подначку мы в «Скороходе» развивали.

— Заголовок хороший, — подтвердил я. — Хотя лучше, возможно, «Надвое фрезой». Или «На троих с фрезой». Или «Одной фрезой двоих». Или «Один на один с фрезой». Или «С фрезой на одного».

Они смотрели выжидательно и серьезно.

— М-м, да нет, — отверг ответсекр. — Мне так не очень нравится.

— «Заодно с фрезой», — предлагал я. — «Фрéзать раз». «Фрезание единства». — И спохватился, что он может заподозрить пародию на эстонский акцент и обидеться.

— «С фрезой на поединок». «Не фрезой единой». «Наезд на фрезу».

— Хм. Нет... Это странно.

— Можно с более личным оттенком.

— Вот! Именно!

— «Фрезался по уши». «Один в поле не фрезун».

— А разве так говорят по-русски?

— «Плановый фрезец».

— Это интересно. А так говорят?..

— «Фрезерное счастье». «Душевный фрезер». «Фреза в одном месте». «Фреза у каждого своя». «Человек и его фреза».

— А вот последние два неплохо!.. Молодец.

В коридоре за открытой дверью приостановились заинтересовавшиеся. И все русские. Ну, может евреи. Все равно не эстонцы. Они бессердечно перетолковали старому Руди Паулю, ответсекру, что я говорил.

С тех пор и до увольнения начальство меня ненавидело.

— Нам не нужно тут показывать столичное мастерство! — негодовала старая редактриса и шевелила туфлеобразным носом, как Педро из романа Беляева «Человек, потерявший свое лицо». — Нам нужны содержательные, производственные, политически насыщенные материалы!

Вообще народ в доме друг друга любил и фамилии разрастались до устойчивых единообразных титулов типа «этот мудак Фридлянд» или «этот мудак Трубецкой». Женский вариант был «эта сука Свальская» или «эта сука Клюхенпаю».

Мне нравилось сидеть в большом кабинете за солидным столом, перед просторным окном на улицу в центре, курить и говорить по телефону, все равно с кем. Я носил темные сорочки под светлый пиджак и светлый галстук. Я обожал, если в баре меня звали к звонившему за стойкой телефону. Это был верх профессионального стиля и заграничной романтики. Мы там были просто журналисты из кино про Запад.

Через девять месяцев у меня произошел очередной выкидыш, и я уволился. Бессмысленность газет в СССР портила нервы.

Скрижаль

Нежный, неуловимый, тающий туман памяти, неощутимая взвесь бытия растворена в безмерном времени, первые еле заметные крупицы кристаллизуются в прихотливой и бессвязной последовательности, о нет, в этой последовательности своя логика, ясная и беспощадная, свой объективный закон: каждый детеныш воспринимает, впитывает и воспроизводит культуру своей стаи, своего народа, своей эпохи: и вот моя первая игрушка — броневик: он зеленый, со скошенным носом и кормой, из низкой круглой башенки торчит пулемет; снизу у броневика пятое колесо, оно туго прокручивается, если сильнее прижать к полу, и тогда из пулемета бьет колючий снопик огня, там зубчатое колесико чиркает по кремню; пройдет много лет в детском измерении, года два к тем двум, что уже прожиты, и мне начнут читать книжки, дома и в детском саду: «Далась победа нелегко, но Ленин вел народ, а Ленин видел далеко, на много лет вперед», и я буду уже готов к Ленину, потому что на картинке он будет стоять на моем броневике, с поднятой рукой, и смысл броневика, его историческая сущность и предназначение отложатся в подсознании, через этот свой младенческий броневик я оказываюсь нерасторжимо связан с самым лучшим, самым мудрым и великим из людей, с Лениным, делу которого мы служим, чтобы все трудящиеся люди были счастливы, дело его бессмертно, и сам он бессмертен, и мои руки помнят довольно грубо обработанные края железных пластинок, из которых был собран броневик, закругленный шип одной пластинки входил в прорезь другой и там внутри крепко загибался, обеспечивая соединение,

соединение цветного карандаша с плотной шершавой бумагой тетради для рисования дает яркую перспективную линию, карандаши так быстро тупятся и делаются короткими, новые они длинные и красивые, новая коробка карандашей сулит красоту и порядок, шесть штук «Спартак», он на коне и ранен копьем в бедро, или двенадцать штук отцовская «Тактика» с военной картой на коробке, или «Искусство», а бывает восемнадцать, они лежат в два ряда, мне подарили такую коробку на день рождения, уже аккуратнейше и остро заточенных, надо было как можно быстрее использовать на бумаге каждый цвет, но линии и пятна не проявляются в памяти сложением в рисунок — пока не возникает война, а война — это наша грозная слава и великая победа, нам нет равных, мы лучшие в мире, самые сильные и храбрые: все небо заполнено нашими краснозвездными самолетами, они голубые и зеленые, мощны и красивы, их пулеметы извергают потоки пуль, и между ними трусливо и обреченно пытается спастись одинокий фашистский самолет, кривой и уродливый черный задохлик со свастиками на нелепых крыльях; и тогда под небом победоносной войны открывается земля победоносной войны, черный курчавый дым над красными кустами взрывов, и огромные зеленые танки с красными звездами расстреливают подлый и беспомощный фашистский танк с кривой пушкой и смятыми катками; и мы играли в войну всегда, раньше, чем себя осознали, война — это было главное, решающее в жизни, самые маленькие сидели за углом и были ранеными, а девочки перевязывали бойцов и подносили патроны и папиросы, главным было защитить штаб и захватить штаб врага, и все умели устраивать засады, наносить отвлекающие фланговые удары, имитировать ложное отступление или обойти врага с тыла, это было у нас в крови, тактика сама собою разумелась,

разумелась стройная музыка стихов, наполнявших душу гордостью и верой в будущее: Вова с папой в Ленинграде на весеннем был параде и потом в своем отряде рассказал ребятам всем, что увидел на параде в первомайском Ленинграде он с трибуны номер семь: громко музыка гремит, папа Вове говорит: знай, сынок, товарищ Сталин нашу армию создал, потому товарищ Сталин самый главный генерал; а потом организованно учим в детском саду стихи к празднику, и вдруг интересные странности начинаются, когда воспитательница с фальшивой нравоучительностью велит: а вот здесь это не надо читать, а как надо?.. надо читать так: спасибо, наш Тата... нет — наш Кеке... нет — наш Хэхэ... в общем — спасибо, наш Ээ любимый, за мысли твои и дела,

дела в стране были интересными и странными, детсад распевал частушку: Берия, Берия, утерял доверие, а товарищ Маленков надавал ему пинков, дети гарнизонов политически грамотны и политику партии понимали правильно, мы знали, что окружены поджигателями войны, однажды в кино в клубе на коленях у отца я так и спросил про каких-то с факелами, которые поджигали что-то старинное: это поджигатели войны? что вызвало одобрительных хохот офицерского зала; и вот родители ушли в полковой клуб на вечер по случаю праздника не знаю какого, меня уложили в кровать не известив, но свет и радио оставили: и тут бьют кремлевские куранты — и жуткий, огромный, сулящий все ужасы смерти, тяжкий металлический голос обрушивает, что работают все радиостанции Советского Союза, и передаем правительственное сообщение, и ясно, что началась война, и возможно уже упали атомные бомбы и полстраны погибло, и оледенев в гибельном кошмаре, я слушаю, что в ознаменование произвести салют из двадцати четырех залпов в столице нашей Родины городе Москва и городах-героях Ленинграде, Сталинграде, Севастополе и Одессе, и зачитать этот садизм с геройским концом во всех ротах, батареях, эскадрильях и экипажах, мамочка, так же заикой сделать можно, читал Юрий Левитан, да лучше б он вообще не научился читать,

научился читать я без ажиотажа в первом классе, как все, и вот утром в воскресенье, родители спали, я вытащил книжку потоньше и залез обратно читать — и самостоятельно прочитал книжку от начала до конца, и запомнил на всю жизнь, и картинки там были красивые, но описанное впечатляло еще больше картинок, называлось это: Сказка про военную тайну, про Мальчиша-Кибальчиша и его твердое слово; вот такая была моя первая прочитанная книжка, и она осталась, и она наложилась там, в прослоенных глубинах подсознания, на стихи, удивительно крепко сколоченные стихи: в ЗиСе-110, машине зеленой, рядом с водителем — старый ученый, в ЗиМе — седой генерал-лейтенант, рядом с шофером — его адъютант, в синей победе — шахтер из Донбасса, знатный забойщик высокого класса; на войне много и часто ругаются, а чтоб ты издох, немилосердно пожелал Поль Поттер этому злейшему врагу буров; «Одиссея капитана Блада» учила мальчишек благородству, храбрости и романтике; великий рассказ Джека Лондона «Мексиканец» вселял гордость никогда не сдаваться и побеждать вопреки несправедливости, вопреки грязным условиям, побеждать волей и духом врага сильнее тебя и не ждать признания и награды,

награды за успешный переход в следующий класс давались книгами, и я помню «Записки коменданта московского Кремля» Малькова, расстрелявшего Каплан: о, как мы верили в свою прекрасную страну, доброту угнетенных негров, добродетели бедняков и злые пороки богачей: мы были окружены странами злых богачей, и вот календарь школьника: закопченный проулок трущоб, и быкоподобный полицейский бежит бить дубинкой худеньких бедно одетых мальчиков, которые написали на стене слово «мир»: за мир мы воевали с врагами в Венгрии, доносились вести от отцов, за мир мы противостояли Америке, «Огонек» печатал страшную повесть об американских бомбоубежищах и советской ракете с пятимегатонной головкой, которую мы запустили,

запустили первый спутник Земли, и мы гордились страшно — мы явно, воочию, были самыми передовыми в мире; а потом второй спутник, с собакой Лайкой, мы собирали марки с ее фотографией, и наша ракета впервые в мире увидела и передала изображение обратной стороны Луны, исторический шаг! а другая ракета достигла Венеры, с ума сойти, фантастические книги! а потом полетел Гагарин, у него развязался шнурок на ковровой дорожке, когда он шел на трибуну Мавзолея отдавать рапорт Хрущеву, и с тех пор все космонавты тщательно завязывали шнурки, а на файф-о-клоке у английской королевы Гагарин съел лимон из чая, и королева также вытащила из чашки свой ломтик и непринужденно сжевала, и с тех пор по этикету за столом английской королевы можно есть лимон из чая: так у нас рассказывали,

рассказывали апокалиптические ужасы про испытания водородной сверхбомбы на Новой Земле, мясное довольствие вдруг полгода выдавали консервированными крабами, они пахли унизительно, только кошка урчала в экстазе, счастливая этой лафой, юмористы-куплетисты Шуров и Рыкунин пели весьма идиотски: «Сто мильонов тонн тротила — чтоб кондрашка их хватила!», мы-то знали, что Ту-104 — это просто мирный вариант бомбардировщика Ту-16, а Ту-114 — это, в свою очередь, гражданский вариант стратегического бомбера под водородную бомбу Ту-95, и вообще все стены санчасти были оклеены плакатами, как вести себя при ядерном взрыве; поддатый офицер — находка для семьи, мы знали от отцов даже то, что в случае наступательного ядерного удара личный состав частей, вводимых в зону прорыва, рассчитывается на двадцать четыре или сорок восемь часов действий, потом их складывают в палатки умирать от лучевой, а дальше задачу выполняют сменившие их свежие части; не раз в застолье и в курилке офицеры возвращались к сорок пятому году и повторяли, что был жуковский приказ «прощупать союзников на вшивость», и двинули мы им только так, отодвинулись и утерлись, да кто нам в сорок пятом мог противостоять! никто и близко не мог! папироса, прищур, жесткая усмешка, военная ностальгия: такая армия, прошедшая такую войну, такая армада, американцы — это нет, не вояки, сопляки, им подавай комфорт, людей жалеют чуть что, это не противник, разве после немцев американцев можно сравнивать?

эх, надо было, конечно, проходить танками всю Европу, и никто бы нам тогда не смог ничего сделать, и был бы везде социализм, и никакого НАТО, и опасность войны была бы уничтожена; и когда осенью шестьдесят второго они все исчезли на какие-то маневры, мы лишь поздней узнали, что карибские игры балансировали на грани последней войны, что нас по юному наплевательству никак не впечатлило,

не впечатлило убийство Кеннеди, он далеко и не наш, это типа кино, сквозь трещины запретов жизнь уже стрекала сознание, как крапива: оказалось, что брат деда был комбриг Гражданской войны и расстрелян в тридцать восьмом, а сестра деда отсидела десять лет — и никогда ни словом не обмолвилась, как это было, и дед с бабкой воспитывали их детей и ждали посадки; и никогда дед не рассказывал, за что его орден Ленина и два Красных Знамени, и только после смерти бабки я увидел ее фотографию сестры милосердия в полевом лазарете Первой Мировой войны; уже много позже прорвалось однажды у деда, какой это ужас — всю ночь слушать проезжающие по улице машины и ждать остановки двигателя под домом, вы себе сейчас не представляете, как каждую ночь люди садились, все друзья уже сели,

сели трое космонавтов — а их все не встречает Никита в Кремле и не встречает, что за притча, заболел, может, — а через неделю встречают, и уже не он: Брежнев, Косыгин, Подгорный, — сняли нашего кукурузника «за волюнтаризм»: о, какой свободой, какими радостными надеждами загорелись глупые глаза рабочего класса и особенно трудящейся интеллигенции, не будет больше неуч отпускать дурацкие шутки и учить художников живописи, а писателей литературе, любимцы-куплетисты Рудаков и Нечаев лопались от сатирического восторга: «Вышли, спели что хотели — сами удивляемся!» — им вторил Аркадий Райкин, замахнувшись на наше святое — всепроникающее руководство КПСС: «Партия учит нас, что при нагревании газы расширяются!» — и все смеялись над храброй сатирой, долго смеялись, года полтора, пока длилась инерция глупости и свободы,

инерция глупости и свободы иссякла года через полтора — посадили Даниэля и Синявского, подпольных врагов, тайно печатавшихся на Западе, иуды писательские! но сосланного за полгода до снятия Хрущева Бродского все равно не выпустили; а в армии Особый отдел! а там все знают! а информация протекает, хоть рты всем заваривай! и вот уже на закрытом совещании Политбюро принято решение: политическую бдительность повысить, анекдоты типа армянского радио прикрутить, гайки подкрутить, зад к ремню изготовить, и вообще харэ либерализма, кончилась оттепель,

оттепель началась, когда вернувшийся с Колымы мамин брат по справке об освобождении был прописан в Москве, получил комнату, мы ночевали у него, когда с пересадкой ездили в отпуск на Запад — а Запад это был Советский Союз западнее Урала, к маминым и папиным родителям заезжали мы на две недели, и больной, водянистый, старый брат сказал: я за Никитку правую руку отдам, за то, что он сделал, выпустил людей из лагерей; а потом в пятом классе был первый политический анекдот: «Ну и что, а у вас негров вешают!» — я доложил его семье, придя из школы, и семья рухнула в смысле упала, а если б она послушала, семья, что мы рассказывали в пионерском лагере, она бы вообще никогда не встала: русский всегда побеждал всех, был хитрее и удачливее всех, русский солдат был вне конкуренции по всем мужским и боевым качествам... но бедный Никита Сергеевич Хрущев! как над ним только не издевались анекдоты! над его глупостью, серостью, пустыми обещаниями, помощью неведомым дикарям ради социализма, наивными амбициями и пузом с лысиной: классический фольклорный образ русского дурачка во власти, только без чудесного успеха в делах; подарком, продуктом и итогом пионерского лагеря в наших формирующихся мозгах угнездилась шизофрения,

шизофрения позволяла нам не испытывать никаких неудобств от расколотости мира на два принципиально разных: уже в восьмом классе мы издевались над построением коммунизма, пропускали мимо ушей занудные и пустые доклады партийных бонз, учились танцевать рок и твист, слышали, как работяги с неприязнью называют партноменклатуру «новым дворянством», мы разглядывали в «Огоньке» по дури главреда проскочившую фотографию длинной очереди нью-йоркских безработных: безработным, конечно, плохо, но видно, что когда они работали — так они и сейчас были одеты куда лучше наших родителей, у нас таких вещей и не достать; нас отправляли на картошку, и мы видели убогую жизнь спивающейся деревни, — но все это были частности! которые не могли поколебать наше — не убеждение, нет, знание! — что наша страна самая мощная, богатая и справедливая, наш строй единственный правильный, и будущее за нами: сегодня нам принадлежит Родина — а завтра весь мир! это еще Маркс сказал, и Ленин сказал, а они были величайшие философы, главные мыслители нашей эпохи, да другой философии просто и не было после их торжества в мире, это все знают: они за границей бездуховные барахольщики и стяжатели, а для нас главное — Родина, и мы строим новый мир, мы — лучшие,

мы — лучшие — вступали в пионеры, твердо зная, что достойные и правильные люди нашего возраста только так и должны; мы вступали в комсомол, ибо все самое лучшее, самое героическое, самое главное в нашем возрасте — было в комсомоле: уходили комсомольцы на Гражданскую войну, шесть орденов на груди Комсомола, как закалялась сталь, молодая гвардия, орленок, орленок, взлети выше солнца, бурю встречает, бровей не хмуря, двадцатилетний моряк, комсомольская путевка, Партия сказала — Комсомол ответил: «Есть!», улица младшего сына, повесть о Зое и Шуре, комсомольский набор, комсомольский призыв, учиться, учиться и учиться,

учиться поступали кто куда мог, и никто из нас не слышал, чтоб хоть куда-то поступали за взятку, и только доцент Культиасов в черных очках на розовом целлулоидном носу, горевший танкист, читал нам диамат, поводырь раскрывал ему зачетные книжки и рисовал оценку, Культиасов оттискивал резиновое факсимиле — и вот наиболее бессовестные клали в зачетку три рубля, и пьяница-поводырь рисовал на балл выше, а за пять рэ мог завысить на два балла, это было постыдно, цинично, таких паразитов почти не находилось,

почти не находилось таких, кто был на стороне арабов в войне шестьдесят седьмого года, израильская солдатня даже в советских газетах выглядела на снимках задорной, веселой и форсмажорно-победоносной; наши арабские студенты-стажеры были тупыми ребятами, быстро переходящими от раболепия к спеси и обратно, их сексуальная озабоченность вызывала неприязнь девиц, а в ссорах их нельзя было ударить — это отчисление; так что устроенный евреями им разгром на Синае мы приветствовали; но арабы были наши союзники, а евреи — враги, так что поворот гаек уже ощутился: в отношении евреев стали действовать три «не»: не принимать, не повышать и не увольнять; плевать на евреев, но это один из симптомов системного окостенения госсистемы, которая теперь понимает только силовой запрет,

силовой запрет и последовал в августе шестьдесят восьмого — советские танки прокатились по чехословацкому социализму с человеческим лицом и раздавили пражскую весну: и мы, двадцатилетние комсомольцы, одобряли необходимость этого шага, и повторяли о танках бундесвера, которые вошли бы иначе в Чехословакию через двадцать часов, и рассказывали о наших танкистах, которые спали под своими танками, когда чехи мирно почивали в своих постелях, какая же это оккупация?! где-то кто-то выходил на площадь, плакал, слал проклятия и телеграммы, мы были далеки и чужды этим нелояльным проявлениям, но с тех пор чехи всегда громили в хоккей СССР, могли проиграть хоть кому, но с нами ложились костьми, и у нас не было духу болеть против них, мы их понимали — и только с ними болели против своих, злорадные и благородные заговорщики, мы верили партии и правительству и любили родину,

любили родину как свое прошлое, настоящее и будущее, а оно, настоящее и будущее, съеживалось, как шагреневая кожа, стены коридора сходились, и оттуда выкачивался воздух: нельзя было даже написать, что некая фигня дорого стоит, что работяги с производства все прут, что инженер получает меньше рабочего, что нельзя купить нормальные туфли или плащ — все «доставали» по блату, из-под прилавка, с заднего входа, и вот расцвет швейкизма: все публично врали о построении коммунизма сознательными гражданами, и знали, что граждане не верят, и что граждане знают, что ораторы сами не верят; знали, что никогда не увидят заграницу, большинство никогда не сможет купить машину, и нельзя просто переехать в другой город — есть прописка, жилищное законодательство, везде масса правил и ограничений; и все боятся и ненавидят КГБ, а артисты на зарубежных гастролях сбегают в тот мир, Нуриев остался, Барышников остался, а летчик Биленко угнал в Японию свой МиГ, а зам генсека ООН Шевченко оказался шпионом, Солженицына выслали, Аксенова лишили гражданства, Кузнецов остался в Англии, Ростропович и Вишневская, дочь Сталина Светлана Алилуева живет в США, мне дважды отчетливо снился Нью-Йорк: голубой город с длинной океанской набережной, угловатый и призрачный,

призрачный сон, морок томил меня: я навсегда покидаю СССР, улетаю знаменитым четверговым рейсом из Пулкова на Вену, я в легких брюках и свежей сорочке, в руке у меня только дипломат: книга, смена белья и бутылка коньяка, на верхней площадке трапа я останавливаюсь, достаю из кармана белый носовой платок, встряхнув разворачиваю, обиваю им пыль с туфель — и картинно опускаю порхнуть на бетон аэродрома: перешагиваю порог самолета и скрываюсь внутри; все; уехал; свалил; с концами; силы кончились; будь проклята эта империя, душащая все; начинается новая жизнь, вторая жизнь, свободная, когда ты можешь делать все, что хочешь, какое счастье, восторг мешается со страхом неизвестности, будь что будет, завтрашний день как сюрприз,

сюрприз произошел в ночь накануне Нового Года, когда финская телепрограмма вдруг показала строй Т-72 с замершими смирно экипажами: по приказу они попрыгали в люки, колонна вытянулась вдоль горной дороги, и вдруг на карте запульсировала стрелка от нашей южной границы, упираясь в Кабул: не может быть, с улыбками нереального и неисчислимого идиотизма переглянулась ночная редакция: и вот уже Олег Трояновский, наш главный в ООН, объясняет, что это во исполнение договора пригласили оказать экономическую и культурную помощь, ну и ограниченный контингент в рамках параграфа, и никто никакого Амина не убивал, сам болел, афганцы сами все делают, и после четвертого круга этой сказки про белого бычка посол Франции в ООН вскочил и завопил: господа, вам не кажется, что господин Трояновский издевается над нашими умственными способностями!!! а татаро-монгольское иго было временным вводом ограниченного контингента монгольских войск по просьбе рязанского князя, вот такое наступило мрачное эн-летие,

мрачное эн-летие уже наступило, тебе не кажется? спросил двумя годами ранее мой друг и ровесник, молодой ленинградский писатель Алька Стрижак, он преуспел более меня — коммунист, русский, отслуживший флот и редактор историко-партийной редакции Лениздата, мы пили пиво в Банковском садике, фасад Кваренги, чугунные копья ограды, зеленом и чистом, еще не закрытом от бомжей и азиатских нарков с Апрашки, мы прихлебывали из горлышек, придымливали беломором, и сквозь листву будущее входило в нас, как невидимая и неощутимая радиация; стоял семьдесят седьмой год, нам все еще казалось, что пока все еще ничего, недавно Альку вызывали на Литейный и четыре часа трясли по доносу о хранении тамиздата — типа Набокова и Солженицына; так ведь отпустили, и даже не уволили! запрет на правду был привычен, умысел на правду выискивали между строк, вычитывали где угодно, ложь славословий была строго регламентирована — и эта ложь рождала ненависть к системе, которая имеет тебя прямо в мозг, и любой провал системы радовал как поражение врага, ледяная сорокаградусная зима, когда лопались трубы и замерзали батареи, иней на стенах, люди переселялись к знакомым, у которых хоть как-то топили градусов до двенадцати, а мы мечтали, как за это вздрючат и снимут обком, мы уж вытерпим, но инфаркт начальства воспринимался злорадно,

воспринимался злорадно бойкот Московской Олимпиады, падение сорвавшегося брежневского гроба в бетонную могилу и полет одичалой вороны над звездами Кремля, эстафетная смерть генсеков, кретинизм сухого закона, бред перестройки и ускорения, и самое главное — что любой продукт советского производства был сделан через жопу; это неправда! были отличные часы минского часового завода, был отличный лен с лавсаном, были отличные швейные фабрики в Витебске и Гомеле, отличный крымский табак и армянские коньяки, отличный ленинградский шоколад — но все это терялось в потоках планового вала кривых и уродских предметов,

предметов, важных для твоей счастливой жизни, было на самом деле очень мало, их всегда мало, все дело во внутреннем зрении, которое вдруг позволяет увидеть то, что сущностно в твоей жизни; и вдруг ты видишь в толпе русую сероглазую девушку с точеной фигурой и понимаешь в мимолетной пронзительной тоске, что мимо прошла твоя счастливая несостоявшаяся жизнь с белыми ночами, медовым месяцем, детьми и светлой старостью при внуках и воспоминаниях; ты видишь трех летчиков в капитанских погонах перед входом в Елисей и слышишь смачное: ну что, ребята, врежем по двести? ты не будешь летчиком, не открутишься на центрифуге, не возьмешь на себя штурвал, твой пульс не будет сто сорок на посадке, рев двигателя на форсаже не запал тебе в память,

запал тебе в память убойный цех мясокомбината, куда пришел в конце ходки наш скот; золотой мангышлакский значок; ребята с «Капитана Макарьева», которые радовались, что сумели принять в Дудинке на тысячу тонн руды больше «Капитана Воронина»; шамканье Брежнева, первомайские колонны, салат оливье, пять рублей до зарплаты, брюки с клешем от трети бедра — и ветер дороги: шпалы пропитаны креозотом, тепловоз жжет солярку, смазка букс на мазуте, струны степи и леса, и каждый миг останавливается, разворачивается в картину, и в этой картине проходит масса людских судеб, среди которых ты совершенно неважен и незаметен.

Трюм

ВЗГЛЯД

Жена подарила мне школьный учебник античной истории. Учебник был в двух томах и напоминал детскую энциклопедию. Емкое логичное чтиво непреодолимой увлекательности. Но конец был просто убойным. Небывалым. Это был справочник по античному быту. Кто сколько зарабатывал. Что почем стоило. Каково было содержание денег, как соотносились монеты разных стран и веков. Меры весов и объемов. Дневной заработок флейтистки, цена меча и стоимость быка. Курс драхмы, сикля и сестерция в процессе экономического бума и инфляции. Площадь пахотного участка, численность войсковых формирований, основные виды пищи и цены на нее. Ткани, корабли, украшения.

За этим вставала подлинная, реальная, соседняя жизнь, во всем подобная нашей. Точно такая же в трудах, заботах, радостях и хлопотах. Вот так люди жили. Хлеб, труд и воздух эпохи.

...Я сейчас и подумал, что быт — это смак и почва истории, и без деталей как же, нужна система координат, ценностей и цен.

Вот приезжает человек из далекой поездки, и его расспрашивают: а как они там живут? а зарабатывают сколько? а сколько стоит машина, пиджак, телевизор? А это правда, что у японцев дома из бумаги и бамбуковых реечек? А это правда, что в

Голливуде хорошую мебель, холодильники и телевизоры можно подобрать у дороги рядом с помойкой? А это правда, что на Кубе мулатка отдается за пару колготок? А если устроиться на лето собирать апельсины в Италии, сколько можно заработать? А неужели действительно политический беженец в Дании получает жилье, питание, одежду и еще карманные деньги? Что-о, сигареты столько стоят?! Ни хрена себе...

Здесь фокус вот в чем, я думаю. Погружаясь воображением в другое место или другую эпоху, человек подсознательно проецирует на себя ее реальность во всем объеме. Это как поездка за границу. В другой мир. Твой взор спотыкается на каждом шагу, твое внимание отвлекается на массу отличий от мира тебе привычного. Не такие моды, не такие цены, не такие обычаи. Другие вещи престижны, другие ценности уважаемы. Иной уровень достатка, иные цели в жизни, иной стиль отношений между друзьями, между мужчиной и женщиной.

Мозг переутомлен обилием новой информации. Ты иностранец. Ты с трудом вписываешься в этот мир. Твои привычки и реакции требуют постоянной коррекции.

Ты возвращаешься домой. И — там все было здорово! Жутко забавно. Вот, оказывается, как они живут на самом деле. Это тебе не кино и не торговые переговоры, не отдых в отеле.

Гм. Ну так поездка в иную эпоху — это то же самое. Путешествие во времени. Тебе там пожить: сколько комнат было у д'Артаньяна? сколько ливров в экю? в сапоги носили носки или портянки? а как была устроена канализация, которой не было?

Это все как тщательно прописанный театральный задник: чтоб было понятно, на фоне чего происходят события и бегают герои.

ЧТО ПОЧЕМ

Знакомство с ценами начиналось в младших классах, когда родители давали в школу с собой рубль «на завтрак». Никаких завтраков в пятидесятые годы в школах не было. На большой перемене можно было купить в буфете булочку. Булочка стоила шестьдесят копеек. А совсем какая-то простенькая — пятьдесят, а с повидлом — восемьдесят. Еще были пирожные, сухой бисквит с кремовым верхом, но они стоили два двадцать, и столько нормальные родители нормальным детям в школу не давали.

Ну, совсем не во всех школах были буфеты. И к этому буфету еще надо было прорваться, очередь слипалась от тесноты, и лезли кто как мог. И совсем не все получали рубль в школу, что вы. А те, кто получал, так вовсе не каждый день. Баловсто. Есть надо дома. Но иногда, в виде поощрения, в виде законного развлечения, в виде посильных элементов светской жизни, давали рубль.

Сдача с этого рубля считалась законной собственностью. Личными карманными деньгами. О: деньги на карманные расходы. Их можно было складывать в копилку и накопить, скажем, на перочинный ножик. Копилок не было. Но леденцы в круглых плоских жестянках бывали. Эти жестянки и работали копилками. Удобство в том, что такая коробочка легко открывалась в любой момент. Это не был несъемный вклад одноразового снятия, когда копилку надо разбить и радостно считать сокровища. Это был, скорее, микросейф.

В 1961 году прошла хрущевская денежная реформа. Деноминация, один к десяти. Вместо рубля стали давать маленький, четкий бело-зеленоватый гривенник.

Перед этим, мерзавцы, они написали во всех детских газетах и журналах, своих «Пионерских правдах» и «Мурзилках», как в стране не хватает меди, как тяжело мамам-кассиршам давать сдачу, когда нет мелких монеток. А ведь многие несознательные дети копят эти мелкие монетки, так нужные стране. Не копите их, дети, потратьте немедленно. Или обменяйте в магазине на более крупные.

Да, так желтую мелочь одну-две-три-пять копеек оставили старую — по новому курсу! Сосчитали, что собирать, переплавлять и перечеканивать — дороже номинальной стоимости обойдется. Новые тоже чеканили, но курс старых монеток — стал новым! Пять копеек — превратились в пятьдесят! Мои два рубля медью стали как двадцать! Я строил планы крупных приобретений.

Вот давали тебе в воскресенье утром десять копеек на кино — и ты с другом шел протыриваться сквозь толпу к окошечку кассы.

Затем ценовой паритет переполз в табачную область. Курить не хотелось — это был статусный ритуал. Это повышало твое место в социальной иерархии школы. Сигареты «Махорочные», плоские коротышки половинной длины, стоили две копейки пачечка двадцать штук. Такая же точно пачечка, но красная со звездочкой, «Армейские», стоили четыре копейки: эти считались получше, пахли как-то лучше, горло меньше драли. Плоские сигареты нормальной длины — «Памир», десять копеек. «Нищий в горах» называли его: турист с рюкзаком и посохом на фоне горы, грубый коричневый профиль. Мужик нормальный курил «Приму» — тот же формат, что «Памир», но получше: четырнадцать копеек. В Ленинграде та же «Прима» называлась «Аврора» — пачка с крейсером.

Папиросы «Прибой» — «гвоздики» — двенадцать копеек, нормальный рабочий «Север» — четырнадцать, приличный достойный «Беломор» — двадцать две. Двадцать две копейки выкуривать в день — рабочему человеку было дороговато и западло. «Беломор» — это уже смоук-код: приличный мужик со средствами и нормальными запросами.

Роскошная богатейская «Тройка» — с золотым обрезом, в цветной твердой коробочке — стоила пятьдесят две копейки. Считалось, что их курят ворующие завмаги.

С начала шестидесятых пошли сигареты болгарские, и прочно вытеснили отечественные на бóльшую половину. «Солнце» и «Шипка» — четырнадцать копеек, длинные с фильтром «Опал», «Стюардесса», «Ту-134» — тридцать пять копеек. Марка супер «БТ» в светлых твердых коробочках — сорок копеек. Это было дорого, но свой понт дороже чужих денег. Студент мог быть беден, но курение — это не наркомания, а атрибут, черт возьми: атрибутика есть важная статья расходов...М-да. Сорок лет я курил и получил от этого вредоносного порока массу удовольствия. Курение — романтический атрибут великой эпохи белой цивилизации. Курили герои, уходя под танки. Курили писатели, создавая шедевры. Курили политики, неся груз ответственности. Вот я вас и гружу.

Выпивка! Третье знакомство с ценами!

Царица стола — водка! Два сорта: «Московская» — два восемьдесят семь за поллитра, «Столичная» — три ноль семь. «Столичная» была эстетически грамотнее оформлена: и бутылка продолговатая, и этикетка бело-серая с элементом красно-золотого. «Московская» вид имела пролетарский: кургузая расхожая поллитровка, бело-зеленая квадратная этикетка казенного оттенка. Предполагалась разница и в качестве. «Столица» была н а р я д н а. Почему работяги решительно экономили двадцать копеек, пропивая получку, сказать было трудно.

«Чекушка», она же «маленькая», «четвертинка», 0,25л — рупь сорок девять «Московская», менее востребована рупь пятьдесят девять «Столичная».

Других водок никто не видел и не знал. Ходили слухи, что есть еще «Посольская» — в спецраспределителях для высшей номенклатуры.

«Советское шампанское» — три рубля всегда.

Вина крепленые, портвейны разные, бормотуха, чернила, отрава, рыгаловка, опиум для народа, сок помойной лозы! «Хирса» — рупь сорок семь! «33», «777», «Ала-Башлы» и т.д. — все от рупь сорок две до рупь восемьдесят семь. «Солнцедар» — страшный двадцатиградусный напиток, огромную партию которого закупили американцы для распрыскивания над Вьетнамом и уничтожения всего живого, как утверждали остряки — отшибленная память не восстановит точную цену этой платы за забвение, что-то вроде двух рублей за 0,7! КПД высок.

Коньяк. Знак шикарной жизни и разврата. Три звездочки — четыре двенадцать. Пять звездочек — пять двенадцать. «КВ» — шесть. «КВВК» — восемь. «Юбилейный» — не могу знать. Это для богатых, гуляющих.

Заметьте, заметьте, заметьте! Память лучше хранит цену пороков, излишеств и роскоши, нежели вещей ежедневно необходимых! Такова человеческая психология. На ежедневно необходимое обращаешь мало внимания. Оно воображения не поражает!..

Поход в ресторан. Горячее мясное блюдо — от полутора до трех рублей. Самое дорогое и шикарное — цыпленок табака. Салатик — полтинник, кофе — пятнадцать копеек. Плюс выпить. Десятка на двоих — это нормально.

После первого стройотряда, на втором уже курсе, мы, трое друзей, пошли в «Метрополь». Мы объяснили официанту, что пришли серьезные люди. Три порции черной икры. Три цыпленка табака. Три шницеля по-венски. Бутылку коньяка «КВВК». Бутылку шампанского. Бутылку десертного вина «Кокур». Кофе, пирожные, еще хрень какая-то. Сорок рублей! Включая купеческие чаевые. И ушли с пением по трамвайным путям.

Да, да! — сухие вина. От кислого презираемого советише «Каберне» — рупь сорок — до «Старого замка» и «Периницы» — по три рэ.

В мужском сознании остальные расходы планировались по остаточному принципу. Девушки брались на обаяние.

Сначала идет еда. Один из мотивов бешенства историков при чтении событий голодных лет — цены на хлеб. Сколько хлеб стал стоить в голод. Хорошо, а сколько он стоил нормально, черт возьми?! Не пишут, поганцы, в своих ископаемых археологических артефактах. Летописи полнятся новостями типа катастроф. Нормальная жизнь с нормальными ценами им неинтересна. Это и так все знали. Раньше. Зато теперь не знает никто. Не брезгуйте обыденной информацией — она есть хлеб и соль эпохи.

Соль не стоила ничего — десять копеек за килограммовую пачку.

Хлеб. Буханка черного — 14коп. Серого — 16. Белого — 18 или 22 в зависимости от белизны. Буханка — кило, позднее — 800гр.

Да! Весь хлеб был без разрыхлителей, не накачаный воздухом. Плотный, нормальный.

В каждом городе, в каждой республике были свои сорта и виды хлеба. Но коридор цен — абсолютно тверд. От 7 копеек за «городскую» (бывшую «французскую») булку до 22 копеек за длинный белый батон тугого, солоноватого, рулетом закрученного внутри, теста.

Круглый черный — 14коп. Круглый серый (с примесью кукурузной муки он был в Ленинграде потрясающ!) — 16. Батон «нарезной» обычный — 16. Да. Питаться хлебом было недорого.

Масло. 2.70 за кило.

Сыр. От 2.40 до 3.40, в среднем треха за кило. И выбор был невелик, и вообще не всегда он был, а иногда и никогда почти не было.

О! О! О! Колбаса за 2.20. Докторская. Или «Отдельная» за 2.30. Или «Чайная» за 1.60, но очень редко попадалась. Или «Ветчиннорубленая» за 2.70 и 2.90. Кстати, есть можно было. До середины восьмидесятых. Потом пошел серо-зеленый ужас все чаще, да с подвонью.

Была еще копченая, полукопченая, сырокопченая, но это все из области дефицита, где запоминается и имеет значение не цена, а возможность достать, найти, договориться, отблагодарить. «Сервелат» — слово типа «брюлики» или «норковое манто». Четыре пятьдесят. Или аж пять восемьдесят! Но переживать не надо. Только для сильных мира сего, скрыт от глаз народа и изъят из слуха.

Мясо! Тема для повести, сложенной наполовину из анекдотов. «Вот в Ленинграде — «Ленмясо», «Ленрыба». А у нас в Одессе: «А де мясо», «А де рыба»...

Про Херсон я уж вообще не говорю!»

«Американец: у нас скот забивают электрошоком. Француз: у нас гуманнее, усыпляют газом. Японец: у нас закалывают одним ударом. Русский: взрывают их у нас, что ли... одни копыта да головы остаются».

Говядина «первой категории» — два рубля. Второй — рупь восемьдесят, третьей — рупь сорок. Свинина — от двух сорока и ниже, баранина — от рупь восьмидесяти. Мясники мухлюют с категориями, продавцы норовят завернуть в мякоть кость или подложить снизу жир. Достать трудно. На рынке обычно есть — где есть рынок. Четыре рубля, четыре пятьдесят. Свежайшее — а где хранить?

Питаться с рынка — это в Советском Союзе было дорого: признак достатка, статуса, типа верх среднего класса. Было непонятно в книгах, что в Америке, скажем, рынок — это дешево... странно. У нас на рынке все было в полтора-два-три раза дороже магазина. Но — было, и хорошего качества.

Дорогие мои!!! Советский базар — он в первую очередь и внушил советскому народу мысль о преимуществе рыночной экономики!!! Рынок — это есть все, прекрасного качества, пусть дороже стоит, но тогда ведь все и зарабатывать больше будут!

Базарные цены колебались в несколько раз, в зависимости от места и сезона. Магазинные — стояли незыблемо двадцать лет: все шестидесятые и семидесятые. И лишь после Брежнева пошел скрытый ползучий рост. Вначале, что характерно, через внутреннюю валюту — водку. Старые сорта тихо заменялись на полках новыми и более дорогими. Государство наполняло бюджет, удешевляя рабсилу.

А вот на пиво цены держались до конца советской власти. Пиво было без затей — «Жигулевское» и все тут. Двадцать две копейки поллитра в разлив.

Тридцать семь — поллитровая бутылка. «Таежное» — та же рецептура для Восточной Сибири и Дальнего Востока. А уж изыски типа «Рижского», «Московского», «Двойного золотого» — это в ресторанах получше или в фирменных пивбарах, которых и было-то штуки по две-три на Москву или Ленинград, а больше не было нигде. Черное бархатное завода Стеньки Разина шло в разлив по двадцать девять копеек поллитра. Кто его видел?..

М-да. Был бы я в те годы старше — лучше помнил бы цены на кефир и творог. Молоко стоило тридцать копеек литр: тридцать копеек поллитровая бутылка и пятьдесят — литровая (с посудой).

Поллитровка кефира стоила тридцать две или тридцать четыре. Двухсотграммовая пачка творога — двадцать две копейки. Сметана — рубль девяносто за кило. Сметану разводили кефиром, молоко водой, творог магазинный был кисл всегда до полной невкусности. Мы, кому базар был не по карману, жили в убеждении, что противность творога — компенсация за его полезность.

Сахар! Девяносто копеек за кило в россыпь, девяносто четыре пачка песку в упаковке.

А ихде же «кондитерские изделия»? Карамель «подушечки» — капля повидла в сахарной микроподушке — 90 коп/кило. Дешевле не было. Соевые «батончики» — 1.60. Самые дорогие трюфеля, в смысле не грибы, их никто не видал, а конфеты «Трюфель шоколадный» — 6 рублей! «Белочка» — 4.50. «Ласточка» — 3.70. Молочная «Коровка» — 1.40. Схожие шоколадно-вафельные «Кара-Кум», «Мишка на Севере» и т.д. — все в районе четырех рублей кило.

Стограммовая банка растворимого кофе стоила два рубля, и это был престижный дефицит. Килограмм зернового — четыре пятьдесят. Лимоны —

рупь тридцать кило. На рубль ты мог взять в «Елисее» пятьдесят граммов свежесмолотого кофе, сто граммов сахарного песку, лимон и пачку болгарских сигарет с фильтром. Этого хватало на изячное студенческое кофепитие вчетвером с девушками.

Слушайте — я начинаю понимать банкиров и олигархов! Я сам не ожидал, садясь за эту главу, что деньги и цены — столь увлекательная и бесконечная материя!..

Может, просто прейскурант составить? Или опубликовать архив Госплана?

М-да. Прав был Чехов — жить нельзя без одних только денег. Взаимодействие с окружающей средой посредством денежных знаков — чем не создание новой науки «монетарная семиотика»? И вполне в духе времени. Мы живем, и жизнь стоит денег, черт возьми!

Даже пустая стеклотара. Это была статья дохода! Приемщики пунктов стеклотары были небедными людьми со своим неофициальным бизнесом. Без очереди, с заднего хода и оптом принимали дешевле; зато сразу, а то толпы сдающих стояли в часовых очередях к окошечку.

Поллитровая бутылка — двенадцать копеек. Ноль семь винная или шампанская — семнадцать. Поллитровая молочная — 15. Литровая молочная — 20. Литровая банка 10, поллитровая 5, двухсотграммовая сметанно-майонезная — 3.

То есть. Найденная в сквере бутылка — это пачка сигарет или батон хлеба, если жестко на мели. Бомжи разделили город на зоны и злобно воевали за свои кормящие участки, проверяя кусты, парадные и урны. Десяток подобранных бутылок в день могли прокормить бедного человека, пьющего одеколон.

На этой двусмысленной продукции бинарного

назначения мы плавно переходим к промтоварам.

Цветочные одеколоны стоили семьдесят копеек за флакончик в семьдесят пять граммов. При крепости семьдесят спиртовых градусов это заменяет сто тридцать грамм водки или триста — портвейна. А лосьон «Огуречный» — за восемьдесят копеек сто пятьдесят грамм!

Одеколон «Шипр» стоил рубль тридцать. И все они стоили порядка двух рублей. Духи «Пиковая дама», русише шанель номер пять, стоили шесть рублей за флакончик в коробочке — миллилитров тридцать. «Красная Москва» — пять рублей за пятьдесят миллилитров.

К восьмидесятым в народ стал проникать французский парфюм, и там уже цены были любые. Двадцатка за флакон мужской туалетной воды, до восьмидесяти за женские духи. Это уже явственное расслоение общества вышло за пределы партноменклатуры.

Мужской костюм: позорный за шестьдесят, нормальный за девяносто — сто, достойно-приличный за сто пятьдесят, очень дорогой за двести, шикарная тройка за двести сорок.

Нормальное пальто за сто. Тулупо-дубленка за двести. Сорочка за шесть, галстук за три, трусы и носки по семьдесят копеек.

Знаковый товар — женские сапоги. Дефицит. Очереди. Спекулянты. Семьдесят. Сто. Двести. Ужас.

Супер-дупер-навороченные мужские «платформы» могли стоить 60 — для фарцы и мясников. 37 — это предел нормальных туфель. 30 — это отлично, 24 — нормально, 16 — недорого, 6.50 — это уже туфли дешевые, бедные, простые. Но носить можно.

Да. Шестидесятые — это белые нейлоновые сорочки. Как униформа. 20 рэ. 30 — это уже супер.

Почем были женское белье, одежда, косметика, украшения? — понятия не имею. Сексорасист. А ведь основная читательская аудитория сегодня — это «женщины пятьдесят плюс». Помню только, что «достал» однажды девушке визг моды — белые ажурные чулки. Пять рублей. Но с меня взяли по знакомству «свою цену».

Когда колготки только появились, это было жутко продвинуто, модно и дорого, не достать нигде, и стоить могли до десяти рублей.

Джинсы!!! Сто. А потом двести.

Часы! Плоский круглый золоченый «Вымпел» — 40 рублей. Остальные — 25—30.

Мебель! Гарнитур чешский, гэдээровский и особенно финский — мог стоить четыреста, а мог тысячу четыреста. Книжная полка под стеклом — десять, письменный стол полированный — сто тридцать, шкаф платяной хороший — двести, стул — шесть рублей вполне ничего, диван-кровать хороший — сто шестьдесят. Ковров не имел. Стол в комиссионке купил за двенадцать, шкаф за двадцать, тахту за сорок, стул подарили.

Радиоприемник транзисторный многодиапазоновый «ВЭФ», до этого он же «Спидола» рижского радиозавода — 100 руб. По нему ловили вражеские голоса и музыку.

Телевизор — черно-белый, разумеется, — 140—260. Когда появились цветные, экраны уже стали огромными, а деньги помельчали, — они стоили аж 700! Цветной телевизор — это было круто!

Магнитофоны — «Аидас», «Комета» и «Маяк», бедные отечественные ящики с двумя катушками — 140—240. «Грюндик» был легендой и мог стоить полторы тысячи — в комиссионке по блату.

Когда моряки и дипломаты начали ввозить видики — это было фантастично! Они стоили как квартира — от двух до четырех тысяч! Как подержанный автомобиль.

Холодильники стоили от 60 руб. дешевого небольшого «Саратова» до 200 здорового и отличного «ЗиЛ-Москва» или «Минск».

Ковер — 200—500. Ваза хрустальная — 20—100.

А русише культур? Билет в кино — 30—45 копеек на вечерний сеанс, дневной — 25. Театр — от 30—70 копеек входные стоячие на галерку — до 4 рублей кресла первые восемь рядов середина. Приличные места чуть дальше центра зала стоили 1.60—2.40. Это в хорошем театре.

Боже, почему все в жизни стоит денег! Баня душевая — 20 копеек. Рубашку в прачечную под жесткий крахмал — 17 копеек.

А пышка — пятак. А мороженое — от 9 копеек «молочное» до 28 «батончик в шоколаде с орехами».

А «резиновое изделие № 2» «презерватив» стоил 4 копейки. А пятиграммовый флакон эфедрина в каплях, от насморка, стоил 16 копеек. А конвалютка шесть таблеток кодеина по 0,2 грамма, от кашля, — 24 копейки. Без всяких рецептов, в любой аптеке. И никто ими не наркоманил!

Машина! Когда-то «Победа» стоила шестнадцать тысяч «старыми», дохрущевскими, — тысячу шестьсот по-новому. Потом — «Жигули» за три, «Москвич» за две с половиной, «Волга» — за четыре двести. Потом на черном рынке цены удвоили, а новые модели стоили все дороже, итого до семи тыс. «Жигули» и под одиннадцать «Волга».

(Примечание. Импорт мы в основном не учитываем, это были разборки богатых со связями. Заграница была закрыта.)

Хата! Квартира то бишь. Вначале — хрущевская однушка-кооператив за тысячу сто. Двушка — тысяча четыреста. К восьмидесятым хорошая трехкомнатная в кирпичном доме стоила шесть. Правда, записаться в кооператив было очень трудно: ценз проживания, малость имеющегося метража на рыло и т.д.

Снять комнату стоило 30 в месяц, квартиру — 50—80 рублей.

Ну, и остались книги. От восьмидесяти копеек до трех рублей. За восемьдесят нетолстая, а могла и за пятьдесят пять коп., честно говоря, — за треху толстый том на хорошей бумаге.

А на чем ездить?! Метро и автобус — 5 копеек, троллейбус 4, трамвай 3. Самолет Москва—Ленинград 20 рублей, купе поезда — 12. Общий сидячий Ленинград—Таллин — 4.50. Самолет Минск—Сочи — 37. Классов первых и эконом не было, все были и первые, и эконом. Первый появился уже к восьмидесятым, и стоил дороже на 25—30 процентов.

Такси! 10 копеек за посадку, 10 за километр. В 1978 тариф удвоили, первый месяц никто не ездил, потом, естественно, свыклись и смирились. Раньше можно было проехать Питер насквозь за рубль, потом стало за два с полтиной.

Междугородные телефонные переговоры. Их надо было заказывать заранее, прорываться, ждать. Или идти на переговорный пункт. На расстояние в среднем километров в тысячу — тридцать копеек минута.

Завершая перечень, я понял, что всегда ненавидел денежные расчеты. Моя любовь к арифметике хотела быть бескорыстной. Жизнь очень цинична. Украсть миллион и перестать считать деньги — что может быть прекраснее? По-моему, этот чистый порыв и лег в начало всей сегодняшней российской экономики. В которой цены совсем другие.

Нет! — я обязан по жизни назвать еще одну цену. Того, что меня кормило.

Пишущие машинки. Компьютеров-то не было. А написанное от руки нигде давно не принимали. Конторские машинки с широкой кареткой стоили до четырехсот, они никого не волновали. А портативные, личные:

«Москва» — 220. «Эрика» — 260. «Тревеллер» — 240. «Оптима» — 250. Я купил в комиссионке на Некрасова старую немецкую «Олимпию» за 160, и она безотказно служила мне двадцать восемь лет.

P.S. А квартплаты за комнату в коммуналке я платил два рубля, а трехкомнатная со светом и телефоном обходилась в месяц в десятку.

ДЕФИЦИТ

К первому сентября школьникам покупали тетради. Ну так их не было.

Тетради по русскому были для первого класса в густую косую вертикальную линейку и четыре горизонтальных на строчку: для высоты заглавных букв, для прописных и для элементов букв половинной высоты. Для второго класса серединно-горизонтальная линейка упразднялась. С четвертого класса тетради были в одну линейку, обозначавшую низ букв в строке. А по арифметике были все в ту же клеточку. Вот этих всех тетрадей и не было.

В первом классе были уроки чистописания. Мы выводили элементы букв: прямые, закругления, волосяные, с нажимом. Перышко желтого сплава (нержавеющая сталь с присадкой латуни) вставлялось в прорезь-зажим жестяного наконечника деревянной ручки («вставочки»). Оно макалось в чернильницу, коричневую пластмассовую «непроливашку». Ну так чернил тоже не было.

Родители договаривались с продавщицей «Культмага» («Культурный магазин», позднее переименованный в «Культтовары» — канцелярия, книги, игрушки, украшения. Обувь, одежда, мелочи. Еще были «Хозмаг» — мыло-корыта, и «Продмаг» — хлеб-вино-папиросы-макароны). Когда в магазин завозили коробочки чернильных таблеток, продавщица оставляла знакомым. Разводить надо было не таблетку на 200 граммов холодной воды, а на 100 граммов кипятка. Тогда чернила получались не водянисто-фиолетовые, а темные, густые, красивые. Если всыпать щепотку сахарного песка на кончике ножа, чернила темнели еще больше и приобретали дорогой зеленовато-бронзовый отблеск.

А на тетради сдавали деньги в школу. Потом выдавали по две пачки, полста штук каждому по русскому и арифметике. Иногда доставалось не всем. Менялись, одалживали. Кому-то привозили родственники, родители из поездок.

Советская ракета впервые в истории достигла поверхности Венеры! «Улетели наши тетрадки на Венеру!» — комментировали школьники: смесь сарказма с патриотизмом. Гражданская и экономическая зрелость наступала рано.

Авторучки уже появились. Авторучками нам писать запрещалось до пятого класса — чтоб не портили почерк. Разрешали с шестого. Авторучек тоже не было. Надо было ловить в «Культмаге» момент, когда они появились и еще не расхватаны. Лучшие авторучки из доступных нам были китайские. Это было ощутимое приобретение — до двух рублей родительских денег.

Классе в шестом же все пацаны просили у родителей велосипеды. Велосипеды были трех марок: «ГАЗ», «ЗиФ» («Завод имени Фрунзе») и «ПВЗ» («Пензенский велосипедный завод»). Велосипедов тоже не было, хотя почти все пацаны на них ездили. Их завозили в «Культмаг» раз в квартал, и договариваться надо было заранее. Все они были абсолютно одинаковы, двух цветов: черные и синие.

К пятнадцатилетию родительской свадьбы ленинградская бабушка прислала по почте тортик «пралинэ». Естественно, он именовался «шоколадно-вафельный». Он был обложен жато-мятыми газетами в сто слоев, но все равно немного покрошился. Его реставрировали растопленным в чашке пайковым шоколадом. Каждый гость получил по кусочку размером с пол спичечного коробка. Гости были в атасе. Тортиков «пралинэ» никто в Забайкалье не видел.

Также никто, кроме офицеров, не видел мяса. Офицеры получали пятикилограммовый на месяц мясной паек снятыми со стратегического хранения рыбными консервами. Но иногда из тех же закромов НЗ рубили свиные и говяжьи туши, отвисевшие в подземных ледниках свои 10 или 15 лет.

Мясо бывало на рынке, и стоило неподъемных денег.

Ваты не было никогда, но мальчиков это не касалось.

...Москва и Ленинград даже не знали, как живет остальная страна. Областной центр не знал, как живут районы. Райцентр не знал, как живут поселки и станции. Деревня и Москва были далеки друг от друга, как телогрейка от Парижа. Снабжение деревни стояло на следующей ступени после каменного века. В Москве была икра, в деревне не было хлеба — раз в три дня из «Автолавки».

Когда я попросил гантели, они были доставлены два месяца спустя с оказией из Читы. В облцентре они не то чтобы были, но бывали.

...По сравнению с этим такой областной город, как, скажем, Могилев, уже потрясал изобилием. Было не все, но претензия дефицита поднималась.

Все мужчины ходили в туфлях. Черных. Кожаных. Из заменителя еще не научились делать. Туфлей не было. На ногах были, а в магазинах нет. Надо было ловить момент. Спрашивать у продавщиц. Интересоваться у знакомых. Объезжать магазины города. Вдруг появлялись хорошие чехословацкие. Красивые, добротные, престижные. Но дорогие. Тридцать — тридцать пять рублей. Только на выход, и только для состоятельных мужчин. На каждый день искали рублей по пятнадцать — двадцать. Туфли носили год. Зима-весна-лето-осень. Другой обуви у нормального человека не было. Через год эта единственная пара разваливалась. Начиналась следующая покупка.

Ценнейшим приобретением было знакомство с директором промтоварной базы. Он клевал только на врачей, кассиров, автослесарей. Все лучшее покупалось по знакомству прямо с базы. Бартер: обмен услугами, то бишь должностным ресурсом.

Вся молодежь ходила в светлых коротких плащах. Выше колена. Перетянуты поясом. Хлопчатобумажные, без подкладки, желательно с пелеринкой. Бледно-серо-бежеватые. Очень красиво. Плащей таких не было нигде и никогда. Мне отец купил через два месяца с областной промбазы. Где брали остальные — информацией не делились.

В безумной моде были ондатровые шапки. Очень мягкий, теплый, красивый мех. Их продавали только партноменклатуре в спецраспределителях. В них ходили звезды спорта и эстрады, начальники и фарцовщики. Ондатровую шапку купил мне ленинградский дед. Поздно вечером он возвращался из метро под аркадой Гостиного Двора. Поддатый мужчина пропивал новую ондатру за четвертак. Она стоила восемьдесят, но только для имеющих доступ. У деда было с собой двадцать пять рублей. Он прислал мне эту шапку в подарок на семнадцатилетие. Такой не было больше ни у кого в школе. Я носил эту шапку пятнадцать лет.

С переездом в Ленинград амбиции росли, но смысл дефицита не менялся. Кому суп жидок, кому жид мелок.

Коробка шоколадных конфет была одним из чудес советского быта. У всех есть, но нигде не продается. Я не видел ее в магазинах. Коробки покупали в ресторанах. А также из подсобок, с черного хода, с баз и складов. Ее можно было купить иногда в вагоне-ресторане скорого поезда. Везде с наценкой. Когда я научился внаглую проходить в «Европейскую», симулируя музыканта филармонии напротив, я покупал коробки конфет в подарок наверху, у «Крыши», за барной стойкой, заказав выпивку и, опять же, изображая музыканта. КГБ пас «Европу» плотно, за несанкционированный проход в интуристовскую гостиницу можно было огрести неприятностей.

Бананы, такое впечатление, продавались раз в год, и всегда в августе. Словно приходил бананововз-стотысячник по ежегодному контракту с обезьянами. Бананы были деликатесом. Рупь сорок за кило. Мы знали, что в Африке это пища бедняков, посмеивались над собой и все равно в глубине души не верили, что негры в Африке жрут бананы вместо хлеба и картошки. Несколько дней они продавались со всех лотков, и ко всем лоткам не прекращались очереди.

Очереди стояли в рестораны, в кафе, особенно в пивбары. Заведений было мало, а желающих много. Час в очереди, два в очереди — это было нормально. Богатые завсегдатаи наводили знакомство со швейцаром и совали в лапу. Простые люди униженно ждали, пропуская ценных клиентов.

Черт его знает... и все это было н о р м а л ь н о!

Нормально, что раз в год перед Новым Годом «выкидывали» апельсины или мандарины, и толпы терлись и сопели. Нормально, что за месяц до Нового Года невозможно было найти шампанское. Нормально, что за дешевым портвейном выстраивалась очередь, пока ценный продукт не кончался.

Однажды мы, четверо друзей из одной комнаты общаги, договорились в день стипендии, что тот, кому удастся достать нормальную выпивку, возьмет на всех, и ему отдадут деньги.

И в «Генеральском» я налетел на очередь за «Рымникским». Было такое неплохое «портвейное» вино в поллитровых пузатых бутылочках. Не то болгарское, не то румынское, — где там кого бил Суворов под этим Рымником?

Я радостно забил в портфель шесть бутылок по полтора рубля и полетел с таким счастьем в общагу. Друг Нюк встретил меня с непонятным выражением и открыл шкафчик. Там стоял рядок из шести бутылок «Рымникского». Он купил их на Первой линии.

В дверь вошел лукаво-счастливый Жека и выставил шесть бутылок «Рымникского». Наш хохот его не обидел, но озадачил страшно.

Последние шесть притаранил Костя, и в него тыкали пальцем, извиваясь на койках. Костя оскорбился, матерился, бил себя по голове.

Мы не сразу поняли, что денег нам никто не отдаст. Я впервые понял, что коллективное бессознательное существует, а не придумано Юнгом.

Выпить это было невозможно, а оставлять немыслимо. На дверь налепили листок: «Здесь наливают друзьям». Мы угостили весь этаж: друзья!

То есть неожиданное отсутствие дефицита приводило к недоразумениям и растратам.

Из уст в уста передавали истории, как простая ивановская ткачиха была включена в тургруппу в Австрию, они зашли в колбасную лавку, она увидела двести сортов колбас и потеряла сознание.

Но тема дефицитной выпивки требует завершения. На первом курсе в комнате возникла невесть откуда бутылка из-под джина «Бифитер» — видно кто-то из иностранных стажеров оставил. Бутылку тщательно и бережно помыли. Залили пол-литра родной «Московской» и плюс как раз стакан яблочного сока. Стык завинчивающейся пробки смазали конторским клеем, стерев потеки. И гордо пошли в гости туда, где могли налить, неся впереди ценный подарок.

Бутылка обошла круг, и каждый проявлял реакцию ценителя: цокали, вздыхали, делали жесты, говорили типа «умеют, гады». Желтоватый цвет напитка никого не смущал.

Отвинчивающаяся пробка чуть протрещала засохшим клеем — типа была запечатанной. Дегустация сопровождалась причмокиванием и констатацией превосходства ихней алкогольной промышленности.

Тогда мы раскрыли секрет. Общий смех вышел немного натянутый, из самолюбия обозначающий веселье. Народ был уязвлен и сконфужен публичностью своей серости. Мы понятия не имели, как выглядит джин и каков он на вкус.

В трудовых коллективах за месяц до 31 декабря сдавали деньги на шампанское. Кто-то со знакомством на базе или в магазине закупал несколько ящиков. По две бутылки на нос. В декабре шампанского в магазинах не было.

Средь бела дня рабочего я, молодой специалист, пригласил девушку в скромный ресторан «Чайка» — с неожиданного заработка. Мы хотели шампанского, и мы хотели мяса, — такое было настроение. В ресторане не было шампанского. И не было натурального мяса. Нам предложили сухое болгарское и котлеты под несколькими названиями. Я помянул Остапа Бендера-миллионера. Я в прямой форме предложил официанту заплатить сверху. Он в завуалированной форме предложил мне засунуть свои деньги в полость тела.

Экономика и психология связаны национальной идентичностью. Каждый август табачные фабрики дружно шли в отпуск. Мужики метались по магазинам и ларькам, как гибрид подыхающей мухи с шариком для пинг-понга. Курили всё! Мерзкие противные «Дымок» и «Яхта» — твердо набитые, сыроватые, негорючие, тошнючие, — шли за счастье. Но! Почему никому из нас не приходило в голову сделать себе запас на этот месяц, ведь из года в год заранее знали! — вот в чем загадка русской души.

Не держался у простого человека запас. Классовая психология. Социальный слой диктует натуре! Мама одного друга работала директором стола заказов — маленького, скромного, микрорайонного такого. Мы зашли к ней в гости на работу, и получили предложение купить чудного дешевого крепленого, не выставленного в продажу, для своих. У меня как раз был мелкий газетный гонорар, и на двенадцать семьдесят я купил десять бутылок. Коробку обвязали веревкой, и я привез ее на метро в свою комнатку на Желябова. Я запасся на десять дружеских контактов: в гости пойти с бутылкой, или зашедшего друга принять с наливанием.

Зашла в гости милая знакомая, юная журналистка, утонченное создание а'ля грузинская княжна. Я открыл бутылочку. И мы понравились друг другу больше, чем раньше. Выпили вторую бутылочку, и между нами засветились нити судьбы. Третья бутылочка шла легко, майским ветром. Трогательная девочка пила, как артиллерист.

Она вышла от меня через трое восхитительных суток, и с ней ушло мое винное процветание. Оба не вернулись.

Нет, ежедневная жизнь была ничего. Не голый, не голодный, не бездомный? Тогда отлично.

Жизнь отравляли праздники. Преодоление полосы препятствий выматывало. Поэтому в праздник я считал необходимым выпить с утра. Чтоб организм ощутил незаурядность свободного от забот дня.

Желательно было принести торт безе-с-шоколадом «Аврора». «Аврора» продавалась только в «Севере» на Невском. Шестьдесят штук в день. Свой цех их делал ночью и доставлял к открытию. Летели сразу. Занимать очередь перед праздником надо было с шести. Позже не имело смысла. Самые крутые занимали с вечера — таких человек пять было всегда. Они жили неподалеку и уходили перекимарить по очереди.

В восемь часов уже стояли в пять рядов человек триста. Без четверти девять начиналось бурление и сдавливание. Без трех девять покрикивали сплющенные тетки, вмятые в закрытую дверь. В одну минуту десятого возникал тихий злой вой и экстремистские призывы. В три минуты десятого дверь открывалась, и никто не мог войти — очередь слиплась в ком, и передние выдирались из него, как мухи из ловушки, жужжа и колотя лапками.

Ты прыгал в направлении кассы, суетясь ногами и растопыривая локти. Совал руку вперед и старался сдержать крик до минимального приличия: «Шесть рублей! “Аврора”!»

Схватив чек, надо скорей сверлиться и тараниться к прилавку, где уже твердеет очередь. Там кооперация: одна занимает к продавщице, а вторая к кассе, и уже протягивает чеки через голову партнерше, и та берет пять «Аврор» на двоих, и у остальных щемит в тревоге сердце, а из-за прилавка продавщица голосит поверх голов: «Маша, “Аврору” больше не выбивай!!» И ты уверенно и нагло бросаешь в стороны: «Я уже стоял! Я уже занимал! Я отходил отсюда!» — и, не дожидаясь реакции, в эту долю секунды лезешь мимо, плюя на замечания и пожелания сдохнуть, и суешь чек продавщице: ох, кажется, семь тортов еще стоят за ней! Есть!!! Взял!!!

И, счастливый и слегка гордый удачей и собой, вылезаешь наружу, держа коробку с тортом над головой, чтоб не размяли. И те, кто еще только зашли, кто приехал в семь, смотрят на тебя как на человека высшего сорта и скромно смиряются.

Тьфу. Вот такая жизнь. Подавитесь вашими тортами, ничего не надо, как я ненавижу очереди.

К вечеру будут хватать за счастье любой тортик в любом месте. Однажды в темноте я волок большой и обычный торт, и был на лету перехвачен четверкой веселых девиц, и притащен в их компанию просто в приложение к своему торту. Торт компания приветствовала счастливым ревом, интерес ко мне был несравненно слабее и проявлен позже, по остаточному принципу, когда все вкусное кончилось.

Не хлебом единым!

На третьем курсе, после стройотряда, мы стали шить себе костюмы. Купить действительно модный и хорошо сидящий костюм было невозможно. Все шили.

Несколько дней я объезжал магазины. Тряпка по сорок ре за метр мне было дорого. Нашел гениальную за двадцать четыре. Синевато-серое мельчайшее букле эксклюзивного вида и красоты неописуемой. Три метра с половиной: на тройку с жилетом.

Лучшим из известно-доступных ателье считалось имени Крупской, под аркадой Апраксина Двора. В день принимали заказы на двадцать костюмов, двадцать первый оставался лишним. Славой лучшего закройщика пользовался некто Баранов. Считалось, что попасть надо к нему.

Мой дед жил на Садовой в ста метрах. Я занял очередь в час ночи и был пятым. На пару часов я отошел к деду поспать. Стоял ноябрь.

Я был пятым, но оказался восьмым. Баранов был уже занят, и я попал к Карцеву. Это был низенький жирноватый парень лет тридцати с неуверенной лакейской спесью на морде. Сколько бортов делаем? Два. Сколько пуговиц? Четыре, обшитые, квадратом. Сколько шлиц? Две. Какая длина? Две трети бедра. Брюки в бедре? Середина бедра чуть шире обтяжки, двадцать четыре, клеш от нижней трети бедра, внизу двадцать четыре, скос два сантиметра, сзади до верха каблука. Я давно и наизусть знал, чего хотел, и вымерял семижды семь. Карцев стал смотреть с оттенком свойского чувства. В тупик он меня вопросами не поставил. Он поставил меня в пример следующему заказчику и одобрил меня коллеге. В тупик он поставил меня позднее, когда спер ткань на жилет. Блудливо юлил про перерасход и совал деньги за спертые шестьдесят сантиметров. Себе, поди, жилет спроворил из моей ткани, холуй поганый.

Но где духовная пища?!

Изящнее всего я приобрел том «Всемирки» с Киплингом и Уайльдом. Я зашел в «Подписные издания» (замучишься подписываться, все по лимиту, по блату, по распределению на производствах), где эти издания ждали своего выкупа заказчиками. Полистал спрошенный у продавщицы том, достал треху, бросил на прилавок и быстро убежал с книгой под растерянный вопль про молодого человека.

Хорошие книги продавались «холодняками» — книжными спекулянтами — в известных дворах возле букинистических магазинов. Цена — от двух до пяти номиналов.

Чемпионами были «рыжий Мандель» и «большой Пастернак». Том Большой серии «Библиотеки поэта» стихов Пастернака шел за шестьдесят рублей, терракотовый однотомник стихов Мандельштама — за восемьдесят. В магазинах ими не пахло никогда.

Кроме инвалютной «Березки». Там их три рубля цены на обложке пересчитывались по официальному курсу на пять долларов — и стояли между икрой и матрешками. Иностранцы знали: лучший подарок в советский дом — такая книга. Хозяева были счастливы.

...За что ни схватись — все имело свою историю дефицита!

В 1966 «Лениздат» выпустил прекрасный однотомник Ахматовой. Толстый, емкий, рисунок Модильяни на белом супере. Тираж сто тысяч. Пересчитали на складе готовой продукции типографии — семьдесят! Матерились, давали выговора, усиливали охрану. Допечатали тридцать тысяч. Пересчитали. Шестьдесят!

Допечатали сорок, запечатав все двери и окна. Пересчитали. Восемьдесят. Плюнули на скандал, пригласили уголовку, установили наблюдение (видеокамер-то еще не изобрели).

Боже ж мий! Выносят под одеждой отдельные тетради печатного блока, чтобы сшить дома. Переплеты на спине. Блоки под юбкой. Приклеивают пакеты под электрокары. Грузят во вскрытый пустой бензобак фургона. Ночью с чердака спускают мешки книг на веревке во двор.

Вот как любил народ книгу!

Предварительная запись на ковры вошла в анналы. Стояли ночами, записывали очередь на ладони и делали переклички.

Это потом хрустальных ваз у всех стало много. А вначале их не было. А стоили дорого — шикарный подарок.

Если в моду входили сорочки с длинными уголками воротников — в магазинах были только короткие. Если носили короткие — в магазинах предлагались только длинные.

Молодежным дефицитом были джинсы, женским — колготки, мужским — кожаные куртки, дефицитом зажиточных были автомобили, дефицитом пенсионеров — кефир и творог. Нужно было приходить к открытию, к девяти часам, или заводить знакомство с продавщицей.

Экономически мы были дремучи. Преподаваемая экономика была наглой и бессмысленной галиматьей. Мы не понимали элементарного:

Дефицит — это когда денежных знаков больше, чем товаров, а цены фиксированы. Денег можно напечатать для народа сколько угодно. Цены устанавливает государство. И человек, думая, что работает на государство за двести рублей в месяц — работает реально за сто. Потому что еще на сто ему нечего купить. То есть нечего из нужного ему, желаемого. И он кладет деньги «на книжку». То есть отдает обратно в казну на неопределенно-долгий срок.

Оборонка была могучая. Социалка была неплохая. Хорошее образование, хорошая наука. А вот потребительских товаров для народа выпускалось мало. Это значит что? Это значит, что рабочая сила стоила дешевле, чем было написано в зарплатной ведомости. У тебя есть деньги и права на покупки — а купить нечего. Элементарнее и быть ничего не может. (Хотя «бесплатные» блага — реально увеличивают твой доход.)

А кроме того, государственное распределение — могучий рычаг управления, как учил еще товарищ Ленин с первых дней Советской власти. Раздавать — значит управлять: заставлять людей делать то, что нужно раздающему, т.е. государству. И спецраспределители дефицита для правящего класса — обеспечивали послушность и исполнительность советских управленцев: привилегированного слоя!

А плановая экономика неразворотлива. А благосостояние народа финансируется по остаточному принципу. Миллиард на стройку заводища — но сэкономим тысячи на квартирах для работающих. Миллиард на космос — но сэкономим на машинах для народа.

Нет в мире совершенства...

Ты накопил денег на кооперативную квартиру — но не имеешь возможности купить ее: недостаточно долго работаешь на этом предприятии, недостаточно долго прожил в этом городе, да у тебя на метр человеко-жильца квадратного не хватает до нормы включения в кооператив... да у тебя вообще прописки нет, пшел вон... товарищ.

Носков ведь не было! Вот их все и штопали! Вы думали, «гондон штопаный» — это фантазия сквернослова? Это перенос экономической ситуации на товары первой необходимости! Синоним предельной бедности и социальной несостоятельности обвиняемого.

Боги, боги мои. Все надо было «доставать». Ветчину, гречку, коньяк, книжные полки, лак для пола, капусту и трусы, дубленку, запасное колесо. Очередь на железнодорожные билеты была гибридом маслодавильни и мясорубки.

А приличную бумагу для рукописей мне дарили знакомые секретарши. Финскую. Выделенную для директорских приказов.

...И когда я, много лет спустя, захожу в магазин — и вижу в нем все! Свободно! Любое! Мне хочется плакать и жалеть тех, кто не дожил. И уже плевать, что цены бешеные, а водки паленые.

Последнее воспоминание. Картинка из жизни. Позор сердца:

Город Углич. Обувной магазин. День. Пусто. Посредине стоят два молодых негра, по виду студенты из Африки, — и умирают от хохота! Сгибаются пополам и тычут пальцами по сторонам.

Оскорбленные продавщицы молчат поджато.

Над стеллажами вдоль стен — надписи: «Обувь мужская», «Обувь женская», «Обувь детская», «Обувь зимняя», «Обувь летняя». И на всех полках — ряды черных резиновых галош. Больше ничего.

Обуви нет. Провинция. Они прибрали-украсили магазин как могли. В ожидании лучших времен, возможно. А что делать? Дефицит.

ЗАРПЛАТА

Кем бы ты ни работал, ты не мог стать богатым и не мог стать нищим. Практически никому не платили меньше семидесяти рублей, и не платили больше двухсот.

После девятого класса, получив в шестнадцать лет паспорт, я устроился на летних каникулах месяц поработать. Что производила скобяная артель через дорогу, я так и не понял. Артель называлась фабрикой, а я назывался учеником. Подай-принеси-протри-сложи-оттащи. Все, чему я там научился как ученик, это курить и глотать дрянь из горла залпом. Эти умения вызывали наибольшее одобрение коллектива. Мой несовершеннолетний рабочий день уполовинивался до четырех часов. Мне заплатили сорок рублей, десять я оставил себе на мужские расходы, а тридцатник сдержанно внес в семейный бюджет. Это были вполне ощутимые деньги.

Студенческая стипендия была тридцать пять рублей, повышенная — сорок три семьдесят пять. (В институтах пожиже — на двадцать процентов меньше.) Прожить на них было очень трудно, но выжить — можно. Этого могло хватить на пропитание и транспорт в стилистике жесткого минимализма. Но вообще почти всем помогали родители. Или желательно хоть иногда подрабатывать.

Потом я работал в школе пионервожатым. Чтоб задобрить директора и потом преподавать в старших классах. Я был длинноволосый, бородатый, хипповый и малоуправляемый. Дети меня раздражали. Раздражал пионерский идиотизм, из которого я вырос. Бесили усилия директора сделать меня массовиком-затейником пионерской дружины. За свой позор я получал шестьдесят рублей в месяц, посещая школу не каждый день и ненадолго. Образование для этой работы не требовалось. Нужно было отставание в умственном развитии и беспричинная живость характера.

Как воспитатель группы продленного дня начальной сельской школы я получал девяносто рублей. Пайка вставала у меня в горле. Это был хлеб христианского мученика, назначенного надзирателем. Повышенный ранее до преподавателя старших классов другой школы, я имел сто двадцать — плюс по десятке за проверку тетрадей и классное руководство. И никогда в жизни я больше не тратил столько сил и нервов на каждый заработанный рубль. Рубль аж коробился от пота.

Эти сто — сто двадцать в месяц позволяли снимать комнату, питаться, ходить в кино, выпивать изредка и иногда покупать что-то незначительное типа носков.

...Комбинат железобетонных конструкций, ЖБК-4 на улице Шкапина в родном Ленинграде. Какой контраст!.. Ноль образования. Покажи паспорт и трудовую. Второй разряд. Завтра к без четверти семь в цех. Двести рублей! Да, вибростол гремел, да, цементом пахло. А вообще не бей лежачего. Восемь часов с перерывом на обед и душем в конце, мыло-полотенце казенные, вышел за проходную и забыл все до завтра.

То есть. Образование и квалификация не имели отношения к заработку. Гегемон, то есть пролетариат, должен был получать свои сто пятьдесят — двести хоть трава не расти.

На четвертом курсе я подрабатывал кочегаром. Не на паровозе, в обычной угольной котельной. Сутки через трое. Утром и вечером накатать десяток тачек угля от бункера до рядом с топкой. Кидаешь пяток лопат раз в полчаса. Температуру воды сверяешь с температурой снаружи по графику. Хочешь уйти на пару часов — нашвыряй побольше и прикрой топку. Хочешь поспать ночь с полуночи до шести — нашвыряй топку под завязку и прикрой поддувало, чтоб тихо тлело. Все! Девяносто пять рублей, ноль образование, ноль квалификация. Против ста каторжных учительских после университета, куда еще надо поступить и надо закончить.

Это была пг'еинтег'еснейшая политика расценок рабсилы. Пролетариат неумственного труда был главным. Теряя статус, он проигрывал в деньгах. Передовой рабочий хорошего разряда мог получать нормальных двести сорок. И учился в вечернем институте, потому что передовой. Получал диплом инженера, становился мастером смены в своем же цехе, имел кучу головной боли за выполнение плана — и получал сто тридцать. Не лезь наверх!

Вот едет «скорая» на вызов. Водитель опытный, 1 класса, получает двести. В салоне: врач — сто, фельдшер — восемьдесят, медсестра — семьдесят. Двести пятьдесят на троих. В институтах учили, как быть бедными. Естественно, все работали на полторы ставки, часто молотили на две. И шофера прихватывали. Итого: врач — сто семьдесят, его водитель — триста.

Все молодые специалисты после вузов — врачи, учителя, инженеры, научные сотрудники, — получали по сто. Потом шли надбавки, подхалтурки, переработки, и они получали по сто пятьдесят — двести.

А работяге отдай двести на ставку сразу!

В необходимости срочно подработать, я как-то среди года устроился грузчиком на Московскую-товарную. В первый день думал, что умру, на второй пожалел, что не умер. Сорок тонн за смену, можно пятьдесят. Двадцать две копейки с тонны. Негабаритный груз — двадцать восемь копеек. Месячный расчет — двести рэ! За месяц втянулся. Здоровый, спокойный, мозг — чистый, как у питекантропа.

Мэнээс в Казанском соборе, музей религии то бишь, — сто рублей. Журналист в «Скороходовском рабочем» — сто рублей. Восемьдесят шесть тридцать на руки после вычетов подоходного и за бездетность.

Разве что лейтенант получал сразу двести, майор триста, полковник четыреста — звания, должности и выслуга росли параллельно. Офицерские погоны гарантировали хоть в непредсказуемом собачьем месте, но спокойный достаток.

Заработок инженера начинался от начальника цеха и директора завода. Там уже и триста, и пятьсот, и спецблага номенклатуре (к начальникам цехов это не относится, разумеется).

А товарищ научный работник жил прилично от старшего научного сотрудника и кандидата наук (двести пятьдесят) — и вверх. Доцент — триста двадцать. Доктор и старший — под четыреста. Профессор — четыреста пятьдесят. Плюс за заведование кафедрой, семинары, плюс за аспирантов, — получая пятьсот — шестьсот рублей, профессор был элитой общества: и ученый, и достойный, и состоятельный. М-да-с...

Круто зарабатывали шахтеры. Там триста было нормально. И четыреста нормально. И семьсот могло быть. До трехсот мог выгонять водитель автобуса или машинист.

На Крайнем Севере и «приравненных к нему районах» шел «коэффициент» до ста процентов — за место, и «полярки» — плюс десять процентов за полгода стажа там, иногда были шесть полярок, кое-где — до десяти. Три оклада делали человека хорошо обеспеченным: шестьсот вместо ста семидесяти. Плюс двухмесячный оплаченный отпуск, и раз в три года — оплачивались любые отпускные билеты. Вот полгода раз в три года северяне могли гульнуть по Союзу как богатые.

А богатыми реально и неофициально — были: официанты, мясники, продавцы комиссионок, ювелиры, известные портные, директора магазинов. Там, где деньги переходили из рук в руки. Бармен мог «зарабатывать» тысячу в месяц. «Зарабатывать» — это значит недоливать или наливать не то. Жулик, короче, ворюга мелкий. Это был свой круг со своими ценностями. Они осуждались официальной моралью, это ладно, но искренне презирались всеми людьми честными, и это их задевало. Перед ними могли заискивать, имея интерес, а все равно презирали. Они комплексовали. Пытались держаться высокомерно. Неожиданно начинали оправдываться в «разговоре по душам». Типа: а ты что, не взял бы?

Для нас они были — потребители без высших ценностей. Они паразитировали на узких местах. Они не любили строй, который не давал обладателю денег автоматический социальный статус. При возможности они часто валили за бугор — и бывали там потрясены ненужностью своих умений, непристроенностью и потерей положения. Ну кто такой мясник или официант?..

М-да. Нет занятия более дурацкого и увлекательного, чем считать чужие деньги. Но любого, кто не ворует, а зарабатывает, всегда интересует: а как вы жили? сколько вам платили? что на это можно было купить? Заботы рабочих людей везде одни. Стихи стихами, а хлеб-то почем был?

Кстати, платили до трехи за строчку, и с учетом потиражных хороший сборник мог принести элитному поэту трехлетнюю нормальную зарплату. Одна книга, переведенная на все языки народов СССР и братских стран, осыпала номенклатурного письменника золотым дождем на сумму в десятки тысяч рублей, сто тысяч, двести. Поэту-песеннику капало с каждого исполнения, он имел несколько тысяч ежемесячно и жил в другом мире на другие деньги. Преуспевающему драматургу — капало с каждого спектакля. Ох этим ребятам было с чего рыдать по концу Советской Власти, от которой они хотели больше свобод!

Между прочим, неплохо подрабатывал и андеграунд. Дворник — это давало служебную квартиру, пусть ободранную и в цокольном этаже («полуподвале»), но с отоплением и водопроводом, электричество само собой. И шестьдесят рублей. На две ставки — сто двадцать. А кто ту работу каждый день проверит? Времени свободного масса.

Кочегар газовой котельной. Двести рублей. Двухмесячные курсы для получения удостоверения. Сиди и подкручивай крантики, следя за форсунками.

Сторож автостоянки. Сто плюс чаевые.

Вахтеры разных мест. Семьдесят. А делать не надо ничего, сиди себе, иногда ключ выдай с доски или повесь обратно.

И везде — сутки через трое.

Такие работы старались передавать по наследству в своем кругу.

Мысль о том, чтобы ходить на работу годами регулярно, приводила меня в злобную тоску. Регулярная работа мне нравилась одна — за письменным столом. Еще и стола не было, и крыши над головой не было, а работа уже нравилась. От прочих работ мне требовалось одно: захотел — пришел, захотел — бросил к черту.

Работа на монгольско-алтайском скотоперегоне могла дать скотогону при удаче до пары тысяч в сезон чистыми. Наша бригада получила после всех вычетов по девятьсот на руки, и это было неплохо для голодранцев, даже очень неплохо. Можно было прийти и должниками, государственными алиментщиками: не дали привеса, потери в гурте, такое случалось.

А матерый промысловик в Заполярье мог в удачный год заработать на пушнине и рыбе тысяч до двадцати. Все зависело от года, от участка, от умения и удачи. Я увез тысячу семьсот и был счастлив как слон.

...Я стал писать постоянно с двадцати пяти лет, подал первые рассказы в журнал после двадцати восьми, первая публикация в журнале прошла в тридцать один. Рассказ, который я писал полтора месяца, был расценен в семьдесят рублей. Аванс за первую книгу я получил в тридцать три — пятьсот. Расчет — в тридцать пять: тысячу восемьсот.

И даже не молитва, но искреннейшее убеждение, мечта души, открытая Парню Наверху, была: Господи, если все, что я пишу, пишу так хорошо как могу, будет публиковаться безо всяких изменений, и я смогу получать за это среднестатистическую зарплату каждый месяц, — больше мне ничего не надо. Все, что сверх того, — это уже от Милости Твоей. А мне для счастья — выше крыши.

МЫ И ОНИ

В шестом классе я получил письмо от американца. Я его знать не знал. Станция Борзя Забайкальской железной дороги. Какие американцы? Рядом аэродром стратегических бомбардировщиков, вот и все интернациональные связи.

Хижина дяди Тома. Дети горчичного рая. Это было все равно что получить письмо от Тома Сойера. Америка была не другая страна. Америка было другое измерение. Виртуальный мир. Политическая мифология. Земля была плоской, и Колумб ничего не открывал.

Меня позвали после уроков в учительскую. Там сидели директор, завуч, наша классная, председатель совета пионерской дружины, секретарь комитета комсомола школы, еще кто-то; и учитель английского. И этот учитель, англичанин наш, тридцатилетний развязный мужчина с резным профилем карточного шулера, спросил, как я посмотрю на то, чтобы переписываться с американским мальчиком. Я вытаращил глаза. Обстановка за столом потеплела.

К нам в школу пришло письмо, сказал англичанин.

И решили передать его тебе, сказал секретарь комитета комсомола.

С английским у тебя успеваемость неплохая, сказал директор.

И мне подвинули конверт. Конверт был узкий, длинный и весь белый. Вместо марки на нем был наклеен маленький советский флажок, красный с золотым серпом и молотом и звездой. А адрес был написан такой: Nick, Moskwa, USSR.

Это было письмо американского Ваньки Жукова на советскую деревню.

Но я не Ник, с сожалением и облегчением сказал я.

Это не важно, сказал незнакомый кто-то между директором и завучем. Американский мальчик из семьи трудящихся хочет дружить со своим ровесником из Советского Союза.

У меня были другие представления о дружбе. Если можно польщенно кряхтеть, то из меня исходили те самые звуки. Все слова на пэ: подсудимый подопытный пациент.

Беседа приняла общий характер и доброжелательную тональность. Она сводилась к тому, что я должен прочитать письмо, написать ответ и с надписанным конвертом сдать учителю английского, а отправят на почте они сами.

Я принес письмо домой и стал читать. Почерк был разборчивый, хотя наклон не в нашу сторону. Некоторые слова знакомые. Но само письмо не читалось. Этот американский мальчик изъяснялся совершенно не так, как Лина энд Эйда из пайониэ кэмпа. Шифровка не имела ничего общего с Питом, который хэз а мэп.

Пришла с работы мать и развеселилась. Пришел со службы отец и озаботился. Их до войны учили в школе немецкому. Еще их учили, что любой контакт с иностранцем кончается статьей за шпионаж.

Командированному в Читу сослуживцу заказали

мюллеровский словарь. И я узнал, что десятилетний Ник Гарднер живет близ городка Эгз в штате Колорадо. Его папа фермер и недавно купил второй трактор. Ник тоже хочет стать фермером. Еще он хочет приехать в Советский Союз и увидеть Москву. А меня он приглашает приехать в США и пожить у них в доме, на втором этаже есть комната для гостей. (Я не уверен только насчет названия города, но если на карте СССР были Ребра и Лобковая Балка, то почему бы и нет.)

Имущество фермера не вписывалось в советское мировоззрение. Оно нас не то чтобы унижало, но приводило в истерическое веселье. Фермер должен быть худой, небритый, в рваном комбинезоне на одной лямке. Хибара заложена банку, дети просят есть. Второй трактор... Русские танки! Министр падает из окна!

На фотографии сиял лобастый вихрастый крепышок в ковбойке.

И стал я писать по-английски. Папа купил машину. Он офицер. Летом мы были в отпуске в Ленинграде. Я люблю читать Джека Лондона. Хочу стать скульптором.

Англичанин вернул мне письмо с исправлениями. Он велел заменить фотокарточку. Желательно в школьной форме и пионерском галстуке. Форму почти никто не носил по бедности и необязательности. Моя давно стала мала. Приказ был — фотографироваться по грудь, ничего.

Через полгода пришел ответ. На конверте опять стоял московский штемпель. Отец одолжил мою переписку и через неделю велел закругляться с эпистолярным жанром. Политотдел дивизии и районный КГБ имели разные задачи и взгляды на выстраивание отношений с предполагаемым противником.

Ау, колорадский фермер Ник Гарднер! Купил ли ты третий трактор? Отвоевал ли во Вьетнаме? Как растет генетически модифицированная конопля?

Я хранил то письмо. Оно попадалось мне на глаза при переездах. Я взрослел, и ситуация взрослела вместе со мной.

Только что избрали Кеннеди. Взгляд Америки на Восток потеплел. Русские запустили человека в космос. Миролюбивый юный американец откликнулся на призыв к всеобщей дружбе. Фермер. В округе никого умнее сурков.

КГБ решал задачи, мелкие тоже. Контакт? Хорошо, последим, может пригодиться. Приехать встретиться? Не так сразу. Найти ему адресат там, куда замучится ехать. Владивосток — близко к Сан-Франциско. Если ткнуть в глухую середку карты — будет Забайкалье. В Чите тоже ткнули поглубже, попали в Борзю, это почти неприятный америкосам Китай.

Ход мыслей районного КГБ прост, как гипотенуза. Должен быть отец коммунист. Достаток в семье. Мальчик хорошо учится. Активный пионер. И пятерка по английскому.

Офицеры жили богаче остальных, а я был председатель совета отряда. Первый и последний раз в жизни анкета была истолкована в мою пользу.

Вот так американец получил вместо мальчика Коли из Москвы мальчика Мишу из Борзи. Бери что дают.

...Мирные советские люди жили в кольце врагов. Враги были коварны и многочисленны. Они мечтали поработить нас и захватить наше добро.

Американские империалисты, немецкие реваншисты, японские милитаристы, британские капиталисты, так в шестидесятые к ним добавились китайские гегемонисты. Португальские колонизаторы, норвежские натовцы, итальянские мафиози и голландские развратники. Швейцарские укрыватели краденого, израильские агрессоры и южноафриканские расисты. Все вооружены до зубов и ненавидят власть трудящихся. После лекции по международному положению пенсионеры пили валерьянку.

Врезалась в память навек трагико-романтическая живопись на цветной вкладке «Огонька»: трущобы в ущельях Манхэттена, и два худеньких бедных паренька, озираясь, пишут белой краской на мрачной обшарпанной стене: «Peace!», и рисуют белую голубку — а к ним уже бежит, воздев дубинку, звероподобный полисмен: карать! Поджигатели войны, что с них взять. За призыв к миру там бьют и сажают в тюрьму.

Сознание с годами умнело, но подсознание оставалось травмированным.

Если не выпускать никого за границу и ввести цензуру на переводы книг и перлюстрацию писем, любая жизнь может показаться прекрасной, а трудности — частными. Лишь бы не было войны! Наши продукты были самыми экологически чистыми и вкусными, а их — синтетическими и безвкусными. Нам были открыты все пути, а у них карьеру делали только дети богатых семей. Наши медицина и образование были бесплатны, а у них болезнь разоряла простого человека, а университет был не по карману. Наши бесплатные санатории предоставляли отдых на уровне их миллионерских побережий.

Система давала сбои. Газета помещала фоторепортаж об американских безработных. Очередь выглядела нереально хорошо одетой. У нас таких вещей купить было негде. У городских читателей это рождало излишнюю мысль, что безработным быть, конечно, очень плохо, но уж работая они жили будьте-нате. Реакцию деревенских читателей следует охарактеризовать как лишенную мыслей тоскливую злобу.

Биография великого русского певца Шаляпина повествовала, как перед смертью он хотел на родину, в Россию, в Москву!.. Естественный вопрос, какого же хрена этот голосистый брат трех чеховских сестер не мог на свои гонорары купить билет и приехать в Москву, естественного разрешения не получал. Мало ли типа кто чего хотел. Хочется, перехочется, перетерпится. Умирающий талант нежен и капризен, как беременный. Но патриот!

Журналистка нашла Войнич, Этель Лилиан, автора одного из главных советских бестселлеров «Овод», пламенные карбонарии против австрийских реакционеров. Девятнадцатый век. Подруга русских народовольцев — жива, жива! Столетняя блоха была обнаружена в Нью-Йорке, в небоскребе, полностью забывшая русский и нимало не интересующаяся светлой жизнью в СССР. Момент выплаты ей безумных гонораров за астрономические тиражи сотен переизданий в Союзе — этот момент даже не встал.

Мы не платили Хемингуэю, не платили Фолкнеру, не платили Ремарку, потомкам любимого Сент-Экзюпери мы подавно платили шиш с маслом. Мы «не находились в конвенционном поле». Зачем платить, если можно и так.

А они, жирные твари, нашим писателям платили. Но мы им, то есть своим писателям буржуйские деньги, все равно не платили. Гонорары перечислялись через Внешторгбанк и забирались ВААПом; была такая организация по отъему авторских прав. А мимо Внешторгбанка шла статья за валютные операции (валютчиков по этой статье иногда шлепали).

Люди искусства регулярно попадали впросак (это промежуток между вагинальным и анальным отверстиями, подсказывает циничный консультант из памяти). Идет указ: отпраздновать юбилей Пушкина, показав его всемирное значение. Включается механизм подготовки юбилея по всем статьям. Самой вопиющей для народа оказывается та интересная статья, что почти все потомки Пушкина живут на Западе, причем, опять же, не говорят по-русски. А?! Гм. Почему там? При советской власти их бы никто не выпустил. При царизме им и так неплохо было, дворянство, имения, средства, положение. Напрашивалось неприятное: смылись в Гражданскую войну-с...

А вот и внучка Льва Толстого, а вот и правнук! Все там, за шеломянем еси.

Идеологическая борьба доходила до того, что американский роман «Живи с молнией» перевели «Жизнь во мгле».

Шедевром и бестселлером была книга правдиста Юрия Жукова «На фронтах идеологической войны». Разделы именовались: «Литературный фронт», «Театральный фронт», «Музыкальный фронт». Все ихнее было деградирующим, реакционным и антигуманным, шарлатанством по форме и диверсией по содержанию. Битлам, веберам и раушенбергам мужественно противостояли коммунисто-реалисты, близкие народу и заветам классики. Они были в загоне, в бедности, их никуда не пускали. Я храню этот образец злокачественного маразма — для памяти.

А вот и образец мироотношения — стишок против стиляг из журнала «Крокодил»:

Иностранцы? Иностранки?
Нет! От пяток до бровей —
это местные поганки,
доморощенный Бродвей!

На карикатуре рядом кривлялись пестрые уроды.

Образ иностранца в советских СМИ — тема отдельных диссертаций по политтехнологии. Иностранец — крикливо и дорого одетый циник, лишенный патриотизма и руководствующийся наживой. Так выглядели иностранцы в советских фильмах. Страна происхождения не важна. Таковы все белые. Азиаты — коварны, льстивы, жестоки. Африканцы и вообще негры — простодушны и сравнительно человечны. Нищие всех стран и рас — это хорошие люди, добрые и честные, за то и страдают. Идеал человека — нищий негр-коммунист.

Иностранцы — никудышные солдаты, трусоватые и развращенные комфортом, умирать за родину не хотят. Не нам чета. Вот только немцы получше. И японские фанатики. В Корее мы американцам вломили. И на Кубе у них оказалась кишка тонка. И во Вьетнаме бьем. В рационе солдата саморазогревающиеся консервы, кетчуп и туалетная бумага... пародия, а не солдат.

Любой иностранец — возможный шпион и всегда идеологический враг. Только проверенные и специально назначенные товарищи могут общаться с ними.

Познакомившись на филфаке со стажером-славистом из США Бобом Уэлсом (до писателя не хватало второй «л»), я привел его выпить в нашу коммуналку, дедовские две комнаты пустовали. Выпив до идиотизма, блюдя честь своей страны каждый, выкинули бутылки прямо в окно на Садовую и легли спать. Узнав, что мой гость был американцем, соседи в ужасе позвонили на Литейный: сообщили, предупредили, осудили, отмежевались. Годы спустя они передавали мне ответ: «Спасибо. Не волнуйтесь. Нам все известно». Это знакомство воспринималось ими, обычными людьми без контактов с иностранцами, как поступок безумный, опасный, в сущности негласно преступный.

Мы, процеженные филологи, из которых половина переводчики, были немногим храбрее. Когда позднее для одного рассказа мне понадобилось узнать черный курс финской марки в Ленинграде, однокашники-переводчики по телефону давали понять, что нельзя спрашивать такие вещи, впервые слышат подобное, а зачем оно мне, они могут узнать банковский курс. Иностранец был источником опасности. Фактором повышенного риска.

Это вполне отражалось в официальном представлении о культурах. Представление вбивалось с первого класса. Русская культура равновесна зарубежным совокупно. Одно — наше, другое — все не наше. Музыка русская и западная, живопись русская и западная, литература и подавно. Их литература была более такой блестящей, возможно, изящной, но наша — более глубокой, духовной и гуманной.

Национальность Ромео и Джульетты, Тристана и Изольды, Робин Гуда и д'Артаньяна тщательно обходилась стороной. Русские герои были русскими, а нерусский национальности не имел.

Послевоенная кампания по борьбе с космополитизмом и низкопоклонством перед Западом окончательно не прошла никогда. «Норд» так и остался «Севером»: и папиросы, и кафе. Отрицательных героев в книгах звали Эдуардами и Элеонорами. Советский Союз был родиной африканского слона.

Много лет спустя я задумался, почему Ломоносов боролся с немецким засильем в Российской Академии наук. Потому что кроме немцев там никого не было. И сам Ломоносов в Германии выучился. И вся Академия была организована Петром I методом им-

порта немцев, своей науки до него в России вообще не существовало.

И любимым анекдотом был о заседании по проблеме приоритета в науке на международном симпозиуме.

Выступает англичанин: об изобретении паровоза Стефенсоном.

Представитель Советского Союза заявляет протест:

— Как известно, паровоз изобрели русские изобретатели братья Черепановы.

Выступает итальянец: об изобретении радио Маркони.

Русский заявляет протест:

— Как известно, радио изобрел русский инженер Попов.

Выступает американец: изобретение самолета братьями Райт.

Русский заявляет протест:

— Первый самолет построил русский офицер Можайский.

Выступает немец: изобретатель печатного станка Иоганн Гутенберг.

Русский протестует:

— Книгопечатание ввел русский первопечатник Иван Федоров.

Выступает австриец:

— Надеюсь, представитель СССР не будет возражать, что рентгеновские лучи открыл все же австриец Рентген?

Француз язвительно вставляет:

— Согласен ли месье, что это французы изобрели французскую любовь?

— А-а-тнюдь! — встает русский представитель. — Еще в русской рукописи XVI века зафиксированы слова Ивана Грозного: «Хуй вам в рот, бояре, я вас насквозь вижу!»

Брак с иностранцем граничил с изменой Родине. Бюрократические препятствия чинились годами.

За шейный платок я попал когда-то в милицию в Анапе: «Не наш человек».

Иван-дурак остался героем советских «интернациональных» анекдотов. Американец-немец-француз были умнее, тщательнее и проигрывали. Русский был простоват, хитроват, разгальдяист, обаятельно циничен и всех побеждал.

ГЕГЕМОН

Рейган посещает советский завод. Брежнев гордо сопровождает. Все блестит, крутится, шумит, едет, работяги в чистых комбинезонах, директор дает пояснения. И вдруг в соседнем цехе — пьют в углу! Забивают домино! Станки шумят вхолостую. Брежнев чернеет лицом. Рейган утешительно хлопает его по плечу: «Ничего, Леня. У нас господствующий класс тоже паразитирует».

Гениальная мухинская скульптура «Рабочий и колхозница» — символ эпохальной идеологии. Труд, мощь, молодость и красота, напор и полет, народ и перспектива. Наш паровоз, вперед лети. Пролетарий и был тем паровозом, который летел. И торил путь, и тащил за собой остальных.

Как в семнадцатом году пролетарию сказали, что он главный, так эта вредоносная марксистская мысль у него в мозгу и паразитировала. И ведь интеллигенты сказали! Недоучившиеся адвокаты, семинаристы и журналисты, товарищи мелкие дворяне и купеческие дети.

Интеллигенции внушили, что она социально неполноценна. Частично ликвидировали. Крестьянину сказали, что он рабочему помощник и друг, меньшой брат то бишь. Купцов извели под корень, священников уконтропупили по самое не могу.

И что же люди? И в результате люди поверили. В конце концов. Человек — животное социальное. Высокоразвит. Дрессируется лучше собаки. Всему поверить может!

Черт возьми. Советский рабочий класс и был аналогом «среднего класса». Партфункционеры — правящий слой. Звезды искусства и спорта — элита. Профессура — верхний класс, и по престижу, и по деньгам. А вот дальше забавно:

Интеллигенция, т.е. товарищи инженера, учителя и врачи, получали поменьше нормальных работяг. Образование, конечно, уважалось. Квалификация, конечно. Возможности роста в директора заводов и школ, в главврачи. Но вообще — в официальной табели о рангах стояли ступенью ниже!

Именно рабочим — в первую очередь: давали квартиры; ставили в очередь на машины; включали в загранпоездки тургрупп; и — принимали в Партию!

Рабочим льстили: власть, газеты, искусство, лекторы. Они были носители подлинной мудрости, духовности, морали и патриотизма. Они были самые смекалистые! И стойкие. Принципиальные. У них была рабочая гордость. Это была гордость высшего сорта: гордость хозяина страны своей хорошей работой.

Что такое счастье труда? Это чувство, которое испытывает поэт, глядя, как рабочие строят плотину. Но цинизм пришел позднее.

Я долго комплексовал, что мои родители не рабочие. Нет, офицеры они конечно защитники, хотя детскому сознанию солдаты представлялись главнее. Это они на плакатах, они победили немцев, они водрузили знамя на Рейхстаге. Это они, бывшие солдаты, рассказывали детям и внукам в журналах «Мурзилка» и «Пионер», как побеждали. То есть складывалось впечатление, что офицеры только командовали, это не так геройски и почетно.

Врачи, конечно, тоже нужны, но куда врачу до рабочего! Смотри кино: рабочий рвется совершать трудовой подвиг, а бескрылый врач его не пускает... недоделок. Но гордый и патриотичный рабочий (летчик, изобретатель, директор стройки) отталкивает врача и идет жертвовать здоровьем ради страны. И, кстати, оказывается жив чаще всего.

Сталевар! Токарь! Вот был образец человека. Даже выше летчика-испытателя и пограничника. Ну еще тракторист туда-сюда.

Как я ненавидел Гаврика из катаевских «Белеет парус одинокий» с продолжениями! Гаврик был неказист внешне, малограмотен, сирота из бедной рабочей семьи, дедушку-рыбака забили в полиции. По тогдашней советской политкорректности — это был человек высшего сорта. Сметливый, храбрый, мужественный, благородный, всегда лидер. Интеллигент Петя, сын учителя и гимназист, образованный и миловидный, был у Гаврика на побегушках и сознавал превосходство друга во всем, начиная с физической силы и удали. В продолжениях Гаврик с рабочими спасали Петин сад от злой спекулянтки-торговки, потом Гаврик привлекал Петю к революционному движению, и именно ему, а не влюбленному Пете, отдавала любовь красавица Марина, хотя Петя был вроде и красивше, и эффектней, и умней, и вообще, — но была в Гаврике какая-то внутренняя хорошесть, убедительность и значительность! Его хотелось убить.

Позднее я понял, что интеллигент и боевой офицер Империалистической войны Катаев, хоть и хотел убедить себя, и вписаться в Советскую власть, и быть советским писателем, — но пролетариат ненавидел, с его возвеличиванием был не согласен, и франкенштейна Гаврика удушил бы собственными руками. Но сделал его партийным секретарем Одессы. Жлоб.

Нет, это интересно. В ПТУ учиться рабочим специальностям из школы уходили самые туповатые и хулиганистые. Пэтэушник — был ругательный синоним тупого, серого, недоразвито-агрессивного, носителя подростковой пролетарской субкультуры: идиотская утрированная мода, идиотские утрированные прически, упрощенные сексуальные отношения. Юные советские пролы. Они шли работать — и становились гегемонами. Во как.

Потом шли техникумы. Среднее специальное образование. Скажем, мастер по ремонту холодильников. Это не совсем пролетарий. Звучание не то. А уж торговый техникум — это вапще: на торгашей учат. Поступить в университет — это был верх! Ан сторублевый выпускник вуза — стоял ниже двухсотрублевого молодого рабочего.

Здесь просто и понятно все, но одно крайне примечательно. Огромное классовое самоуважение, развиваемое и подкрепляемое всеми средствами государственной идеологии. А уважая себя — человек уважает свои мнения, вкусы и познания. Пролетариат жутко уважал свои взгляды. И все искусство социалистического реализма на это было направлено.

И когда передовой рабочий декламировал с трибуны, что романов Пастернака и стихов Бродского он не читал, но имеет твердое мнение по их поводу — это не был только отрепетированный спектакль. Это было искренне!

Движемся мы с другом Шурой Поповым летом на попутках к Черному морю. И подвозит нас часа три новый «жигуль». И крепкий парень под сорок поучающим тоном излагает нам про жизнь. Переходит на международную политику. Открывает, как

Сталин подарил Тито серебряного коня, а Тито не взял, с того они и поссорились, вот и до сих пор нет дружбы с Югославией. И в тоне его звучала готовность к агрессии. Он учил нас уму-разуму, он был хозяин жизни, с трехсотрублевой зарплатой, дачей и машиной. А мы — голодранцы.

То есть.

Люди с меньшими деньгами свысока смотрели на людей с бóльшими деньгами. Тех это бесило. Так мы все смотрели на халдеев всех мастей, мясников и таксистов. Статус и престиж!

Люди с невысоким образованием свысока смотрели на людей с верхним образованием. Мясники и официанты на нас. Разные шкалы статуса.

Но. Низкоквалифицированный слой населения. Где все были легко заменяемы. Кому льстили и приплачивали. Искренне полагал себя главнее и нужнее врачей, учителей и ученых. (Типа вроде как сейчас деньги.) Детей хотели «вывести в люди»! А сами — вот.

КОММУНАЛКА

Молодой советский драматург принес Станиславскому пьесу. Читка. Герой звонит в квартиру четырьмя звонками. Станиславский интересуется, чем мотивирован этот трезвон? Автор поясняет, что к героине, живущей в квартире, четыре звонка. Почему — четыре?.. Ну, потому что к Петровым один звонок, к Штиенгольцу два, к Маевской три. А к ней четыре. А к Никоновым — пять. Позвольте, не понимает мэтр, это в каком смысле? Ну, чтобы каждый сам шел к дверям на свой звонок — впускать своих гостей, не бегать же вечно всей толпой по коридору открывать всем подряд. Позвольте, строго не понимает мэтр, какой толпой? Откуда они все взялись, молодой человек?! Согласно ордерам, лепечет перепуганный драматург. И все наперебой объясняют гению театра Станиславскому Константину Сергеевичу, что это просто жильцы одной квартиры. Пэ-эзвольте... а как они, пардон, принимают, скажем, ванну? По очереди, а вообще раз в неделю ходят в баню. А это... прочее? По очереди. Гм. А еда, кухня? У каждого свой столик. Старик увлекся, раскраснелся: они ему объясняют, что такое коммунальная квартира. Потом он снимает пенсне и торжествующе объявляет: «Не верю!»

Такова одна из любимых историй советской интеллигенции про коммуналки. У народа попроще были и анекдоты попроще:

«А что, милай, коммунальные квартиры — их начальники придумали, али ученые? — Начальники, бабушка. — Вот я так и думала. Если бы ученые — они бы сначала на собаках попробовали».

Это, значицца, непосредственно после революции, еще в ходе Гражданской войны и после, квартировладельцев и квартиросъемщиков «уплотняли». Советская власть распределяла квартиры не за деньги, а выделяла жилплощадь тем, кого считала нуждающимся. Жила состоятельная семья из пяти человек в восьмикомнатной квартире с прислугой. Прислугу отменили. Семье оставили одну комнату. А остальные семь отдали бесквартирным нуждающимся: рабочим и советским служащим. Один человек — комната поменьше. Большая семья — комната побольше, редко могли дать и две.

Трудностей в коммуналке всего три. Но принципиальные.

Во-первых — сволочной характер соседей. Зависимость от взглядов и привычек чужих людей портит характер. Достаточно одной гадюки на квартиру, чтобы сократить отравленную жизнь всем обитателям.

Во-вторых — один туалет на всех. Утром перед работой переминается очередь и зло отмечает время. Надо сказать, что жестокая жизнь приучала коммунальных жильцов производить необходимые эволюции с удивительной скоростью, умело используя паузы в жизненных процессах соседей. Хотя катастрофы случались.

И в-третьих — рекомендовалось иметь надежные нервы и крепкий сон. Потому что если празднует один — симфонией экстаза наслаждаются все. Замучишься спать. Это рождало чувство коллективизма. Если нельзя истребить гада, или он в законном праве до двадцати трех часов — то лучше присоединиться к веселью.

Если радость на всех одна — на всех и беда одна, была такая чудесная песня. Соседи жаловались друг другу на жизнь, приглашали на рюмочку и на чай, одалживали денег до получки и сплетничали за глаза: не чужие люди были.

Еще главное было — что? Главное — места общественного пользования. Там сталкиваются жильцы и их жизненные интересы.

Теплые туалеты были не всегда и не везде. А во многих населенных пунктах дощатые туалетные будки стояли во дворах. И туда все бегали. И не засиживались. Особенно по морозцу. Особенно в Забайкалье январским утром, когда за сорок. По крайней мере, коммунальных склок из-за таких удобств не возникало. Не доводилось мне видеть очередь в такой дворовый туалет. Во-первых, будок стояло две-четыре вместе, во-вторых, до соседнего строения было полста шагов. Ну, стукнут иногда в дверь. Но, конечно, комфорт не тот. Гигиена не праздничная.

Теплый же ватерклозет работал не только кабинетом задумчивости, но и камнем преткновения на поле битв. В ящичке на стене лежала газета. Или она была наткнута на гвоздик. В аккуратных квартирах старушки, которым делать нечего, нарезали газету на прямоугольники вроде горчичников. Для культуры. Туалетная бумага стала появляться только в последние годы советской власти. Сливные бачки стояли под потолком, напор был мощный, фановые трубы толстые, и использованную пропаганду спускали в унитаз.

Ванные были в тех квартирах, что строили при проклятом царизме, а при наступившей советской власти каждую комнату сделали самостоятельной жилплощадью. Колонки были дровяные, дрова в специальном чулане у каждого свои. Колонку топил каждый для себя, оговорив время с соседями. Купались, опять же, по традиционному распорядку раз в неделю. Или по разовой надобности. В семидесятые годы дровяные колонки стали менять на газовые.

Но, заметим, эти старорежимные ванные комнаты были большие — квадратных метров восемь. В квартирах с ванными утром мылись сразу по двое: один в ванной — второй над раковиной в кухне.

Часто ванными по общему согласию не пользовались вовсе — это был такой большой умывальник, использующийся одновременно как кладовка для всякого хлама.

Так вот, раз в неделю «места общественного пользования» — туалет, кухню и коридор (прихожую, если была) мыли. По очереди. По количеству жильцов. Пять человек в комнате — пять недель убирать квартиру. Кто-то забывал убрать вовремя. Кто-то мыл недостаточно тщательно. Причины для неудовольствия жильцы держали наготове.

Кухня! На кухне — кран с холодной водой и эмалированная раковина. В семидесятые появились газовые водогреи. Столики типа «шкафик напольный» по числу квартиросъемщиков — столик на семью. Семеро или одиночка — все равно столик. Над столиком — полочка с посудой и сольюсахаром, или две, или три полочки. Каждый устраивался сам. Свои квадратные сантиметры защищали до свирепости, до священной борьбы.

Эта жизнь учила людей сосуществовать мирно и ладить с соседями. Но нарушения коммунальных правил пресекались жестоко и непримиримо! Пространство интересов четко разграничивалось, и граница бдительно охранялась.

На столике гудел у каждого свой примус. Бензиновая форсунка давала жара больше нынешней пропан-бутановой газовой плиты. Потом примусы заменились керосинками — двухфитильные вытеснились круглыми трехфитильными. Они не шумели, не требовали подкачки, были абсолютно безопасны и позволяли варить ведерную кастрюлю супа. Иногда фитили коптили, для слежения было слюдяное окошечко, их надо было подстригать ровно. Керосинки сменились керогазами — те были чище. Дух сгоревшего керосина и старого варева смешивался в эксклюзивный аромат этих кухонь. Пока, опять же, газ не провели.

Соседи одалживали друг у друга стакан муки или сахара, полбуханки хлеба, стреляли спички и папиросы.

Скоропортящееся вывешивали в холодное время года за окно в сетке; иногда мастерили на подоконник дырчатый ящик-«холодильник» для продуктов. Когда на рубеже шестидесятых появились настоящие холодильники — его ставили, естественно, в своей комнате.

Трудно объяснить, почему стены в кухнях и туалетах красились исключительно в зеленый или коричневый цвет. До высоты человеческого роста. Выше они белились известкой.

Если в квартире было три комнаты и три квартиросъемщика, то есть хоть три семьи, хоть три одиночки — это была маленькая квартира. Довелось мне жить в квартире, где кроме меня была одна интеллигентная старушка и одна бездетная пара — так это рай и благодать. А когда в девяти комнатах жили-поживали тридцать человек — о це было да. И ничего, как-то радовались жизни вперемежку с баталиями. Правда, у моей ленинградской бабки, закаленной войнами начиная с Первой Мировой, где она была сестрой милосердия в полевом лазарете, нрав был непререкаемый, и кухня ее побаивалась; что облегчало жизнь.

В приличной коммуналке имелся свой пьяница, с ним боролись; своя женщина облегченного поведения, о ней больше всех сплетничали; свой самый образованный, его уважали; свой самый состоятельный и жизненно преуспевший, авторитетный по жизни, на него смотрели чуть-чуть снизу вверх; свой непутевый, его поругивали и поучивали, снисходительно сочувствуя. Это был свой маленький мир со своим раскладом социальных ролей.

И — здесь все все видели и здесь все все про всех знали. Здесь было невозможно скрыть новую покупку и тем более несоответствие расходов доходам. «Живет не по средствам» — такой приговор квартира выносила безошибочно, контрразведка отдыхает. Здесь было невозможно гульнуть налево, поужинать в кабаке, сходить в театр — и скрыть порок.

...Коммунальные войны — это отдельная тема! Кто-то провел лето на даче и не признает обязанность все равно убирать квартиру по графику. А его заставляют. Или кто-то посягнул на часть общей территории — свою тумбочку поставил в общем коридоре без согласования с обществом. Или просто полаялись из-за мелочи — мелочь забылась, а взаимная неприязнь укоренилась. Или просто кто-то кого-то презирает или кому завидует: и доводит до сведения всей кухни гадскую сущность врага, сторонников вербует.

Поговорка «В тесноте, да не в обиде» родилась именно из того, что обычно в тесноте — это в обиде. Напрессованные, как шпроты в банку, люди повышенно агрессивны и чутки к мельчайшим посягательствам на свои права и достоинство.

И когда семья жила в одной комнате — это было нормально, естественно. Здесь стоял стол, как правило посредине — за ним ели, за ним и занимались. Железная кровать с покрывалом и ковриком на стене. Платяной шкаф, он же гардероб, он же шифоньер. В него вполне умещалась вся одежда семьи, и благополучием было, если оставалось что туда повесить, когда все одеты (празднично-выходная смена одежды: костюм мужчины, если вообще был, и одно-два платья женщины. Да после войны мужики годами старую форму донашивали на все случаи жизни). Буфет для посуды и продуктов (не все в кухне, чай-сахар-варенье всегда здесь, и хлеб-масло — на кухне только то, из чего готовят). Если был диван, на нем чаще всего кто-то ночью спал. В углу за шкафом или в коридоре могли держать днем раскладушку. Сплошь и рядом: на кровати старики-родители, на диване молодые родители, стол сдвигается к краю, на освободившееся место ставится раскладушка старшего ребенка, а ложе младшему составляют из тюфячка на трех стульях, придвинув их к шкафу спинками к комнате.

Зеркало на стене — или в дверце шкафа. Возможна книжная этажерка или настенные полки. Какая-нибудь ваза, салфетка, статуэтка — украшение.

И отлично жили! И вместе вставали, и вместе ложились. И мужчины курили в этой единственной комнате, и ничего. И молодые родители улучали для любви краткие минуты, когда дети гуляют, а старики куда-то вышли. И ночью срывался тайный скрип и сдерживаемое дыхание. И с рождаемостью дела были в порядке!

Да, особо злостные писали анонимки участковому — о разврате и темных делишках соседа. Да, в веселые сталинские годочки слали доносы в НКВД о врагах народа — чтобы законно занять освободившуюся жилплощадь арестованных. Так ведь чего по жизни не бывает...

...А потом, года с пятьдесят седьмого, Хрущев стал строить панельные пятиэтажки, и народ потянулся в отдельные (отдельные!) малогабаритки. И коммуналки центра, вместилище семейных саг великой советской эпохи, оставались старикам, мамонтам войн и пятилеток.

И стали появляться телевизоры, и к владельцу телевизора соседи напрашивались в гости на футбол или концерт. И заняли свое место в этих комнатах холодильники — небольшие и поразительно надежные «Саратовы» или большие и еще более надежные «ЗиЛы».

В этих коммуналках мы верили в коммунизм. Смех смехом. Не все, не всегда, понося правителей, ругаясь и негодуя, сравнивая с Западом, который нам никогда не полагалось увидеть. И тем не менее.

МОДУС ВИВЕНДИ

Маразм крепчал. Было такое любимое выражение.

Некоторые черты жизни нашей были беспрецедентны в Европе, хотя находили последователей в Азии или Латинской Америке.

Были политзанятия. Их курировал парторг цеха, или института, или еще чего. Раз в неделю полагалось собраться, предъявить конспекты классиков марксизма-ленинизма, произнести усвоенный материал и выслушать мини-доклад. Это после работы. Ну, или в конце дня. Все это дело мотали, норовили делать раз в месяц, парторг писал пустые отчеты и сдавал наверх.

А были лекции по политическому положению: решения очередного Пленума ЦК КПСС и международная обстановка. Лекторы были двух происхождений: из общества «Знание» и из райкома Партии. Как правило — маразматики-отставники армейских политорганов. В сущности, они раздували межгосударственную рознь и шовинистические настроения: все кругом суки, мы в кольце, на нас вся надежда, мы лучшие в мире, мы всех победим, Партия не дремлет.

Культпросвет — это просвет между двумя культами. Была и такая шутка. В каждом райкоме Партии был отдел культурно-просветительской работы. Там были не только лекции, там была самодеятельность. Ежегодные смотры коллективов, районные и областные слеты самодеятельных исполнителей песни и пляски с элементами театра и декламации. Ну, это все тоже спускали на тормозах. Но Дома Культуры и Дворцы Культуры — этим только и жили! Привлекали в свои кружки с секциями таланты всех родов! И кстати, для многих это была отдушина и даже путь наверх.

А с детскими и юношескими спортшколами вообще все было неплохо. В райцентрах спортсекции были чаще при Домах Культуры, а уже в областных — спортшколы. Причем тренеры ходили по школам — вербовали к себе в секции!

Вообще же к разного рода «мероприятиям» и «нагрузкам» народ относился с пониманием: расслаблялся и пробовал получить удовольствие.

Скажем, в каждом цехе, институте, коллективе, полагалось быть спорторгу. Организовывать спортработу, оспортсменивать массы трудящихся. Это была должность выборная, не свободная: из своих работников. Спорторг был обязан раз в год провести спортивные соревнования. Как минимум. И раз в год, летом, в выходной, объявлялся «День здоровья». На автобусе или электричке — все за город (ну, все не все...). Там народ нажирается вокруг костра, парочки разбредаются по кустам, пикник, короче. А спорторг пишет простыню соревнований: кто сбегал, кто прыгнул, кто пукнул, кто забил. Потом сдавал наверх.

Кстати, «общественная нагрузка» считалась в плюс, когда работник претендовал на отпуск в августе, или поездку за границу, или в очередь на жилье или машину.

За этими же льготами простые люди вступали в КПСС. Плюсик в анкете, при прочих равных предпочтут тебя. Но принимали не всех! Была установка партийная: пролетариев должно быть много, партия-то как бы для них! И чтобы начальству, делающему карьеры, самому вступить в Партию, надо было сначала напринимать достаточно пролетариев, чтобы соблюсти процент социальных групп! Во как.

День в год на овощебазу и день в год на поля собирать картошку — это святое! На поле обычно кормили в обед горячим из котла, на овощебазе ни хрена не кормили. Люди разумные, разумеется, брали с собой выпить — на свежем воздухе. Что характерно — из года в год картошку на осенних полях убрать не успевали, а весной на овощебазах она гнила и пахла затхлью: перебирай.

И все нормально, Григорий! Отлично, Константин!

АНКЕТА

А как же! Анкета — это святое! Вот как с самого с семнадцатого года стали определять людей по классовому происхождению: кто были ваши родители?! Пролетария — наверх, капиталиста — к стенке, и попов, купцов и учителей с врачами туда же. А после сорок пятого: на территории, оккупированной врагом, проживали?! Да? Ну, тогда вам карьеры не сделать: а вдруг были тайным агентом. И национальность тоже играет роль! Недаром сам товарищ Сталин был первым наркомом по делам национальностей. Было время — евреи, латыши, китайцы и мадьяры считались надежнее русских. Было — грузины приближались к власти теплее других. Было — первый секретарь ЦК республики обязательно титульной национальности, а второй, реально проводящий политику Москвы — обязательно русский.

И во всех учреждениях, на всех производствах работали отделы кадров. Филиалы ОГПУ—НКВД—КГБ. Там сидели суровые, властные, облеченные правом смотреть на тебя как на вошь, тетки. И проверяли, соответствуешь ли ты по анкетным данным.

Фамилия, имя, отчество.

Дата и место рождения.

Образование.

Партийность.

Национальность (в обиходе — «пятый пункт»).

Семейное положение.

Супруг, дети, в каком браке, где разведенные.

Социальное происхождение.

Родители: как зовут, кто и где.

Имеете ли судимости.

Имеете ли правительственные награды.

Бывали ли за границей, в каких странах, когда, перечислите.

Где когда работали, на каких должностях.

Адрес, подпись.

По анкетным данным брали на работу, двигали наверх, награждали, посылали. То есть анкета была тут условием недостаточным, но необходимым. При «неправильных» анкетных данных тебя не принимали, не повышали, не награждали и не посылали (за границу, на хрен пожалуйста), будь ты семи пядей во лбу. При конфликте между личными качествами и анкетными данными вопрос всегда решался в пользу анкеты.

Допустим:

Куда-то брали только славян. Куда-то — по столько-то процентов славян, «националов» из Средней Азии и Кавказа, евреев. Куда-то вообще не брали немцев.

Куда-то нельзя без образования высшего, хотя человек отлично тянет — хоть в крупных газетах журналист.

Куда-то категорически нельзя беспартийного!

Выделен заводу по разнарядке орден — ударному труженику. К извещению об ордене прилагается список данных: национальность, партийность, стаж, без судимостей, на оккупированной территории не был, происхождение — из рабочих. Ударные труженики без данных пунктов в анкете — на орден этот могут не рассчитывать.

И когда кончилась советская власть, и когда эти тетки и дядьки из отделов кадров, все желчные, беспощадные, высокомерные, подыхали без власти и без дела, никто, на нищей пенсии, — вот из всех пенсионеров мне только их не было жалко. Блюли фашистско-коммунистическую социальную чистоту рядов. Изблюлись.

ЗАГРАНИЦА

Ну не пускали нас туда, не пускали, не пускали! Потому что не фиг нам там было делать, и не фиг тратить на нас валюту, и не того мы там могли насмотреться, и не о том задуматься, и вообще могли сбежать из-под бдительного ока старшего группы из КГБ и остаться за границей.

Что такое Малый театр оперы и балета? Это Большой после заграничных гастролей. А что такое вокально-инструментальное трио? Это Малый после гастролей.

— От вас, Евгений Александрович, люди бегут! — орал на Мравинского секретарь Смольного Романов.

— Это они от вас бегут, Григорий Васильевич, — возражал бесстрашный старик Мравинский, великий дирижер Ленинградского филармонического оркестра.

Однокашник, пошедший работать в КГБ, жаловался мне на выговор, полученный за невозвращение Барышникова из США:

— Миша-то какой тварью оказался!.. И ведь двуличный какой — накануне вместе за одним столом пили!..

Поехать за бугор мог только человек с приличной анкетой. Судимости и оккупированные территории исключались. Преимущества имели славяне-коммунисты-пролетарии-долгонаодномместеработающие. И только в составе группы — от производства. Состав группы утверждало руководство и партком. Обычно так: половина пролетариев — половина руководства, то есть себя самих.

Желающих всегда было в несколько раз больше, чем мест. Отбор порождал истерики, трагедии, интриги и инфаркты.

Заполняли анкеты. Это тебе не те анкеты, что на работу. Это на четырех листах, неделю потеть, излагая подноготную.

А к анкеточке — производственную характеристику. И чтоб ее подписал «треугольник» — партком, профком и начальник. А к характеристике — справочки из кожвендиспансера и тубдиспансера.

Что-о — одинокий?! Охренел? В стране должны остаться родные, заложники и гаранты твоего возвращения.

Что-о — справку из парткома?! На комиссию приходите! Часы приема указаны на двери! И там тебе устроят экзамен, переходящий в допрос: а когда был XI Съезд РКП(б)? А что сказал Владимир Ильич Ленин в речи в Цюрихе в 1906 году? А кто был первым секретарем коммунистической партии Великобритании? Не знаете?! Извините... приходите когда узнаете...

М-да, вот потом нести все бумаги в ОВИР и дожидаться выдачи загранпаспорта с указанным сроком выездной визы. Потом организованным порядком — паспорта в посольство на въездную визу.

Причем! В первый раз можно поехать за границу только в социалистическую страну. Болгария, Польша, самые «наши». Румыния, Венгрия, ГДР — менее наши. Чехословакия после 68-го года оставалась «наша», но «наших» сильно не любила. А вот Югославия — это как бы наполовину социалистическая страна, а наполовину почти капиталистическая.

А вот во второй раз, если прошел уже достаточный срок, — ну, лет пять, — и ты хорошо себя зарекомендовал, примерный производственник, соблюдал за границей все инструкции, — ты уже можешь претендовать на поездку в Италию, или Францию, или Англию. Про них мечтали. Про Америку даже не мечтали.

Возможности поездок выдавались столь редко, и столь немногим счастливцам, что хотеть в Китай дураков не было, а Бразилия была понятием виртуальным.

99% населения спокойно знали, что заграницу не увидят никогда.

Переводчики, военные советники и члены творческих союзов имели больше шансов.

ЛЕНИНИАНА

Культ Вождя достиг олигофренических размеров и форм к его 100-летию в тысяча девятьсот семидесятом году. Это походило на нежный культ придурка-великана в дурдоме.

Детские стихи в журнале «Мурзилка»:

Это что за большевик
лезет к нам на броневик?
Он большую кепку носит,
букву «р» не произносит,
вождь народов и племен.
Ну-ка, дети! Кто же он?

«Ле-е-нин — всегда живо-ой!..» — гнул и вдавливал мозги бас в Кремлевском Дворце Съездов, тяжелый как металл и слащавый как сироп. «О-о-ой!!..» — вторил тысячный хор.

В детских садах заучивали рассказы о детстве самого человечного человека. На производствах сдавали ленинские зачеты по истории КПСС и марксизму-ленинизму. Писатели писали повести, поэты слагали стихи, скульпторы ваяли статуи. Ильич назывался у них «Лукич» и еще «Кормилец». Эти заказы хорошо оплачивались. Бюст назывался «Лукич грудной», статуя — «Лукич ростовой».

Отливка монументов целиком и по частям была поставлена в цехах на поток. Лысого развозили по площадям и закоулкам до самых до окраин. На площади Ашхабада смонтировали циклопическую фигуру, и по торжественном сдергивании савана Ленин оказался обеспечен тремя кепками. Одна была на голове, другая зажата в простертой руке, а третья запасливо торчала из кармана. Ликование толпы было искренним. Скульптора повезли в КГБ для выяснения замысла.

Актеры играли Ленина во всех ситуациях — от Смоктуновского до Калягина. Это была обязательная программа фигурного катания. Акт высшего доверия и творческой зрелости. За оправдание доверия давали Ленинскую премию. Белохвостикова сыграла Крупскую и получила разрешение сняться в «Тиле Уленшпигеле».

Это официально называлось «вносить вклад в сокровищницу Ленинианы». Вносили все и всё.

Мясокомбинат выпустил колбасу, где на разрез получалась надпись прослойками сала: «100». Чулочно-носочная фабрика выпустила нейлоновые носки с профилем Ленина. Плакатам и почтовым маркам не было числа. Эпидемия паранойи нарастала.

Грандиозность правительственных указаний переходит в абсурд на уровне деяний. Есть у нас такая традиция. Народные анекдоты — это диалектическая пара патетике вождей:

Мебельная фабрика выпустила трехспальную кровать «Ленин с нами».

Парфюмерная фабрика выпустила мыло «По ленинским местам».

В Петергофе открылся фонтан «Струя Ильича».

Фабрика «Скороход» выпустила калоши «По стопам Ильича».

Официально скрывалось калмыцкое и шведское происхождение Ленина, а особенно еврейский дедушка Бланк. Засекреченные документы о сифилисе давно уничтожили. Эта тайна была такой страшной, что ее знали все.

Вторую свежесть обрели анекдоты древние:

Ленин приходит с субботника, падает на кровать и в изнеможении стонет: «О-ох... ооох...» Крупская, с водой, с полотенцем, в испуге, что такое. «Ооохх... эта политическая пг'оститутка Тг'оцкий опять спг'ятал мое надувное бг'евно».

«Наденька! Что там упало? — Ничего, спи, Володенька. — Но что за шум? — Не обращай внимания, Володенька. — Да что там заг'гемело так ужасно?! — Это Железный Феликс споткнулся».

Старый большевик на пионерском слете: «Играли мы в детстве в футбол в Кремле. И вдруг мячик влетел в открытое окно квартиры, где Ленин жил. Мы так и замерли. Испугались. Он спускается во двор, на плече полотенце, щека намылена, в руке бритва, а в другой руке мячик. — Возьмите, — говорит, — детишки! — И мячик нам кинул. Вот какой был человек! А ведь мог бы и бритвой по глазам».

Студенты, гуляем мы с приятелем по Невскому, и постепенно догоняем троих с нашего курса, девушка меж двух ребят. И они травят эти анекдоты. Жестким, казенным, негромким голосом приятель мой сзади приказывает: «Так. Пройдемте, молодые люди». Они аж в воздухе зависли от ужаса. Воздух эпохи. В нем кто хочешь зависал.

Вернисаж. Живопись Ленинианы. Ленин всех возрастов во всех видах. Ленин с этническими чертами всех народов от чукчей до грузинов. Партийная комиссия удовлетворенно кивает на приемном обходе. Художники навытяжку перед полотнами.

— А... это что?

Лес, шалаш, две пары босых ног торчат из шалаша.

— «Ленин в Польше»! — рапортует художник название картины на табличке. (Был тогда такой известный фильм из Ленинианы кино.)

— Ага... Гм... А вот это чьи ноги?..

— Надежды Константиновны Крупской.

— Ага... Гм... Отдыхают. На природе. Гм. А это, следовательно, ноги Владимира Ильича, так.

— Никак нет.

— А чьи?..

— Феликса Эдмундовича. Дзержинского.

— Позвольте! А где же Ленин?!

— Ну вот же написано: Ленин в Польше!

И однако в душах отношение к Ленину было хорошее. Обрыдли славословия. А сам он был — неотторжимая часть Родины, которую вдохнул с детства. Издевались! Знали! Но позитивный имидж оставался.

ЛЫСЫЙ КУКУРУЗНИК

Хрущевская эпоха началась с того, что первоклассникам не велели в стихах из «Родной речи», как назывался учебник чтения, читать строчки про Сталина. «Спасибо, наш э́-э любимый, за речи твои и дела». «Это здесь товарищ э́-э дважды вел с врагами биться Красной Армии солдат: за Царицын! за Царицын! а потом: за... гм... мм... Сталинград!»

Наши родители впали в легкую растерянность. Репрессированные и гуманитарно грамотные составляли все-таки меньшинство. А большинство были нормальные лояльные граждане с промытыми мозгами и позитивными установками. Извещение о том, что любимый и великий вождь лучшего и первого в мире государства трудящихся, нашей великой и славной Родины, оказался сволочью и преступником, людей шокировало, выражаясь сегодняшним языком. Оно их не шокировало, оно их таки потрясло. Это сокрушало устои мировоззрения. Это был конец света. Если Сталину не верить — кому и чему можно тогда верить вообще???!!!

Это была дискомфортная новость. И источник этой новости был источником дискомфортности.

Хрущев укрепил свою политическую власть. Провозгласил исторически необходимый новый курс и свалил грехи старого курса на предшественника. Но, запачкав грязью отца любимого и могучего — утерял тем самым психологическую возможность стать любимым и великим самому. Он облил дерьмом самую возможность любви к могучему государю, подорвал веру в возможность такого славного и мудрого государя вообще. Уж если Сталин, великий из великих, оказался негодяй и преступник, — то кому ж под силу стать «лидером нации»? А вы все где были?! Все вы твари продажные. Нет правды на свете.

Народ впал в политический нигилизм, и уже не выпадал из него вплоть до крушения Советской Власти. Мао Цзе-дун, будучи мудрее Хрущева, недаром вознегодовал по поводу низвержения иконы Сталина. Разрушение культа непогрешимого вождя — это разрушение основы развития коммунистического режима!

А теперь взгляните на Китай и на Россию — и скажите, чьи вожди умнее.

За Хрущева были все репрессированные и их родня, а также большинство людей науки и культуры. Они были не столько за Хрущева — сколько против тоталитаризма. Хрущев был прав, что убрал страх и концлагеря.

«Никита сделал святое дело. Я за него правую руку отдам!» — говорил один из моих дядей, вернувшись из Воркуты.

Но — сочетание внешности колобка, революционной патетики балтийского матроса и биографии сталинского приспешника — обеспечивало ему любви не больше, чем плановый привес обеспечит свинью апельсинами.

Величие предначертанных свершений диссонировало с образом маленького лысого толстячка, иногда неумело потрясавшего пухлым кулачком. Он выглядел пародией на собственные призывы.

Русский народ склонен к авторитаризму. Нам потребен вождь великий и могучий. Сильный и строгий. Страшный и справедливый. Чтоб милость к достойному оттенялась карой нерадивому. Мы презираем того, в ком не чувствуем силы сломать нам хребет, и его милость не имеет в наших глазах цены, ибо похожа на слабость. Иван. Петр. Великий Джо. Кто может казнить и миловать — тот люб.

Боятся — значит уважают. О, народ себя знает!

Таким образом, хрущевский хабитус и облико морале обеспечили стойкое неуважение к власти и издевательство над ее святынями.

Один из секретов восхождения Хрущева к вершине власти — он обладал талантом внушать каждому чувство превосходства над собой. И, ставя подножки, выкинул всех соратников. Однако выкинуть из страны народ он не мог. Он получил власть! Но уже не мог выйти из образа придурка! Он был создан для этого образа.

Он был умный сильный человек — но народ видел в нем клоуна без силы и без мудрости. Не уважал!

Популярностью в анекдотах с ним мог соперничать только Чапаев:

«— Как живете, товарищи? — шутливо спрашивает Никита Сергеевич, приехавший в колхоз. — Хорошо, Никита Сергеевич! — шуткой на шутку отвечают колхозники». Таков самый невинный из анекдотов.

«Американцы высадились на Луну. Достали карту, размечают: — Здесь у нас будет ракетная база, здесь аэродром, здесь казармы... — Вдруг из какой-то щели выскакивает лунный житель: — Однако нету места, все занято! — Как это так?!.. — А тут уже такой маленький лысенький был, все кукурузой засеял!»

Однако следует отметить: народное чувство к Хрущеву было пренебрежительным — но позитивным! С нотой самокритичного веселья. Из всех российских правителей он возбуждал более всего юмора в свой адрес, и юмор этот не был злым.

«Хрущев и Кеннеди заспорили, у кого больше пьют, и распалившийся Кеннеди хлопнул на стол маузер и пачку патронов: — Вот иди, и увидишь у нас кого пьяного — стреляй! — Вечерняя газета выходит: «Сенсация! Сенсация! Какой-то лысый гангстер в маске перестрелял все советское посольство!»

В 1961 году закончилась колониальная система. В СССР это подавалось как победа свободолюбивых народов, хотя это была победа американской демократической экономической системы и свободной торговли: колонии стали убыточны. Длинная и многопалая советская рука протягивала помощь всем, кто объявлял любовь к социализму. Фольклор отреагировал мигом:

«Марсиане прилетают в Советский Союз, их везут в Кремль, а Хрущев в поездке. Ну, жена их встречает, расспрашивает. Ой, говорят, плохая жизнь на Марсе, урожаи плохие, тепла мало. Она пугается: вы только мужу не рассказывайте, а то он сейчас же помогать полетит!»

И однако восьмилетняя эпоха правления Хрущева, если считать с 1956 по 1964 год, была великим временем!

В 57-м этот лысый мальчуган разбросал и выкинул в нети всю сталинскую гвардию (!): Молотов, Маленков, Каганович, Булганин, Ворошилов и «примкнувший к ним Шепилов». В 62-м Сталина убрали из Мавзолея. При этом:

В 57-м СССР запустил первый спутник в космос.

В 61-м — человек Страны Советов в Космосе!

Куба пошла по пути социализма. Соцлагерь запустил щупальце в Западное полушарие, в подбрюшье США! Наш союзник, наша база!

Насер получил от Никиты Героя Советского Союза, мы построили им Асуанскую плотину, наши специалисты прошпиговали весь Египет, египетская армия вооружалась советской техникой, советские подводные лодки базировались в Средиземном море на Александрию. Сбылась двухсотлетняя мечта Российской Империи: впервые после Екатерины Великой русский флот не только вышел в Средиземку, но получил там базы! И — впервые Россия получила плацдармы на Ближнем Востоке, что не удалось ни Николаю I, ни Александру II, ни Сталину.

Да: Никита подарил президенту Сукарно 2-ю Тихоокеанскую эскадру, пришедшую с визитом дружбы. Пикантная история, цезарский жест! Морячки летели обратно во Владивосток самолетами. Но — впервые мы получили плацдарм в Южных Морях, в Индонезии, далекая Океания! Союзники, экономический обмен, политическое влияние!

Сирия наша, Вьетнам наш, шахиншах Ирана — наш лучший друг! Лысый умел выстраивать политику, в отличие от нынешних уродов.

Он порезал бомбардировщики? Да. И он был прав. Мы не так богаты, как американцы. На все нет денег. Завтрашний день — за ракетами. И пока Хрущев был жив — Королев мог делать свое, и его не съедали. И против наших ракетоносителей у американцев противоядия не было. И наши ракеты были мощнее и выносили на орбиту больший груз.

Он порезал корабли? Да. И он был прав. Завтрашний день — за ударными атомными ракетными подводными лодками. Крейсерами глубин. И подводные крейсера сходили со стапелей сериями, и загружались ракетами подводного пуска с ядерными боеголовками, и уходили на боевое дежурство в квадраты под американским берегом, и американский адмиралитет лечился от инфарктов и требовал у конгресса денег и лодок, потому что у русских их больше.

Это при Хрущеве СССР стал сверхдержавой.

И сэкономленные от оборонки средства впервые пошли в жилье для народа. В машины и текстиль для народа, в жратву и обувь, часы и косметику. Хоть все и хреновенькое, но хоть какое было счастьем.

Он отрезал у колхозников подсобные участки — но он дал им пенсии, паспорта и хоть какие деньги на трудодни. Деревня перестала быть крепостной. У деревни появились хоть какие деньги. И прошедшая отрицательную сталинскую селекцию, дегенерирующая в условиях советской плановой экономики, — деревня стала спиваться. Когда разразился неурожай 1963 года, и покупали зерно в Америке и Аргентине, и стояли очереди за хлебом с примесью гороховой и кукурузной муки, и был бунт в Новочеркасске и убитые, — от голода, однако, не умер ни один человек. А за десять лет до этого при Сталине — не забалуешь! Прикажут — подохнешь.

Это при Хрущеве появились вершины литературной эпохи — Евтушенко и Вознесенский, Аксенов и Гладилин. О, потом он орал, и матерился, и поучал, и унижал. Но никто не был исключен, осужден, репрессирован.

Может ли пепел жертв стучать в сердце палача? Все может быть в жизни. Визы всей верхушки стояли на расстрельных списках сталинской эпохи. Умер начальник лагеря, и они хотели забыть свое прошлое. Никто не лишен тяги к добру для людей.

Расстреляли валютчика Рокотова по вновь принятому закону, придав ему обратную силу. Но Рокотов, черт возьми, был потребитель, который за свою жизнь ничего не создал и никому ничего хорошего не сделал. Паразит типа нынешних биржевых спекулянтов, высасывающих страну, как пауки. Хотя расстреляли не по-честному, и не по вине кара.

Выслали за 101-й километр на два года Бродского за тунеядство. Общее пожелание сверху претворилось в конкретный суд внизу. Народ у нас — только свистни: и каждый второй записывается в лагерные вертухаи. Ну? И в результате Хрущев сделал Бродскому биографию, что справедливо отметила Ахматова.

А вообще он в старости стал добрый, Мыкыта. Он сталинские унижения помнил. Народ его не боялся — великое благо.

...После него мы прогадили все внешнеполитические достижения. Утеряли первенство в космосе. Узаконили блат — «блат» — как тогда назывались низовые формы коррупции, все делалось по знакомству, по обмену услугами. Перестали верить во что бы то ни было. И добродушная издевка над генсеком сменилась сарказмом.

Это при нем построили Братскую ГЭС. И подняли Целину. И первые студенческие стройотряды поехали летом на дальние стройки страны — не за баблом, а за смыслом жизни, который в служении великой стране. Было такое дело.

БРОВЕНОСЕЦ ПОТЕМКИН

В октябре 1964 космонавты вернулись с орбиты, дни идут — а их в Кремле все еще торжественно не принимают. А была традиция. Каждый космонавт — всенародное событие. Куда делись?

О-па! Снимают Никитку. И «козмонавты» идут радостно по ковровой дорожке на Мавзолей докладывать свежей русской тройке: Брежнев, Косыгин, Подгорный.

Через полвека роль космонавтов перейдет ко взяткам. Со сменой начальника дела встают: все ждут, кому теперь заносить следует.

Народ скорее радовался. По слухам, традиционно заменяющим в России информацию, Хрущев на политбюро каялся, хотел остаться любой ценой, признавал волюнтаризм, обещал прислушиваться к партайгеноссен. Ан радостно выкинули. И приняли достойное, верное, ленинское решение: больше никогда не сосредоточивать всю власть в одних руках. Генсек отдельно, премьер отдельно, председатель Президиума Верховного Совета — отдельно. Надежный и покладистый партиец Брежнев, опытный крепкий хозяйственник Косыгин и квалифицированный бюрократ-делопроизводитель Подгорный. И они втроем стояли на Мавзолее, лучась демократизмом, справедливостью и дружелюбием друг к другу. А космонавты, как персонификация всенародной любви, встали между ними и вместе приветствовали страну.

Народ — он дурак, вечно ерничал мой приятель-однокашник Бобка Сидорков. После окончания университета мы все отправились кто куда, а Бобка стал преподавать в Академии дипломатии. Это я к тому, что народ радовался. Народ приветствовал мелкое свержение некоторого культа личности Хрущева, не соображая, что пребывает культ личности кресла — Дорогой Товарищ Генеральный Секретарь Любимой На Хрен Партии.

Но сначала новая метла недолго демонстрирует, что она умеет чисто мести и только о том и мечтает. Врет, помело с палкой!

1964—1965, первый год после снятия Хрущева, свобода стояла неслыханная. Народ аж ржал. У Райкина была реприза «Партбюрократ»: «Партия учит нас, что при нагревании газы расширяются». В телевизоре! Все балдели.

А потом, а потом, а потом посадили Даниэля и Синявского. За невинные, в сущности, книги, но опубликованные за бугром. В газетах скандально-патриотически освещался процесс над врагами. Виртуальный народ негодовал, реальный народ скорее плевал на это все, интеллигенция не могла поверить, что оттепель кончилась...

Старик Борщаговский, когда-то знаменитый «космополит № 1», с него, театрального критика, началась в прессе сталинская «борьба с космополитизмом», старик Борщаговский уже в глуховые годы брежневского конца говорил мне: «Миша, не было эпохи большего исторического оптимизма, чем начало шестидесятых. Народ искренне поверил в светлое будущее, оно было — вот!»

Исторический оптимизм народа напоролся на политический реализм Партии. Как «Титаник» на айсберг. Рваный борт уже скрежещет, а он все прет по инерции.

Шестидесятые — это перелом от веры и возможности — к безверию и невозможности. Совейский марксизьм-социализьм ортодоксировался. Не надо думать! Повторяй за Партией!

Облик правящего триумвирата изменился с незаметностью Чеширского кота, постепенно растаявшего в воздухе до состояния автономной улыбки. Глупо-готовная улыбка Подгорного исчезла первой, вместе с окружающей ее лысиной и остальными частями тела. Косыгин слинял, осел, посерел и стал малозаметным и безгласным. Их счастливые портреты исчезли из первых рядов демонстраций. Выражение наступательного восторга реинкарнировалось с хрущевских портретов на сменившие их брежневские. Плевать, чье изображение вставлять в оклад иконы! Партия, «ум, честь и совесть нашей эпохи», коллегиальным решением одаряла народ «дорогим товарищем». Во главе. И лично вам, дорогой. Под руководством нашего. Под мудрым руководством. Рапортуем вам. Обещаем вам. Клянемся.

За Леонидом Ильичом мы с полновесным кирпичом.

Полюбил я сгоряча Леонида Ильича.

С Леонидом Ильичом нам все преграды нипочем.

Все вперед к плечу плечом за Леонидом Ильичом.

Красавец-молдаванин.

А почему это мой бюст с женскими грудями. Это что, значит? Это аллегория. Левой грудью вы кормите страны социалистического лагеря. А правой? А правой — развивающиеся страны народной демократии. Да? Гм. А чем же я кормлю свой народ? Леонид Ильич, но ведь вы заказывали только бюст!

Черт. Ведь мы еще верили в коммунизм. Хотели верить. Еще Вознесенский писал поэму о Ленине (тоже внес вклад в Лениниану). Еще Евтушенко рубил воздух: «Если мы коммунизм построить хотим / трепачи на трибунах не требуются. / Коммунизм — это мой самый высший интим / а о самом интимном не треплются!»

В шестьдесят седьмом году ОАР (Объединенная Арабская Республика, Египет с Сирией, Насер главный) закрыла Акабский залив, решительно выдавила миротворцев ООН, затоварилась советским оружием и выпустила марки «Смерть Израилю» с ножом, воткнутым в карту. Израиль ударил первый, уничтожил египетскую авиацию, захватил Синайский полуостров и Голанские высоты. Шестидневная война закончилась разгромом армий Египта и Сирии. Учитывая пятидесятикратное превосходство арабов в территории, пятнадцатикратное в численности населения и четырех-семикратное в вооружениях и численности армий, наши друзья и союзники прогадили все.

Это весьма отразилось на настроениях советского общества. Газеты и лекторы говорили о гадстве израильских агрессоров. Что должно было резонировать традициям антисемитизма. Однако личико Насера воспринималось без комментариев как рожа противная. А то, что они побросали наше оружие, воспринималось с презрением. И вообще, когда маленький ловко и быстро бьет большого, это рождает невольную симпатию.

А в Израиле жили и воевали масса наших эмигрантов. В том числе ветераны Отечественной войны. А арабы во время войны сочувствовали Гитлеру. Но наши специалисты и инструкторы сейчас воюют вместе с арабами против евреев. Но арабы какие-то недоделанные.

Типичный анекдот эпохи: «Вы слышали? Вчера наши сбили семь наших самолетов!»

Постепенно включились «Три «не» относительно евреев: не принимать, не увольнять и не повышать», — утверждала молва.

Перелом эпохи — Пражская Весна-68. Поляризация общества. Большинство: «Иначе бы ФРГ туда ввела войска! Мы не могли позволить расколоть соцлагерь! Наши солдаты спали под танками, не отвечая на оскорбления!» Откуда информация? — из газет и лекций. Меньшинство: «Позор. Оккупанты. Какие свободы?.. Не будет никому социализма с человеческим лицом».

Появились политзаключенные — узники совести.

Стали бороться с политическими анекдотами.

Политическая разрядка кончилась. Шла гонка вооружений.

Идеологическая борьба и нетерпимость к «чуждым» точкам зрения.

Ловля ведьм в искусстве. Соцреализм по форме и содержанию.

Карьеры стали медленными и трудными. Все места были прочно заняты. Новации и пертурбации хрущевской эпохи, создание отраслей и институтов, приемы чохом в опустевшие за сталинское время творческие союзы, тридцатилетние доктора наук, — все осталось в прошлом.

И одновременно — росло производство товаров и услуг! Жизнь становилась сытнее и благоустроеннее. Любой мог позволить себе тортик, или бутылку шампанского, или приличный костюм. Работай себе спокойно на месте, и если приложишь немного усилий и ума — получишь через десять лет квартиру, или запишешься в кооператив (квартирный только, конечно), или, обходясь только самым необходимым, накопишь лет через пять на машину, сумей только записаться в очередь на покупку. Это относилось ко всем, кто зарабатывал двести рублей. Меньше — тем туговатей, но тоже жили. На рубеже семидесятых перетрясли «Юность», сняли Твардовского с «Нового мира», сбежал в Англию Кузнецов. Выгнали Солженицына, съехал Гладилин, лишили гражданства Аксенова.

Брежнев — это застой. Затыкались щели, утишались волны, редактировались речи, цензурировались намерения. И над всем — это приятное, позитивное, жизнелюбивое, доброе и вполне тупое лицо. Он был близок народу — не болел духовностью.

Он любил награды. Принимал их от коллег со слезами умиления. Он ложился на операцию по расширению груди, а то звезды не помещались; была такая шутка.

Придворные лизоблюды объявили его выигрывателем войны и поднимателем Целины — как ранее Хрущева. Наемные журналисты написали трилогию — «Малая Земля», «Возрождение» и «Целина». Трилогия молниеносно получила Ленинскую премию по литературе. Ублюдки из правления Союза писателей нарекли ее шедевром на уровне «Войны и мира».

Начальствующее холопство и холопствующее начальство. Отличительная черта русской государственности. При Лене — пышным цветом. Чувство собственного достоинства — архаичная метафора.

Леня был — н и к а к о й.

Он ничего не делал. Не принимал никаких решений. Ничего не создавал и не разрушал.

Дрова сгорали, котел грелся, крышка разбалтывалась, — и Леня помалу подкручивал гайки и поправлял поленья. Режим лежал на сохранении, пока не разродился катастрофой.

Если при нем затевался БАМ как всенародная стройка энтузиазма и единения патриотизмом — он кончался тихим пшиком.

А в 69-м произошла малая советско-китайская война — бои за остров Даманский, — и Китай определился как отчетливый враг, и международная напряженность выросла еще на градус.

А в 69-м американцы высадились на Луне — и в газетах об этом были две строчки внутри полосы. Мы проиграли космическое соревнование, и стали молчать. Несколько лет спустя, работая в школе, я спрашивал своих учеников — они не слышали о высадке людей на Луну. Некоторые неуверенно называли Гагарина или Титова.

В Индонезии произошел переворот, и нас оттуда выперли.

Египет прогадил войну 73-го года, и нас оттуда выперли, территориальный вопрос был улажен американцами.

Куба была нищей страной бездельников, и все это рассказывали.

Попытка социализма в Чили кончилась переворотом, и нас оттуда выперли.

Будем справедливы! — из Вьетнама выперли американцев. Но ситуацию в СССР это никак не улучшило.

А в канун Нового 1980 года мы ввели войска в Афганистан, и это стало началом конца.

В стране процветал «швейкизм»: все думали одно, говорили другое и делали третье. Официальное лицемерие достигло небывалого совершенства. Лгали о расцвете, преданности и любви со всех трибун.

Политбюро сделалось филиалом дома хроников. Они уже с трудом говорили, с трудом двигались, с трудом пытались соображать.

Миновав пик обеспеченности, граждане ловили дефицит по очередям. Исчезало масло, сахар, сыр, сигареты, носки, трусы, мука, гречка, чай и кофе, лимоны и кефир. Это в столицах «исчезали». В регионах они изредка «появлялись». Ну, это уже, конечно, преувеличение. Просто там было хуже.

«Колбасный десант» в электричках из Москвы — это же не сказка.

Торт «Леонид»: как «Наполеон», только без масла, без яиц, сахара и муки.

Товарищи, в тексте доклада слова «сосиськи сраные» следует читать «социалистическое соревнование».

М-да: «Брат мой, когда подданные говорят, что король добр, это означает, что царствование не удалось». Наполеон понимал насчет правления...

Боги мои!!! Про него нечего сказать, кроме как про дефекты речи, распад соображения и координации, любовь к охоте и быстрому вождению автомобиля; общая невредность и страсть к хоккею по телевизору, старческая сентиментальность и детское тщеславие. Отечественные сигареты «Ява» специзготовления.

Брежнев был к о н с е р в а т о р. Он консервировал все что мог. Он верно руководствовался армейским принципом: не тронь — не сломается. Жизнь СССР продлилась без лечения и стала агонией.

Консерватизм перешел в маразм. Шутки в адрес генсека наливались презрением и бешенством. Брежнев научил презирать и ненавидеть свое государство. Мы стали ему чужими у себя дома.

АНЕКДОТЫ

На первом курсе нам два семестра читали фольклор. Мировой и русский, от античных времен и современный. О волшебной сказке нам три лекции вещал легендарный Владимир Яковлевич Пропп — седой гном с горящими глазами. Но самый цимес ожидал под конец года и случился неожиданно.

Нас еще осенью проинформировали с неявным удовольствием, что самый живой, непосредственный, оперативный фольклорный жанр — это анекдот. Не надо его вовсе презирать, это тоже устное народное творчество, а не хухры-мухры. Филологическая легализация жанра подняла его эстетический престиж.

И вот уже апрель, в конспектах северные сказительницы слагают былины о гидроэлетростанциях и космических кораблях, — и тут заседание кафедры советской литературы. Сан Саныч Горелов, молодой доцент, вернулся с международной конференции фольклористов и отчитывается.

У них там в Варшаве одним из пунктов современного европейского фольклора стоял анекдот. Этот пункт разросся, как баобаб на дрожжах, и затенил все прочие: три дня счастливые фольклори-

сты рассказывали в микрофон анекдоты, утирали слезы, икали и голосовали за продление регламента. И Сан Саныч стал на кафедре пересказывать списанные в тетрадь шедевры.

Кафедра валялась по полу. Хохот стоял совершенно не академический. Любопытствующие приоткрыли дверь, и толпа в коридоре ловила это счастье. И что характерно: это все в рамках занятий филологией!

И тогда мы доподлинно ощутили, что (не только фацетии и шванки!) анекдот — это документ эпохи, ее шарж-портрет, ее психология и идеология. В гипертрофированной и иронической форме анекдот с абсолютной точностью фиксирует свое время. Идеалы и мечты, ценности и оценки воплощены в анекдоте откровенно, как ни в каком ином жанре. Анекдот — это бесцензурное и беспощадное отражение сокровенной души своего времени.

Анекдот — это закулисье официальной картины, закулисье приличий. И по обратной стороне декорации можно с точностью представить себе, как выглядит действительность на самом деле.

Анекдот — это кувырок действительности, где мелькает ее белье, и под бельем, и даже что в желудке.

Черчилль, Рузвельт и Сталин заспорили об управлении массами. Решили: а вот кто заставит кошку есть горчицу? — тот лучший политик.

Черчилль стал кошку уговаривать, чесать за ушком, давать понюхать с собственного пальца: не жрет.

Рузвельт велел подать кусок колбасы и намазал его горчицей. Кошка брезгливо погрызла кусок с нижней стороны и бросила.

Сталин приказал принести ведро горчицы. И швырнул туда кошку. Кошка с воплем вылетела из ведра и стала вылизываться.

— Вот так: с песней, дабраволно!

Делегатам XXII Съезда КПСС дарили памятные сувениры: маленький мраморный мавзолей. Нажимаешь внизу кнопочку — открывается дверца и оттуда вылетает Сталин.

Что сказал Александр Матросов, падая на амбразуру? «Проклятая гололедица!»

У мужика был ничтожно крошечный орган. Страдал страшно, никакой личной жизни. На грани самоубийства пришел к другу-доктору: нет ли научных средств? Вот новое средство, но пока испытано только на кроликах. Дай!! Посчитаем дозу... две капли на полстакана воды, на ночь. Приходи через месяц, проверим.

Перед сном, две капли... Смотрит на себя в зеркало... Вылил весь пузырек в стакан, хлопнул, посмотрел... и лег спать.

И снится: орган растет, растет, как столб, уже выгибает потолок... больно! Проснулся: перекрытие поднимается! Щипал себя, колол — не спит! Как колонна! Перекрестился — отрубил. Растет! Резал — растет! Пилил — растет! Жег — растет.

С горя повесился. Похоронили.

Назавтра сторож идет по кладбищу: боже, что это торчит?! Что за памятник?! Принес топор, срубил. Назавтра идет: растет. Пилил. Растет. Сыпал дустом. Растет.

Откопал покойника и перевернул мордой книзу: «Вот так-то!»

Через неделю из Америки телеграмма:

— Мы вам — руку помощи, а вы нам что?..

Хрущев сдуру сбегал с Кеннеди наперегонки. Конечно, молодой длинноногий Кеннеди далеко его обогнал. Как освещать событие советской прессе?..

«Вчера при огромном внимании мировой общественности и высших политических кругов состоялся международный забег на среднюю дистанцию с участием лидеров ведущих держав. Генеральный секретарь ЦК КПСС Никита Сергеевич Хрущев пришел к финишу вторым, президент США Кеннеди — предпоследним».

Обсуждение в редакции «Правды» подписи под фотографию Хрущева на свиноферме. «Товарищ Хрущев среди свиней». Нет... «Свиньи вокруг товарища Хрущева». Нет... О: «Товарищ Хрущев — третий слева».

Хрущев успел соединить уборную с ванной, но не успел пол с потолком. Успел соединить Крым с Украиной, но не успел Еврейскую Автономную область и Мордовскую АССР в Жидово-Мордовую ССР.

Брежнев зачитывает речь на открытии Олимпиады:

— О. О. О. О. О.

— Леонид Ильич, это олимпийские кольца...

Брежнев, жмурясь, выходит в пижамных штанах утром на балкон:

— Здравствуй, Солнышко!

— Здравствуйте, товарищ генеральный секретарь! — отвечает солнце.

После обеда курит у окна — умильно:

— Добрый день, солнышко!

— Добрый день, товарищ генеральный секретарь.

Перед сном любуется на закат:

— Спокойной ночи, солнышко!

— Да задолбал, старый хрен, пошел ты — я уже на Западе!

В конкурсе на лучшую малогабаритную мебель для малогабаритных квартир первое место занял горшок с ручкой внутри.

— До-ро-хой товарищ Индира Ханди...

— Леонид Ильич, это Ричард Никсон!

— Да?.. Правильно... Вот и я вижу... А написано — Индира Ганди. До-ро-хой товарищ Индира Ханди!..

Брежнев лег в больницу на операцию по расширению груди. Чтоб помещались ордена.

Хрущев успел дать Героя Советского Союза Насеру за уничтожение коммунистической партии Египта, а Брежнев не успел дать орден Октябрьской Революции Николаю II за создание революционной ситуации в России.

Сталин, Черчилль и Бен-Гурион разгадывают кроссворд:

— Великий английский флотоводец, заманил врага к стенам Англии и разбил наголову. Был одноглаз.

Черчилль:

— Нельсон!

— Великий израильский полководец, заманил врага в пустыню и разбил наголову. Был одноглаз.

Бен-Гурион:

— Моше Даян!

— Великий русский полководец, заманил врага в глубину страны и разбил наголову. Был одноглаз.

Сталин задумывается. Выбегает. Из другой комнаты раздается вопль. Сталин возвращается, вытирая палец:

— Пишите: Жюков!

Король идет на войну. Молодую красавицу-королеву оставлять стремно среди придворных кобелей. Заказывает кузнецу пояс верности: «Срочно!» Пришел принимать — на главном месте здоровая круглая дыра... «Убью гада! Издеваться?!» — «Ваше Величество, секундочку внимания». Кузнец сует в отверстие оглоблю, с боков стальные створки — кр-рак! — и оглобля пополам!

— Ну кузнец! Ну мастер! Ну удружил! Вот еще сто золотых.

И гоняется по дворцу за королевой, дает в чан, валит, надевает пояс, закрывает на замок, ключ себе на шею. И едет во главе войск. Королева на проводах рыдает — просто ревет.

Проходит год — возвращается.

— Хранила верность?

— Да я... Ваше Величество... как вы могли подозревать...

Выстраивает всех придворных, стража с оружием следит.

— Штаны спу-у-ска́й! Ну!

Боже мой. Все. Как один. Обстрижены. Кошмар. Хоть в евнухи продавай.

И только один старик-герцог, воспитатель короля, мудрец двора, остался нормальным мужчиной при своих делах.

— Ну, герцог. Ну, старый мой друг. Господи, хоть один человек во всем дворце. Дай поцелую! Спасибо тебе за верность! Проси чего хочешь. Еще одно герцогство? Сундук золота? Новый замок? Ну, чего молчишь, стесняешься? Говори. Молчишь чего? Не рад, может?! Я сказал — отвечать!!!

Герцог:

— Улы-флы-фла-бла-бла-бла...

— Петька, что это у нас вкусное такое сегодня?

— Заячье рагу, Василий Иванович.

— Это где ж ты тут зайца добыл?

— Да прямо в штабе на крыльцо выхожу — а он скачет! Ну, я сразу шашкой — рраз! — он и мяукнуть не успел!

— Чи пани первачка?

— А як же.

— Чому же пани не каже «ой»?

— Чи пан вже запшенив?

— А як же.

— Тады — ой!

В прошлом году у нас в санатории был массовик во-о-от с таким затейником!

— Милая, что, твой муж полярник?

— Не-ет, а почему ты решила?

— А почему тогда ты его все время называешь «хрен моржовый»?

Польша, начало семидесятых, жрать нечего, в магазине очередь за кровяными колбасками. Мужик встает в конец, доходит до продавщицы, она водит пальцем по списку:

— Чи пан сдавав кровь на колбаски?

Петька Анку встречает, из кармана галифе достает румяное яблоко, протирает рукавом, подает:

— Хочешь яблоко?

— Да подите вы все с вашими шутками! Вчера Василий Иванович банан предложил, потом за сараем два часа сосать пришлось!

— Рядовой Иванов! Спишь?! Вот о чем ты думаешь, глядя на этот кирпич?

— О.....

— Почему?!

— Я о ней всегда думаю, товарищ капитан.

Международная полярная экспедиция. Волки догоняют! Переглянулись, выкинули немца. Волки съели немца. Снова догоняют. Перемигнулись — выкинули англичанина. Волки съели англичанина, догоняют. Русский с французом выкинули американца. Догоняют. Тогда русский откидывает меховую полость, там — пулемет! Та-та-та-та! — перебил волков. Достает из-под сиденья полбанку, выбивает пробку, французу:

— Ну что, выпьем теперь!

— Ваня, так что ж ты раньше, если пулемет-то!..

— Ну ты все же тупой. Кто ж делит поллитра на пятерых?!

Международное солдатское троеборье стран-победительниц. Надо выпить ведро водки, зайти в клетку пожать лапу льву и трахнуть здоровенную негритянку. Англичанин выпивает полведра водки и падает. Американец выпивает ведро водки и падает. Русский выпивает ведро водки и заходит в клетку ко льву. И там — крик, вой, рев, клочья летят, прутья ломаются, клубок тел! Через полчаса выходит — растерзанный, в лохмотьях, шатается:

— Тык где там... эта негритянка... которой надо пожать лапу?..

Студента выгнали за неуспешность. Пришел устраиваться на работу в театр. Директор: а что вы умеете делать? Студент: да я, да все, любовь к искусству, вы не пожалеете!.. Ясно. Подметалой пойдешь? На спектаклях — изображаешь шаги за сценой. Зарплата маленькая — но при искусстве.

Через полгода — новая постановка, огромные массовки, актеров не хватает, бюджета на дополнительных нет. Вспоминают: а вот еще студент есть. Зовут:

— Есть роль для тебя. Второй акт. Третья сцена. Со словами! Надо выйти и сказать: «Волобуев, вот вам меч». Справишься?

— Да я! Вы узнаете! Я вам!

— Хорошо. Тогда — вот тебе переписанная роль, иди, учи, репетируй, готовься. Костюм у костюмеров подберешь. Через месяц премьера.

И месяц наш студент по своей каморке, на все лады: «Волобуев! Вот вам — меч!» «Волобуев, вот... вам меч...»

Накануне премьеры встречает приятеля. Как живешь, как жизнь. А я вот — в театре играю. Завтра премьера. Роль со словами, второй акт, третья сцена. Выхожу, все внимание на меня, а я так говорю ключевую фразу: «Волобуев, вот вам меч!»

— Старый хрен, — говорит приятель. — Я ж тебя, матюжника, алкаша, знаю. Выйдешь и обязательно ляпнешь что-нибудь типа «Волохуев».

— Да я!.. Да ты... Козел!.. Месяц репетировал!..

Поспорили на литр коньяка. Студент провел друга, сделал место в первом ряду.

Спектакль идет. Первый акт, второй, вот третья сцена.

Наш студент уверенно выходит к рампе, находит глазами друга в первом ряду, приосанивается и на весь театр чеканит гордо:

— В-о-л-о-б-у-е-в!!! (Победный жест согнутой в локте рукой) Вот т-те хуй!!!

— Вы не подскажете, как попасть в Кремль?

— Да очень просто — наводи и стреляй.

На международном конкурсе исполнителей — какие голоса! какая музыка! Выходит представитель Советской Киргизии в национальном халате и, аккомпанируя себе на домбре, поет народную песню. В зале — шквал, овация! Свист, топот, «браво»! Безоговорочное первое место. Аккредитованные советские журналисты осаждают жюри:

— Здесь было столько звезд! Почему столь взыскательное жюри присудило первое место представителю советских народов?

— Знаете, всех этих звезд, вокалов, аранжировок все давно наслушались. Но вот когда вышла ваша обезьяна в мешке и стала играть на лопате — это было да!

Московское радио спрашивает армянское радио:

— Почему мы идем к коммунизму, а жрать нечего?..

Армянское радио отвечает:

— Скобарями вы были, ребята, скобарями и остались. Кто же жрет на ходу?

МЫ СМОТРЕЛИ

Кино — это было наше все.

Во всех клубах и кинотеатрах, над сценой или сбоку экрана, присутствовал лозунг — мелом по кумачу или бронзой по зеленому: «Из всех искусств для нас важнейшим является кино. = В.И.Ленин =». Мно-ого лет спустя мы узнали полную редакцию этой обрезанной фразы вождя: «...ибо оно одно является доходчивым до полуграмотного пролетариата и вовсе неграмотного крестьянства».

Была такая дворовая игра у подростков, типа культурной викторины — «колечко». Все сидят рядком, сложив ладошки лодочкой, а водящий своими ладошками проводит промеж их, украдкой опуская одному фант — стекляшку, камушек, еще какую дрянь мелкую. Потом он, отойдя, восклицает: «Колечко-колечко, выйди на крылечко!» И тот должен выскочить из ряда (а сосед, если успеет среагировать — хватает его). И вот новый водящий всем загадывает название фильма по первым буквам. Например: «БГ»? И кто первым угадает: «Бессмертный гарнизон»! Но это просто. Или: «НТ». — «Над Тиссой». Или: «ДП». — «Дело пестрых».

Умный водящий засаживал аббревиатур по пять подряд, ставя игроков в тупик. И победно оглашал сдавшимся: «НПС»?! — «На подмостках сцены»!.. Наконец, очередные буквы кто-то разгадывал и занимал его место.

Эта игра, примета своего времени, дает хорошее представление о богатстве кинорепертуара. То есть даже дети знали прошедшие фильмы наперечет.

В нормальных городках шел фильм в неделю. Новая неделя — новый фильм. А в приличных райцентрах и городах областных шли два — два! — фильма в неделю. Как правило, два кинотеатра, или два дома культуры, или клуб и кинотеатр, и т.д. И все ходили. Минимум раз в неделю. Или два. А что делать? Телевизора нет, а когда и появился — одна программа, и смотреть по ней нечего. Компьютера нет. Кафе-ресторанов очень мало, туда стоят толпы, и там очень дорого для нормальных людей. Читать особо нечего, да это можно и дома в любое время. Компаниями в застолье собирались по праздникам. Кино — было главное и всеобщее регулярное развлечение.

В кино приглашали девушек. В кино сбегали с уроков. В кино ходили семьями в воскресенье (а потом и субботу сделали выходным).

На дневных сеансах зал был пуст. Ходили после работы или занятий, на семь или девять вечера. Тут полный зал и отсутствие билетов перед сеансом были явлением обычным.

Еще лет десять после войны крутили лендлизовские американские фильмы, называя их в обиходе «трофейными». Так мы увидели первые цветные «Робин Гуда» с Эрлом Флинном и «Маугли», не говоря о «Серенаде Солнечной Долины» и «Джордже из Динки-джаза». Об этой строке лендлиза как-то не упоминается.

Основу составляли наши фильмы о войне и социалистическом труде. «Подвиг разведчика», «На дорогах войны», «Звезда», «Кубанские казаки». Выделялась пафосной бездарностью киевская студия Довженко. К «Киргизфильму» и прочим республиканско-туземным студиям относились с издевкой, туда заходили лишь от безысходной скуки и усугубляли ее фигней на экране. Еще были иногда чудовищные по геройской дебильности китайские фильмы. «Смелый, как тигр». Китайцев всегда дублировали голосами слабоумно-радостных кастратов, никто не понимал этой фонетической загадки. И работы стран народной демократии из Европы. «Албанский воин Скандербек».

Билет на детский утренний сеанс в воскресенье стоил рубль (после реформы — десять копеек), и протыриться к окошечку кассы сквозь сцепившуюся толпу было актом храбрости.

Да, так в 56-м году произошел XX Съезд КПСС — и к Новому 1957 вышла комедия Эльдара Рязанова «Карнавальная ночь». Это было не просто смешно, ребята, не просто талантливо, не просто лидер проката и страна до сих пор поет песенки оттуда. С «Карнавальной ночи» гениального Рязанова началось новое советское кино. Раскованное, самостоятельное, резкое и броское, с огромной энергетической мощью. В лучших фильмах, конечно.

«Последний дюйм» и «Человек-амфибия» перевернули наше представление о том, каким может быть кино. В советских фильмах романтические несоветские герои пленяли обаянием и благородством. Кино отвоевывало право быть красивой сказкой.

В кино появилась фантастика! «Планета бурь»! Советские космонавты летят на Венеру, с ними идеологически отсталый американский робот и его конструктор, яркие краски, динозавры в болотах, неведомые люди где-то!

Вышли «Летят журавли» Калатозова, и «Чистое небо» Чухрая, и, кстати, «Добровольцы» с молодыми Михаилом Ульяновым и Леонидом Быковым были фильмом веховым, знаменитым, а «Оптимистическая трагедия» с Андреевым, Тихоновым, братьями Стриженовыми — да просто гремела как фильм года, и Комиссар Маргарита Володина была главной звездой года. Появилось новое направление — героизм с человеческой душой.

Вообще с началом 60-х сложился фантастически мощный советский кинематограф, хоть пиши еще одну монографию. В забытых нынче «ЧП» и «Мичмане Панине» взошла звезда ироничного красавца Вячеслава Тихонова: «И вот я здесь, господа!» Героями эпохи были физики-ядерщики, и «Девять дней одного года» склоняли и цитировали.

Лысому Хрущеву в американском визите понравился король лысых Юл Бринер, и наш прокат запустил «Великолепную семерку». Это был шок: боевиков такого класса мы не представляли. Зарубежный вестерн поставляли Югославия с Восточной Германией: самодельные индейцы и злые американцы. Импортные ленты строго лимитировались: от закупки «Фанфана-Тюльпана» с Жераром Филиппом до «Мужчины и женщины» с Трентиньяном прошло полтора десятка лет.

Но именно в хрущевскую эпоху нам показали итальянских неореалистов, и интеллигентным людям просто полагалось получать наслаждение от Феллини и Антониони, хотя мне это удавалось только с Берталуччи.

В середине 60-х у нас произошел просто взрыв, и семилетку с 64-го до 71-го историки и критики кино будут изучать всю оставшуюся историю: золотой век. «Гамлет» Козинцева, «Берегись автомобиля» Рязанова, «Неуловимые мстители», «Хроника пикирующего бомбардировщика», «Операция “Ы”», «В огне брода нет» — шедевры выходили один за другим, так было же на что ходить! Фамилии Гайдая, Панфилова, Кеосаяна вмиг стали знамениты.

Сколько десятилетий повторяют «Служили два товарища», но гениальность этого фильма так и осталась необъясненной. «Один из нас», «Белорусский вокзал»... «Белое солнце пустыни»!

За блокбастером Бондарчука «Война и мир» — позднее — последовали блокбастеры типа эпопей «Освобождение» и «Блокада», но это генетически цензурное кино про войну имело смысл только как смотриво. Объявленные десятилетия спустя вершинами «Офицеры» и «В бой идут одни старики» таковыми при выходе на экран не воспринимались: скромные, в сущности, работы. Классикой тут же стал «А зори здесь тихие» — и меня хотели линчевать, когда я вдруг предложил представить себе, как пять девушек из Китайской Народно-освободительной армии уничтожили семнадцать гоминдановских диверсантов (да — Борис Васильев был сентименталист-романтик-патриот, прекрасный писатель и человек; просто не реалист, ну и что).

Гениальный и непонятый фильм Ларисы Шепитько «Ты и я» вышел в 1971 году. Фильм о поколении тридцатитрехлетних: военные дети, они были студентами после XX Съезда, молодыми специалистами в начале шестидесятых, исполненных оптимизма и надежд; а сейчас крючок засекся, воздух зацементировался, и попытка прорваться в свободу не лучше и не умнее общего мещанского болота. Они не исполнили свое предназначение, их мечты не сбылись, и не будет им любви и счастья, и совесть их не отпустит.

И тут в воздухе что-то щелкнуло — и лафа вся вышла. Еще появился Никита Михалков с «Рабой любви» и шедевральным «Механическим пианино». Рязанов выдал еще «С легким паром», и срывавший аплодисменты в темных кинозалах (!) «Гараж», и «Жестокий романс». Н-но — что-то кончилось... и кончилось до самого прощального поклона советского кино — «Собачьего сердца» Бортко.

А главными были боевики с Бельмондо и Делоном, и комедии с Ришаром и Депардье, и еще — многочисленные индийские мелодрамы, над которыми цинично хохотали высоколобые и которые делали бешеные сборы в провинции, вызывая потоки сладких слез у замученных жизнью доярок.

И вспомнить, вспомнить, как крутили всегда перед фильмом десятиминутные ролики киножурналов «Новости дня», где упругий от казенного энтузиазма баритон смаковал очередную победу с трудовых полей и заводов, и как хлопали заполированные поколениями задниц фанерные откидные сидения в рядах; и как появлялись цветные фильмы, а потом — широкоэкранные, а потом — вообще широкоформатные!

И вдруг прорывалось «Признание комиссара полиции прокурору Республики» Домиано Домиани, или «Такова спортивная жизнь» с молодым и здоровенным Ричардом Харрисом, воплощением мужчины, мы смогли увидеть, как он играл Кромвеля в одноименной драме, и Карл Стюарт — Алек Гинес — вопрошал ироничным тонким голосом: «Что, джентльмены, страшно убивать собственного короля?», и сорванно кричал Кромвель в опустевшем Парламенте: «Я клянусь править этой страной по законам Господа и людским!».

МЫ ЧИТАЛИ

Ну, во-первых, мы не все читали. Обычный большой тираж был сто тысяч, такого на всех желающих не хватит. Полки магазинов были заставлены в основном книгами номенклатурных, партийно одобренных писателей, и их никто не брал. А также уродов из «братских» стран «народной демократии».

Во-вторых, чтобы читать, надо было сначала «достать» — дефицит ведь. Просто так не купишь. Надо знакомиться с продавщицей или директором, оказывать знаки внимания, чтоб они оставляли тебе под прилавком чего хорошего.

В-третьих, интеллигенции после работы делать было нечего, а пила она меньше пролетариата. Чтение было виртуальной формой жизни. А по телику смотреть было нечего, а газет уж вообще никто не читал.

В-четвертых, престиж образования был очень высок. Богачей-то не было, достаток идеологически не поощрялся. Культурный человек в табели о рангах стоял выше некультурного: концерты, выставки, театр, книги, — уж кому что где возможности позволяли. Стеллаж с «престижными» книгами был вроде серванта с хрустальными вазами или голубого унитаза.

В-пятых. Количество наименований приличных книг было очень невелико. Но уж кого поощрительно утвердили в планах издательств — тех переиздавали бесконечно. Таким образом, книги приличные занимали огромный сегмент «рынка спроса». Грубо говоря, все читали одно и то же.

Итак.

Корней Чуковский, Самуил Маршак, Агния Барто, Сергей Михалков. Вот на этих четырех детских поэтах выросли два поколения советских детей. Классные стихи, на всю жизнь запоминались!

А был еще Михаил Ильин с замечательнейшими познавательными книгами «Сто тысяч почему» и «Откуда стол пришел». Как оно все в мире и в хозяйстве устроено.

Королем детской прозы был Николай Носов со сборником рассказов «Мы с Мишкой». Это было так чудесно, это было так смешно!.. А потом он написал «Приключения Незнайки и его друзей» с продолжениями. Это детская литература высшего мирового качества.

Буратино, Буратино!

Аркадий Гайдар издавался такими тиражами, что не читать его было физически невозможно. Мальчиш-Кибальчиш стал фигурой фольклорной. «Нам бы день простоять да ночь продержаться». «И все хорошо, да что-то нехорошо».

Интересно, что переломный возраст для читающего человека — десять лет. Уже не ребенок, еще не отрок. «Королевство кривых зеркал» Губарева уже детсконько. А «Три мушкетера» еще раненько.

Оп:

Осеева, «Васек Трубачев и его товарищи». Александра Бруштейн, «Дорога уходит вдаль». Чудные были книжки. А кто сейчас вспомнит Якова Тайца, Иосифа Дика и сонм коллег? Был тоскливый «Ленька Пантелеев» Леонида Пантелеева и нравоучительно-малоинтересный «Витя Малеев в школе и дома» того же Носова.

И бесконечно перечитываются бесконечные сборники сказок: русские, украинские, армянские, азербайджанские и т.д. Какие-то они не совсем интересные... Гримм, Перро, кто там еще, это еще из младенчества, сколько можно перечитывать...

И тут к пятому классу мир книг начинает стремительно разворачиваться! Их делается много, интересных и совсем интересных!

Издали трехтомник фантаста Александра Беляева! «Ариэль»! «Человек-амфибия»! «Властелин мира»! А еще был Александр Казанцев, а тут появился Иван Ефремов!

Врывается мусорный поток разнообразных «Военных приключений» и «Библиотечки солдата и матроса». Их эстетический уровень отроки оценить не в силах — глотают сюжеты и характеры с ударными фразами. Во главе отряда — «Майор Пронин» Льва Овалова, «умный-умный — а дурак». Следом — «Смерть под псевдонимом», «Кукла госпожи Барк», «Атомная крепость», «Гранит не плавится», «Рассказы о капитане Бурунце», «Капля крови». Современность, интересность, патриотизм.

Жюль Верн! Роскошный двенадцатитомник, серо-голубоватый, отличная бумага и иллюстрации.

Дюма. Дюма — это Дюма. Хотя с первого прочтения тяжеловат отроку: язык, знаете, не очень такой наш обычный. «Три мушкетера» и «Граф Монте-Кристо» уже остаются на всю жизнь.

Оказывается, есть Майн Рид и Фенимор Купер, и это прекрасно, что они писали такие толстые романы. Каков последний из могикан!

И вплывает блистательный капитан Блад, и даже странно, что Сабатини жил в XX веке!..

У Алексея Толстого был не только «Золотой ключик», который уже взрослому прочтется издевкой. Нет, хрен с ним с «Петром I» — есть «Гиперболоид инженера Гарина» и «Аэлита»! Эти «повести для юношества» останутся поколениям взрослых, их будут многократно экранизировать, их имена и названия станут нарицательными!

Открывается Джек Лондон. Он был великий писатель, Джек Лондон. Он был самым издаваемым писателем в СССР из всех, кто не входил в школьную программу. Нужны же были в СССР хоть какие-то переводные писатели? А он был социалист, из бедняков, реалист и романтик, оптимист и борец. И он умер, ничего плохого уже не скажет про нас. И платить ничего никому не надо, тем более мы не в концепции, никому за бугром и не платили. Дорогие мои... миллионы и миллионы советских людей были воспитаны на Джеке Лондоне, его северных рассказах и «Мартине Идене», его мужестве и несгибаемом «духе белого человека».

У тебя начинал формироваться вкус. Потому что Алексей Толстой и в блестящих наших переводах Лондон — они писали хорошо.

Гениальный фильм «Последний дюйм» поднял интерес к и так популярному у нас Джеймсу Олдриджу. «Дело чести». «Морской орел». «Герои пустынных горизонтов»!

Митчелл Уилсон. «Брат мой, враг мой». «Живи с молнией» наши уроды велели назвать «Жизнь во мгле».

Хемингуэй и Ремарк заняли место на наших полках в хрущевскую оттепель, и эти не покидали его никогда. Влияние Хемингуэя переоценить трудно. Он уничтожил пафос, патетику, красивость возвышенных фраз и любую нечестность. Хемингуэй — это был стилистический возврат к честности, которую давно забыли как выглядит.

В начале шестидесятых взошла звезда Александра Грина, умершего за тридцать лет до этого в Старом Крыму. Черт возьми! «Алые паруса» в живой жизни пережили сонм его блестящих современников, на празднике «Алые паруса» белый корабль с красными парусами выходит на Неву, и гремит музыка, и танцуют семнадцатилетние...

Настоящая книга — это больше, чем литература. И судить ее надо по иным критериям, чтобы понять...

Бабель, Олеша, Лавренев.

«Тайна двух капитанов» Каверина и «Белеет парус одинокий» Катаева.

«Двенадцать стульев» и «Золотой теленок»!

А были и советские бестселлеры, давно вышедшие из оборота. «Порт-Артур» Степанова. «Мужество» Веры Кетлинской. «Битва в пути» Галины Николаевой. «Живые и мертвые» Симонова. «Русский лес» Леонова.

На рубеже шестидесятых новая литература пошла потоком. «Коллеги» и «Звездный билет» Аксенова, «История одной компании» Гладилина, Кузнецов, Владимов. Рассказы Юрия Казакова и Василия Шукшина.

И — поэзия! Она взлетела в ширь поднебесную, как никогда! Евтушенко, Вознесенский, Ахмадулина, Окуджава! Стадионы. Залы ломились. Двухсоттысячных тиражей и близко не хватало.

Для узкого круга классической интеллигенции всегда оставались Пастернак, Мандельштам, Ахматова, Цветаева. Бориса Слуцкого читали и почитали уже меньше. Оглушительная слава стихов Константина Симонова к шестидесятым осела. Бродского читал в списках узкий продвинуто-диссидентский круг.

Огромной любовью старших школьников пользовался Эдуард Асадов. Он был прост, он был лиричен, он призывал к хорошему. Девушки также любили Щипачева и Доризо.

А еще в живом обороте, для души, были Багрицкий, Тихонов и — несмотря на присутствие в школьной программе — Маяковский.

Можно что угодно говорить о наличествовавших в школьной программе «Как закалялась сталь» Островского и «Повести о настоящем человеке» Полевого, а также «Молодой гвардии» Фадеева, но без этих трех коммунистических книг, накачанных патриотизмом, энергией и борьбой за светлое завтра, среднего советского человека не существовало.

Поле чтения было до чудесного эклектично!

«Овод» Войнич и «Маленький принц» Экзюпери. Блистательный О. Генри и красиво-стилистичный Паустовский. Ричард Олдингтон и Эдгар По. А также вехово абсурдный ряд: Кафка, Камю, Пруст, Сартр, Ионеску, Беккет, — высокий деграданс.

Появилась высокая когорта прозаиков о войне: Василь Быков, Юрий Бондарев, Григорий Бакланов.

Перевели Фолкнера, Маркеса, Стейнбека, Франсуазу Саган.

Вдруг все бросились читать и цитировать Лорку. Его убили фашисты! Мы не знали, что убили за гомосексуализм, а не за стихи.

А подписные издания! О, подписные издания! Эти подписки выделяли по лимиту на работе, их перекупали, их доставали как могли. Приложения к «Правде» и «Огоньку», «Известиям» и чему там еще. С серебром и золотом, в коленкоровых переплетах и на отличной бумаге. Тридцатитомный зеленый Бальзак, двадцатитомный лазоревый Голсуорси, четырнадцатитомный серый Мопассан, четырнадцатитомный фиолетовый Лондон, кого только не было. Классные издания, выверенные, корректные, полные.

Стендаль, Гюго, Диккенс, Теккерей, даже Гейне и Лопе де Вега — были живым чтением!.. Если брать чтение х о р о ш и х книг на душу населения — тут СССР был безусловно впереди планеты всей.

И такая еще вещь. Коммерческого чтива резко не хватало. И с невысокими лобиками людишки читали «Одесские рассказы» Бабеля, Шерлока Холмса, О. Генри и даже Эдгара По, не говоря уж о Зощенке, который еще не был упомянут, — читали как развлекательную литературу, не понимая большей части ее ценности. Но — читали!

Станислав Лем и Рей Брэдбери были фигурами знаковыми у нас. Фантастика — это было серьезно. Гаррисон, Шекли, Азимов, Кларк, — имели миллионы поклонников.

Слушайте, Стругацких читала вся молодая интеллигенция страны! Упивалась, впечатлялась и находила ответы на вопросы.

А потом еще придумали: сдай двадцать кило макулатуры — и нá талон на покупку дефицитной книги. Потом талонами торговали у пунктов приемки — четыре рубля. И — тиражи Брэдбери и Дюма могли тут достигать четырех миллионов копий за раз!

Семенов со Штирлицем, Пикуль с историей и Булгаков с Мастером — а как же. В топ-десятке.

Понимаете, «Юность» (миллионный тираж), «Новый мир» (двухсоттысячный тираж) и «Литературную газету» (некий охрененный тираж) — читали все, кто смог достать. Публикация там — как пропуск в литературный истеблишмент. Опубликованное там — предписано к чтению и обсуждению меж приличными людьми. Это нормально, это приличествует, это престижно, это штрих достоинства и продвинутости. Это культура, это уважение к себе, это причастность к кругу посвященных. Ну, а поскольку из страны не дернуться, а в стране ни вздохнуть, ни пискнуть, и энергия в человеке частично не востребована и реализации хочет, — вот по этому по всему — чтение было серьезной частью жизни. Вот.

МЫ ПЕЛИ

А я еду, а я еду за туманом,
За туманом и за запахом тайги.
Поезд длинный смешной чудак,
знак рисует, чертит вопрос:
Что же что же не так, не так,
что же не удалось?
Люди идут по свету.
Слова их порою грубы.
Пожалуйста, извините, —
с улыбкой они говорят.
Но тихую нежность песни
ласкают сухие губы,
и самые лучшие книги
они в рюкзаках хранят.
Опять тобой, дорога,
желанья сожжены.
Нет у меня ни бога,
ни черта, ни жены.
Чужим остался Запад,
Восток — не мой Восток.
А за спиною запах
пылающих мостов.

Сегодня вижу завтра
иначе, чем вчера:
победа, как расплата,
зависит от утрат.
А мы уходим рано,
запутавшись в долгах,
с улыбкой д'Артаньяна,
в ковбойских сапогах.
Ты у меня одна,
словно в ночи луна,
словно в степи сосна,
словно в году весна.
Нету другой такой
ни за какой рекой,
ни за туманами,
дальними странами.
В тех странах в октябре еще весна,
плывет цветов замысловатый запах.
А мне ни разу не пригрезился во снах
туманный Запад, неверный дальний Запад.
Никто меня не поджидает там,
моей вдове совсем другое снится.
А я иду по деревянным городам,
где мостовые скрипят, как половицы.
Если друг
оказался вдруг
и не друг, и не враг,
а так.
Над Канадой, над Канадой
солнце низкое садится.
Мне давно уснуть бы надо,
только что-то мне не спится.
Над Канадой небо синее,
меж берез дожди косые.
Хоть похоже на Россию,
только все же не Россия.

Идет на взлет по полосе мой друг Серега,
мой друг Серега, Серега Санин.
Сереге Санину легко под небесами,
другого парня в пекло не пошлют.
То взлет, то посадка,
то снег, то дожди.
Сырая палатка,
и писем не жди.

Здесь надо сделать перерыв, отложить гитару, затянуться протянутой сигаретой, здесь все молчат, и это молчание в такт, здесь горит свеча в бедной комнате общежития, или фонарь во дворе, или костер в лесу, или автомобильная покрышка в пустыне, здесь еще не решены судьбы, еще бесконечно будущее, еще огромна и могущественна страна, даже если эта мать несправедлива, здесь твоя жизнь ищет свой смысл, твоя любовь жаждет единственное обретение, здесь поколение соединяется в братстве, перед тем как врозь ринуться каждому по тропе трудов и лет, но как связка снопа, как перетяжка прутьев в ветшающей человеческой метле, за тонкой перегородкой памяти всегда здесь звучание и слова, неопределимая значимость настроения и счастливая печаль надежд и грядущих потерь: это ветер времени, воздух эпохи, этот нотный рисунок ложится на душу, как татуировка, и душа твоя томится ощущением неизбежности и непоправимости будущего, проницая грань жизни и смерти и влекомая делами и потерями ценою в жизнь. Короче, хочется выпить и добавить, хочется любви и геройства, хочется гордиться и оплакать величественную и прекрасную трагедию жизни, по возможности собственной. Звенят стаканы, летят искры, мы готовы к судьбе и согласны платить цену, потому что это и есть счастье — платить высшую цену за желанную судьбу.

Министры — шулера,
король — дурак,
шуты, шутя, играют в короля!
Мы мечтали о морях-океанах,
собирались прямиком на Гавайи,
и как спятивший трубач спозаранок,
уцелевших я друзей созываю!
Уходят, уходят, уходят друзья,
одни в никуда, а другие в князья.
В осенние дни и в весенние дни,
как будто в году воскресенья одни...
Уходят, уходят, уходят, уходят мои друзья.
Ах Караганда, ты Караганда,
ты уголек даешь, да на-гора года,
кому двадцать лет, кому тридцать лет,
а что с чужим живу — так своего-то нет.
Ка-ра-ганда!..
Проходит жизнь, проходит жизнь
как ветерок по полю ржи,
проходит явь, проходит сон,
любовь проходит, проходит все.
Покрепче, парень, вяжи узлы.
Беда идет по пятам.
Сегодня ветер и волны злы,
и зол как черт капитан.
Лицо укутай в холодный дым,
водой соленой омой —
и снова станешь ты молодым,
когда придем мы домой.

Песня — это была свобода. Мы пели только то, что не показывали по телевизору, не слышали по радио, не печатали в книжках и журналах. Если прорывался Высоцкий — это была наша победа: это от нас он пришел и к ним тоже, официальным, но не от них к нам.

Корабли постоят, и ложатся на курс,
но они возвращаются сквозь непогоды.
Вдоль обрыва, по-над пропастью, по самому по краю
я коней своих нагайкою стегаю, погоняю!

Уходим под воду
в нейтральной воде.
Мы можем по году
плевать на погоду,
а если накроют
локаторы взвоют
о нашей беде!
Спасите наши души!
Мы бредим от удушья!
Спасите наши души, спешите к нам!

Понимаете, любое время имеет свой музыкальный фон. Свой поэтический задник. И этот нестройный мелодичный гул — сумма внутренних движений народа. Скажи мне, что вы поете, — и я скажу вам, что вы за люди. Самовыражение.

А что за мною? Все трасса, трасса,
да осенних дорог кисель,
как мы гоним с Ростова мясо,
а из Риги завозим сельдь.
Что за мною? Доставка, до́быча,
дебит-кредит да ордера,
год тюрьмы, три года всеобуча,
пять войны, но это вчера.
Что за мною — автоколонны,
бабий крик, паровозный крик,
накладные, склады, вагоны...
Гляну в зеркальце — я старик.

Вы слышите — грохочут сапоги,
и птицы ошалелые летят,
и женщины глядят из-под руки:
вы поняли, куда они глядят.

Вы слышите — грохочет барабан:
солдат, прощайся с ней, прощайся с ней!
Уходит взвод в туман, в туман, в туман,
а прошлое ясней, ясней, ясней!
А мы рукой на прошлое: вранье!
А мы с надеждой в будущее: свет!
А по полям жиреет воронье.
А по пятам война грохочет вслед.

Она была во всем права,
и даже в том, что сделала,
а он сидел, дышал едва,
и были губы белые,
и были черными глаза,
и были руки синими,
и были черные глаза
пустынными пустынями.

Нас разбросал людской водоворот.
Идут года, растет зеленый лед,
но все равно: сквозь память напролет
по набережной девочка идет,
она в снегу, как в голубом огне,
она спешит, она идет ко мне.

Пони девочек катает,
пони мальчиков катает,
пони бегает по кругу и круги в уме считает.

В этих песнях, в этих стихах с нехитрой мелодией было все, что надо: романтика и идеал, любовь и смерть, война и подвиг, юность и старость, тюрьма и родина. Иногда это была очень наивная романтика, очень жестокий надрыв и очень примитивная лиричность. Высокая поэзия мешалась с уличным самопалом, как шампанское с сивухой, но искомый эффект достигался: было хорошо.

Кто позабыл своих невест,
кто третий месяц рыбу ест,
кому приносит злой норд-вест
по пуду горькой соли:

Святая Дева, Южный Крест,
Святая Дева, Южный Крест,
Святая Дева, Южный Крест
и твердые мозоли!..

Спасибо вам, святители,
что плюнули да дунули,
что вдруг мои родители
зачать меня задумали
в те времена далекие,
теперь почти былинные,
когда срока огромные
брели в этапы длинные!

Встанем и выпьем поименно за тех, кто вкладывал не уча: что жажда жизни, тоска по счастью, притяжение великих дел и любовь к родине — это одно чувство. Галич, Городницкий, Окуджава, Визбор, Кукин, Анчаров, Клячкин, Ким. Высоцкий. И еще сто...

Вставайте, граф! Рассвет уже полощется,
из-за озерной выглянув воды.
И кстати, та вчерашняя молочница
уже поднялась, полная беды.
Она была робка и молчалива,
но Ваша честь, от Вас не утаю:
вы несомненно сделали счастливой
ее саму и всю ее семью.
И граф встает. Ладонью бьет в будильник.
Берет гантели. Смотрит на дома.
И безнадежно лезет в холодильник —
а там зима, пустынная зима.

Нет — было одно официальное исключение: пели все:

Ваше благородие
госпожа удача,
для кого ты добрая,
а кому иначе.

Девять граммов в сердце
постой, не зови:
не везет мне в смерти —
повезет в любви!

Обратные примеры были ужасны, когда юные девушки в постукивающих вагонных сумерках затягивали лирично:

Веселей, ребята! Выпало нам
строить путь железный, а короче — БАМ.

Души требовали песен, а петь можно было только то, что знали... Милых певуний хотелось заткнуть и отдать в детский дом на перевоспитание.

В Кейптаунском порту,
с пробоиной в борту,
«Жаннета» поправляла такелаж!

Вот с этого в школе и начиналось самостоятельное существование в социально-эстетическом пространстве. Что логически перетекало в крамолу:

А по Брежневу мы движемся вперед!
Ну а если он, того, маненечко помрет, —
то скажет всю правду нам История,
та самая, которая
ни столько, ни полстолько не соврет!

И не церковь, и не кабак,
и ничего не свято.
Нет, ребята, все не так,
Все не так, ребята!

У Геркулесовых Столбов лежит моя дорога.
Пусть южный ветер по утрам в твою
стучится дверь.
Меня оплакать не спеши, ты подожди немного,
И вина сладкие не пей, и женихам не верь.

Я хотел только сказать, что какое время, такие и песни. Что поешь — то живешь. Нет, ну классик же тоже говорил, типа: ни в чем не выражается душа народа так, как в песнях.

Как на Дерибасовской, угол Ришельевской,
в восемь часов вечера разнеслася весть:
как у нашей бабушки, бабушки-старушки,
четверо налетчиков отобрали честь!
На морском песочке
я Марусю встретил:
в розовых чулочках,
талия в корсете.
И вдали мелькал его челнок
с белыми, как чайка, парусами.

А когда отгрохочет, когда отгорит и отплачется,
и когда наши кони устанут степями скакать,
и когда наши девочки сменят шинельки на платьица, —
не забыть бы тогда, не простить бы и не потерять.

ВОЗДУХ КАЛЕНДАРЯ

— 1953 год

Похороны Сталина. Расстрел Берии.

— 1954 год

Начало освоения Целины. Призывы на комсомольские стройки.

Повесть Эренбурга «Оттепель» даст имя эпохе.

— 1955 год

Создание Варшавского договора: соцлагерь против НАТО.

— 1956 год

XX Съезд КПСС, разоблачение культа личности Сталина, осуждение террора.

Восстание в Венгрии, его подавление советскими войсками.

Суэцкая война — Египет с СССР против Израиля с Англией и Францией.

Летает первый советский реактивный лайнер Ту-104.

Начало массового жилищного строительства — «хрущевки».

Выпуск автомобиля «Москвич-402».

— 1957 год

Первый космический спутник Земли — СССР открыл космическую эру.

Антипартийная группа (Молотов, Маленков, Каганович и «примкнувший к ним Шепилов») пыталась сместить Хрущева, который в результате вычистил сталинскую гвардию из Партии.

Всемирный Фестиваль молодежи и студентов в Москве.

Спущен на воду ледокол «Ленин» — первый в мире надводный корабль с ядерным реактором.

Роман Ефремова «Туманность Андромеды».

Фильм «Летят журавли».

— 1958 год

Скандал с присуждением Нобелевской премии Пастернаку фактически за «Доктор Живаго».

Восьмилетнее школьное образование стало обязательным, в вуз можно поступать только с двухлетним трудовым стажем.

Фильм «Последний дюйм».

Выходит автомобиль «Волга», «Победа» снята с производства.

— 1959 год

Впервые человечество увидело обратную сторону Луны — снимок передан советской космической станцией.

Победа революции на Кубе — первое социалистическое государство в Западном полушарии.

Всесоюзная перепись населения — нас 209 миллионов (в 1989 г. будет 286 млн).

Урезание личных подсобных участков, запрет держать скот.

Фильм «Баллада о солдате».

— 1960 год

1 мая над Свердловском сбит американский разведывательный самолет У-2, пилот Френсис Гари Пауэрс захвачен.

Сокращение армии «миллион двести» (вместе с сокращениями 1955 и 1958 гг. это составит 3 млн 300 тыс. человек).

«Год освобождения Африки» — 17 стран обрели независимость, колониальная система ликвидируется.

— 1961 год

Полет Гагарина в космос.

Денежная реформа: укрупнение 1 за 10, маленькие купюры.

Испытания 100-мегатонной супербомбы на Новой Земле.

Президентом США становится Кеннеди.

Построена Берлинская стена.

Запущен первый агрегат Братской ГЭС — крупнейшей в стране, самой знаменитой всесоюзной стройки.

Самый многотиражный в мире литературный журнал «Юность» (выходит с 1955 г., главный редактор Валентин Катаев) печатает «Звездный билет» Аксенова. Евтушенко, Вознесенский, Аксенов и Окуджава — главные авторы молодой половины читающей страны.

XXI Съезд КПСС принимает 20-летнюю программу построения коммунизма.

Сталина выносят из Мавзолея.

— 1962 год

Карибский кризис: грань ядерной войны.

Неурожай, закупки зерна в США, хлеб с гороховой и кукурузной мукой, повышение цен на продукты.

Хрущев в Манеже на выставке современной живописи: скандал!

Фильм «Человек-амфибия».

— 1963 год

Договор о запрете ядерных испытаний в атмосфере, в воде и в космосе подписали США, СССР и Англия.

Убийство Кеннеди.

На Пленуме ЦК КПСС Хрущев громит молодых писателей.

В советском прокате — фильм «Великолепная семерка».

Наши хоккеисты — чемпионы мира!

— 1964 год

Хрущев дает Героя Советского Союза Насеру. Заполняется водохранилище Асуанской плотины, которую СССР строит Египту.

Суд дает Бродскому 5 лет трудовой ссылки.

Снятие Хрущева. Пришли Брежнев, Косыгин, Подгорный.

— 1965 год

Советская космическая станция «Венера-3» впервые достигла поверхности планеты!

Америка развернула войну во Вьетнаме, СССР помогает Вьетконгу.

— 1966 год

Смерть Королева, имя Генерального Конструктора рассекречено.

Суд над Даниэлем и Синявским (симптом конца «оттепели»).

Журнал «Москва» публикует роман Булгакова «Мастер и Маргарита».

— 1967 год

Шестидневная арабо-израильская война.

Убийство Мартина Лютера Кинга.

Солженицын завершил написание «Архипелага ГУЛАГ».

В Боливии убит Че Гевара.

— 1968 год

«Пражская весна». Советские танки в Чехословакии. Появление диссидентов.

Студенческие волнения в Париже, Германии, Италии, кампусах США: «революция цветов», «сексуальная революция», хиппи, ЛСД.

Убийство Роберта Кеннеди.

Гибель Гагарина.

— 1969 год

Советско-китайские бои за остров Даманский.

Американские астронавты высадились на Луне.

— 1970 год

Арест члена «Черных пантер» Анджелы Дэвис.

Автогигант в Тольятти выпускает «жигули» — советский «фиат».

Нобелевская премия по литературе присуждена Солженицыну.

Выходит «Белое солнце пустыни».

— 1971 год

Умер Хрущев.

При приземлении погибли космонавты Пацаев, Волков и Добровольский.

Александр Галич, бард и диссидент, исключен из Союза писателей СССР.

— 1972 год

Убийство израильских спортсменов на Мюнхенской олимпиаде.

Высылка Бродского из СССР.

Президент Садат выслал из Египта советских специалистов.

— 1973 год

Военный переворот в социалистическом Чили, убит президент Альенде.

Арабо-израильская война, советские авиация и ракетчики в египетских рядах.

В телевизоре потрясение: «Семнадцать мгновений весны».

— 1974 год

БАМ объявлен Всесоюзной ударной комсомольской стройкой.

Солженицын выслан из СССР.

Барышников остался в Канаде после гастролей театра.

— 1975 год

Во Вьетнаме победили северные коммунисты, американцы эвакуируются из Сайгона.

Восстание на большом противолодочном корабле «Сторожевой».

— 1976 год

Беленко угнал в Японию свой «МиГ-25».

Эмигрировал во Францию Гладилин, родоначальник «молодежной прозы» эпохи оттепели.

— 1977 год

Принята новая Конституция СССР взамен «сталинской» 1936 года.

— 1978 год

Матч за звание чемпиона мира по шахматам в Багио между Карповым и эмигрировавшим в Швейцарию Корчным.

«Новый мир» печатает трилогию Брежнева «Малая земля», «Возрождение», Целина».

«Метрополь», неподцензурный альманах реально ведущих писателей.

— 1979 год

Исламская революция в Иране.

Ввод советских войск в Афганистан.

— 1980 год

Московская олимпиада.

Смерть Высоцкого.

В Польше возник профсоюз «Солидарность».

Началась Ирано-Иракская война.

Арестован и сослан в Горький Сахаров.

Умер вечный брежневский предсовмина Косыгин.

— 1981 год

Да разве что съехавшего на лекции в США Аксенова лишили гражданства.

— 1982 год

Умер Брежнев. Страна затрещала в последних усилиях и спазмах.

— 1983 год

Вот на этом, собственно, и кончилась эпоха. Кончился «развитой социализм», схоронили Андропова и Черненко, сложили анекдоты о гонках на лафетах и исполнении обязанностей после тяжелой болезни не приходя в сознание.

А в пространстве долго оставалось: Юрий Власов стал чемпионом по штанге в Риме Олимпиады-1960, Попенченко нокаутировал чемпиона Великобритании на второй минуте, битлы были выше любых эталонов, еврейская эмиграция семидесятых пресеклась с Олимпиадой-80, средняя продолжительность жизни выросла до семидесяти лет, лучший концерт года по телевизору — на День милиции 9 ноября, а телевидение пришло только на рубеже шестидесятых, а в восьмидесятые стало заменяться цветным.

Сад

ВСТУПЛЕНИЕ

ШАМПАНСКОЕ

Я осознал себя, только выпив шампанского. Первое детское воспоминание — радость лихого разгрома.

После войны отец еще пять лет служил в Германии. Он приехал забрать нас с мамой к новому месту службы — на Дальний Восток. Собралась родня. Гвардейский офицер показывал шик.

У наших победоносных оккупантов в логове поверженного зверя крышу снесло капитально. Капитан звенел наградами, прострелил окно из трофейного пистолета и заставил сына выпить стакан шампанского.

Легкий и радостный мир потребовал действий. Я запустил в бабушку броневиком и разбил чашку. Все подъемное полетело на стол. Гости ловили с принужденным смехом. Я командовал отдать и повторить. Мать с ужасом и восторгом взирала на вернувшегося героя. Отец трудился над бутылкой и хохотал бессердечным армейским смехом, топорща рыжие усы.

Вот с тем я двух с половиной лет от роду обрел память и был активизирован к сознательной мужской жизни. Можно сказать — вначале был праздник.

ПОЕЗД

Местный поезд помнил петлюровские налеты. Вагон был сбит из узких досок. В жестяных остекленных фонарях коптили свечи. Вверху дребезжало, внизу лязгало, из окошек дуло. Специфический запах не был неприятен, но от него падало настроение. Так сквозит послевкусие гражданской войны.

Носильщики в Москве носили бляхи и холщовые фартуки. Он продевал ремень в ручки двух чемоданов и вешал их на плечо, а еще два тащил в руках. Трансляция на перроне играла «Утро красит нежным светом» и «Москва — Пекин!».

Дальше мы ехали в международном вагоне. Отец доплатил к проездным офицерские подъемные. В двухместном купе преобладал синий бархат, полированное дерево и начищенная латунь. Настольная лампа под абажуром и пепельницы на стенках довершали роскошь. Окно открывалось вращением ручки наверху. Оттуда заносило приятным дымком и пылинками сажи.

На два купе размещался душ между ними!

Курьерский поезд останавливался редко. Я требовал идти к паровозу. Он был огромен, как двухэтажный дом, чудовищно могуч и страшноват. Струйки пара били с мощным шипением. Машинист выглядывал высоко вверху. Красные колеса с вырезными дольками были выше человека.

Через неделю мы жили как дома. Все перезнакомились, подружились и ходили в гости по интересам. Играли в шахматы, в карты и домино. Чемодан, положенный на лесенку-скамеечку для залезания наверх, служил большим столом. Проводник носил чай целый день. Заходили друг за другом идти обедать в вагон-ресторан.

В Слюдянке все раскупали из корзин у бабок омуля горячего копчения.

Через тоннели над Байкалом ехали целый день: вдруг тьма, грохот, зажигается электричество, и — оп: солнце, день, море слева, скала справа, хлоп — ничего не видишь.

В какой-то момент мы распрощались со всеми, вышли, посидели в вокзале, сели в следующий поезд, ничем не примечательный, выгрузились из него ночью, внизу оказался солдат, он помог отцу погрузить вещи в «додж 3/4» и мы поехали в бесконечный лес.

ПОЛК

Мы жили в крошечном сарайчике с застекленной отдушиной под потолком и тамбуром для тепла. Отец расплел пеньковую веревку и законопатил щели.

Когда утром он уходил на службу, на середину комнаты выходила мышь. Мы кормили ее хлебными крошками. Потом мышь исчезла, и однажды явилась с очередью серебеньких горошин следом: привела знакомиться своих мышат.

Котенок пресек эту идиллию. Мурка выросла, освоила весь лес, утром провожала отца до КПП, как собака, а вечерами после кино ходила встречать нас к полковому клубу.

Мать устроилась медсестрой в полковую санчасть. Все вольнонаемные должности почище занимались офицерскими женами.

Детей постарше возили в сельскую школу на «студебеккере». Помладше болтались при матерях, играя служебными предметами. Игрушек не было.

Полковая лавка не предусматривала. Игрушки копились постепенно, из отпускных и командировочных подарков.

Дежуря по полку, отец брал меня снимать пробу в столовую, — все так делали. Дежурному снимали из котла чего получше, конечно. Тогда — в отдельном полку отлично кормили! Не воровали, что ли? Правда, это были нормы, приравненные к районам Крайнего Севера.

В столовой висел плакат: наглядное пособие по прицеливанию. Мушка ставилась посреди прицельной планки верхними краями вровень, и подводилась снизу под яблочко цели. Я просил прочесть буквы: задержав дыхание на выдохе, спуск тянуть плавно. Вот этот плакат из полковой столовой остался моей стрелковой подготовкой на всю жизнь.

Весь транспорт был американский: «студебеккеры», «доджи», «виллисы» и огромные амфибии под кличкой «мотовесло». На «мотовесле» офицерские семьи ездили по воскресеньям летом за речку: гульнуть.

СВЯЗЬ

На второй день доставлялась окружная газета. На третий — «Красная Звезда» и «Правда». На четвертый — остальные центральные.

Журнал «Огонек» доставался нам потрепанной месячной давности. Из полковой библиотеки он брался сначала командиром полка, затем замполитом, начштаба, и далее вниз по субординации.

Слово «телевизор» было неизвестно.

Кто покультурнее — вывезли из Германии ламповые приемники, компактные, как посылочный ящик.

Они ловили новости и музыку. Письмо «авиа» шло с западной Украины две недели. Раз в год отец звонил в Ленинград поздравить свою маму с днем рождения. Он накрывался с головой одеялом и командирским голосом орал в полевой телефон на весь лес:

— Обушок!!! Обушок!!! Георгин дай мне! Г-е-о-р-г-и-н!!! Да! Георгин? Георгин?!!! Я спрашиваю — георгин, это ты???!!! Стрелу дай мне! Что? А?! С-т-р-е-л-у!!! Стрелу, твою мать!!! Стрела, твоя мать!!! Да! Да!!!!! Карниз дай! Соедини меня с карнизом!! Кар-низ!! Передаю: кортик, азия, роман, николай, иван, зоя! Да! Что значит нет связи???!!! Я устрою тебе этот контакт так воткнут!!! Вот так! Кортик? Кортик?!!! Как карниз???!!! Да, да, не смей разъединять!!!!! Карниз, дай ястреба! Ястреба!!! Ты что думаешь, штрафных рот больше нет!!! Я-с-т-р-е-б!!!

Через полчаса, мокрый, он сипел без голоса:

— Ленинград? Девушка, К-1-89-90, будьте любезны! Мама, это ты? Поздравляю тебя! Нет, я здоров, нормальный голос, просто связь плохая!..

Однажды трубку дали мне. В потрескивании марсианских далей еле долетал неразличимо крошечный муравьиный голос.

ПАЕК

Отец приволок ящик от танкового ЗИПа. Много лет этот здоровый зеленый ларь служил продуктовым шкафом. В него как раз помещался месячный паек.

Крупа гречневая, пшенная, манная. Макароны, рожки, вермишель. Рис, перловка. Все в килограммовых пачках.

Масло сливочное полтора кило, подсолнечное две поллитры. Мясо пять кило, рыба два, тушенкой и рыбными консервами. Иногда мясо рубили со склада — из мороженых туш, снятых с глубокой заморозки стратегического НЗ. Иногда осенью рыбу выдавали горбушей или кетой свежего улова, и все солили и мариновали ее в трехлитровых банках.

Два кило сахара. Пачка соли, пакеты перца и лаврового листа.

Сгущенное молоко — два литра! Пять банок, или одна двухкилограммовая.

Изюм, сухофрукты, кило дешевого печенья, полкило карамели.

И еще хлеб. Килограммовыми казенными буханками. Десять черного, шесть серого и восемь белого. От листа хлебных карточек отрезали квадратик с печатью, и детишки шли с ним в продсклад. Хлеб был свежий из своей пекарни. Можно было взять полбуханки, тогда кладовщик резал карточку по диагонали пополам.

Нет, офицер отдаленных районов жил в голодной стране безбедно.

ПЕРЕВОД

Переводили часто. Процедура переезда была отработана. Вся мебель оставалась — КЭЧевская (коммунально-эксплуатационная часть), собственность гарнизона. Железные кровати, фанерные шкафы, стол и табуреты прочного дерева, все со штампами.

Вещи укладывались в картонки из-под продуктов 40х40х30 см и увязывались бельевой веревкой с перехватами и удобной ручкой. Десяток таких картонок ставился в «студебеккер», и мы помещались в кабину к водителю, держа кошку.

Даже тысяча километров делалась за сутки от двери до двери. Отец менялся за рулем с водителем, они спали по очереди.

Гвардейский отдельный тяжелый танковый полк передислоцируется на следующее место службы. На 21 танк ИС-2 и 8 самоходок ИСУ-152 приходилось около 1000 человек: рембатальон, авторота, саперная рота, понтонная, мотострелковая, санчасть...

Новые назначения от раза до раза тянулись к цивилизации. Мы поднимались даже до уровня райцентра с десятитысячным населением. Шесть улиц, несколько магазинов, две средние школы — и вокзал. Да Дом культуры и райком партии.

К мерзостям цивилизации следует отнести такое изобретение, как детский сад.

ДЕТСКИЙ САД

Самым примечательным в детском саду было коллективное сидение на горшках.

— А Тамара Федоровна говорила, когда девочки сидят, мальчикам нельзя заходить! — встречал нас в дверях благонравный хор.

И мальчики плясали чечетку, подвывая в ритме баю-бай.

Остальное было тоже не все слава богу. Приказ спать, когда не спится, и вставать, когда заснулось, сильно раздражало всех.

На наше несчастье, заведующая прочла книгу о детском питании. Лучше бы у нас была слепая заведующая. Эта приказала не давать нам пить перед обедом. Потные после прогулки, мы бросались к графину, он был пуст; обед не лез в горло.

Мы наябедничали родителям, они развили деятельность, заведующую взгрели и она возненавидела подлых маленьких тварей.

В книге по закаливанию она прочитала, что у детей отличный иммунитет, и прогулки в холодную погоду им не только не вредят, но благотворны для здоровья. После чего в промозглый морозец нам велено было гулять полтора часа.

Мы гуляли в огороженном загоне. Воспитательницы ушли греться. На детские просьбы дверь не открывалась. Девочки стали тихо плакать. Потом они стали громко плакать. Потом собрались под окном и зарыдали благим матом!

Воспитательница отворила дверь. Мы бросились с радостным и оскорбленным воплем. Ничего подобного. В лучших традициях сексорасизма девочек впустили, а мальчикам приказали гулять дальше.

Наше отчаянье стало мрачным и злобным. Мы собрались в углу забора перед улицей и стали ругаться солдатскими словами. Это не помогало, хотя из-за забора раздавались возмущенные женские голоса.

И тогда, повинуясь неведомому импульсу, мы запели. Мы пели самую протестную из песен, которую знали. Самую непоощряемую, хулиганскую и неприличную. Собственно, мы только одну такую и знали.

Цыпленок жареный! Цыпленок пареный!
Пошел на речку погулять!
Его поймали! Арестовали!
Велели паспорт показать!! —

надрывались мы что было мочи. Над забором стали подпрыгивать лица. Вдохновенный детский хор за забором на морозе — воспринимался дико.

А он заплакал!
В штаны накакал!
Пошел на речку их стирать! —

орали мы как резаные самую неприличную строчку. Голоса срывались со звона в хрип. Мы маршировали на месте, сильно топая и маша руками.

Когда цыпленок накакал в радиусе слышимости раз в тридцатый, на крыльцо выскочила заведующая.

— А ну-ка прекратите немедленно, хулиганы! — закричала она.

Подпрыгивающие над забором лица хохотали.

Мы поддали жару, мы спелись, мы вопили, как перепившийся хор Советской Армии:

А он заплакал!!!
В штаны — накакал!!!

— А ну-ка немедленно всем зайти в помещение! — кричала заведующая.

Нам уже даже не хотелось в помещение. Мы согрелись. Маршируя и топая, как парадная рота, мы орали победно:

А он — заплакал!!!
В штаны — накакал!!!

Мы вернулись в группу в отличном настроении.

Впервые мы ощутили реальную мощь художественного слова.

ШКОЛЬНЫЙ ВАЛЬС

...Школьные годы чудесные,
С дружбою, с книгою, с песнею.
Как они быстро летят.
Их не воротишь назад.
Разве они пролетят без следа-а?
Не-е-ет, не забудет никто никогда
шко-ольны-ые го-о-оды!

И тут же получил пинок в ляжку, означавший: браво, Киса, вот что значит школа.

Это школа Соломона Плята.

Знаешь, Гек, я бы свою школу лучше сжег.

ПИСТОЛЕТ

Мы с Серегой Фоминым в первом классе были два отличника. И сидели на первой парте перед учительским столом. Но с разными целями. Я — чтобы меня никто не бил, а он — чтобы он никого не бил. Таков был педагогический замысел. Мы дружили.

Серега оживлял любой пейзаж. Он выпускал на уроке мышей и воробьев, подкладывал под девочек кнопки и ставил на переменах подножки старшеклассникам. Потом его пороли дома, и он выучивал на отлично уроки.

Когда его выгоняли с занятий, я приносил ему домашнее задание. Мы жили в одном досе. Дос — это дом офицерского состава. Это был гарнизон. Половина школьников военные, половина гражданские.

Я пришел к Сереге, и он был дома один и заперт. Он открыл мне форточку, и я влез.

— Смотри! — сказал Серега. Он открыл шкаф, подтащил стул и с верхней полки вынул из белья коробку. В коробке был сложен шарф.

В шарфе лежал пистолет.

Серега помахал пистолетом и дал подержать мне.

Его отец был полковник, а мой майор. Оружие бывало в доме часто, но никогда без присмотра. Кроме того, «макарова» и ТТ мы знали. Это был какой-то другой пистолет. Довольно плоский и не такой тяжелый. Похожий на ТТ, но раза в полтора меньше.

— Возьми вот так, — сказал Серега. — Да не так! Крепче держи! Крепче, я сказал! Тяни! Сильней тяни!

Я тащил пистолет к себе за ручку и ствол, а он двумя руками к себе за насечки затвора. В конце концов мы совместно передернули пистолет, направленный мне в живот. Мы были нормального ума дети.

— Стой, — скомандовал Серега. — Надо поставить на предохранитель.

Мы запыхтели. Мы понимали, где предохранитель, но он был тугой. В конце концов Серега принес из кладовки молоток и, постукивая, перевел плоский рычажок предохранителя снизу вверх.

— Хватит пока, — объявил он. Положил пистолет в ранец на дно и закрыл учебниками.

— Ты чо?.. — спросил я с ужасом.

— Я его завтра в школу возьму, — небрежно и гордо сказал он.

— Тебя исключат! — закричал я.

— Не исключат, — сказал он.

— А отец? — спросил жалкий я у отважного героя.

Он махнул рукой весело: одной поркой больше, одной меньше, что он мне сделает?

— Ты только не говори никому.

— Да ты чо!

— Ну давай, лезь, а то сейчас мать на обед придет.

Наши матери работали вольнонаемными, его в штабе, моя в госпитале.

Расписание в первом классе было устойчивое: первый урок арифметика, второй письмо, третий чтение, и четвертый — рисование, или пение, или физкультура, или ручной труд. Все положили на парты тетради в клеточку и учебники арифметики, стало быть.

Я сидел в полном непонимании всего, что будет. Мне было не по себе. Я Серегу знал. В нем сомневаться не приходилось.

Серега был бледный и смотрел перед собой.

Опрос прошел. Я стал надеяться, что пронесет.

— Переходим к решению новой задачи, — сказала наша Валентина Кузьминична и встала из-за стола.

Серега полез руками в парту и зашарил в ранце.

— Записываем: за-да-ча, — выводила мелом на доске Валентина Кузьминична, отвернувшись.

Серега срывающимися пальцами пытался столкнуть предохранитель.

— На яблоне было 7 яблок... — баюкала Валентина Кузьминична в такт выводимым буквам.

Серега поднял над партой пистолет и направил над доской.

Черный, большой, страшноватый, настоящий. Невозможный здесь.

Секунда расширилась бесконечно. Класс в столбняке прекратил жизнедеятельность.

Пистолет грохнул оглушительно и страшно. Окна зазвенели, свет качнулся. Венчик огня сверкнул из дула.

Валентина Кузьминична подлетела и зависла в метре над полом. Она там висела в воздухе лицом к доске, как птица или балерина. И висела, и висела, все испугались. Потом начала медленно опускаться обратно.

Кожух пистолета отошел назад, обнажив тонкую белую палочку ствола. Гильза кувыркнулась у меня перед носом и застучала в проходе.

Когда затвор встал на место, Валентина Кузьминична встала на пол. Одновременно с тем она обернулась и оказалась рядом. Руки ее вцепились в добычу и вырывали.

Серега заревел в сто ручьев и слился с оружием в одно целое. Она винтила и выдернула, мотнув полненьким тельцем. Потрясенно потрясла пистолетом перед классом, держа подальше от себя. И беспощадно закричала без голоса:

— К директору!!!

— О-о-о-о-о... — вспомнил про выдох класс.

Директора, грозного одноногого Александра Павловича, мы боялись. Он стучал костылем и карал непререкаемо.

— Отдайте!!! — рыдал и вопил Серега, красный и мокрый. — Это отца!!! Вы не имеете права!!!

Подвиг осенил его легендой. Дальше было неинтересно и гнусно. Преступление и наказание. Серегину экзекуцию было слышно на улице. Месяц его не выпускали гулять. Полковник был зверь. Если бы Раскольникова покарали за две мокрухи пропорционально делам Фомина, Малюта Скуратов плакал бы.

ПЕСОК

Маньчжурка сухой край. Снега зимой почти не было. Валенки сшаркивались за неделю по замерзшему песку. Их подшивали раз в месяц.

Весной дули ветра. Песок сек лицо. Глаза забивались, слезились, не открыть. В помещении долго не могли проморгаться. Снимали коричневые комочки из углов век. Сморкались и отхаркивались.

Идешь из школы спиной вперед, и иногда отдыхаешь за углом дома.

Кому средства позволяли, носили очки. Средние между старинными автомобильными, старинными авиационными и защитными при работе по металлу. Как полумаска из тонкого брезентика, а стекла складные, боковые под прямым углом к передним. Они продавались в «Культмаге» и были нескольких размеров. Для мужчин, женщин и детей.

Женщины были особенно элегантны. Как маскарадные летчицы из довоенной кинохроники.

ВОЙНА

Мы играли в войну. Войну показывали в кино. На войне были наши отцы. К войне была готова наша армия. Война была важной и обязательной частью наших представлений о жизни.

Война была чем-то устойчивым, определенным. Она продолжалась четыре года. Как длина авианосца триста метров, или в пистолете восемь патронов. В ней сначала было отступление, а потом победа. Убитых был миллион, а раненых два.

Мы шли с Серегой Фоминым из школы и спорили о войне. Он говорил, что больше ее не будет. Потому что мы сильнее всех, и победили всех. А я говорил, что будет. Потому что в Америке поджигатели войны. И мы не зря постоянно готовы.

— А вот давай у офицера спросим! — сказал Серега.

Действительно. Офицеру полагалось знать.

Навстречу шел рослый капитан в серой парадной шинели. Что-то у него, значит, намечалось торжественное.

— Дядя! — спросил Серега. — А война будет?

Что-то в лице офицера сместилось. Он посмотрел на нас лишнюю долю секунды. Мы учились в первом классе. Серега был с ранцем, а я с портфелем. И нам нужно было знать.

— Нет, ребята, — с чувством сказал офицер. — Войны не будет.

— Никогда? — спросил я, проигрывая спор и ловя свой шанс.

— Ни-ко-гда! — твердо ответил офицер. Заверил. Пообещал. Успокоил. Просто-таки поклялся. Закрыл собой.

— Так что учитесь спокойно! — звонко завершил он и продолжил движение.

— Бе-е-е! — сказал Серега и показал мне язык.

У меня осталось виноватое чувство, что мы обманули капитана. Мы на́ спор, а он всерьез. На всю жизнь запомнил смысл службы, поди.

МЕТАЛЛОЛОМ

Стихийных бедствий было много, и сбор металлолома относился к числу тяжких. Норма равнялась двадцати килограммам на ученика. Столько железа в округе не существовало. По гарнизону и городку проносился ураган. И высасывал весь металл, как магнитом. От целенаправленных детей спасения нет.

Крали дома утюги и сковородки. Срывали замки с сараев и ручки с дверей. Все ломы, топоры и лопаты оказывались на школьном дворе. Узнав о сборе металлолома, хозяйки бежали в школу как на раздачу в бюро находок.

Классы вызывали друг друга на социалистическое соревнование. Учителя записывали, директор их поощрял. Школа выполняла план по сбору металлолома. Победителя отмечал РОНО.

С каждым годом страна выплавляла все больше чугуна и стали, и они валялись по просторам родины необъятной. Выполняли план по сбору, по переплавке, по штамповке новых изделий, и цикл повторялся.

Мы с Серегой Фоминым украли в автовзводе домкрат. Железнодорожные крали на станции тормозные колодки. Витька Смагин в поту притащил с полигона неразорвавшийся снаряд. Таков был коллективный разум, что снаряд записали и положили в кучу.

Лишь однажды этот фестиваль коммунистической морали был омрачен. По сезону школьная кочегарка уже не топилась. В шестом классе отпилили слесарной ножовкой батареи и снесли до кучи. Директор улыбался, пока не узнал на радиаторах до боли знакомую краску, которую лично выбивал и доставал. Он пулеметно тряс костылем и требовал смертной казни для несовершеннолетних.

А потом мы поняли жизнь. В десятке километров располагался «Чермет». Надо было лишь запастись тележкой. Из ржавых гор набиралось любое количество железа и везлось в школу. Потом из школы это централизованно отвозилось обратно. И так раз в год.

ДОСТАТОК

Мать дежурила в госпитале, базар был раз в неделю по воскресеньям, отец взял меня для развлечения — за молодой картошкой и сметаной. Колхозник заскорузлыми неловкими пальцами долго пересчитывал сдачу, разглаживал рубли и сортировал мелочь. И я высказался отцу насмешливо, как неловко он это делает. И отец ответил как-то задумчиво и печально, что, видно, не так уж часто ему это приходится делать, наверное. И вот после этого мне всю жизнь было стыдно перед теми, кто честно и тяжело работает, а живет хуже меня. Слова бедный, честный и хороший были синонимами, и достаток следовало скрывать, если ты хотел быть не хуже людей, с кем живешь.

ЧУМА

Человек может гордиться всем! Было бы хоть что-нибудь.

Один охотник ловил тарбаганов. Это здоровеннейший плоский жилистый сурок. Среднее между хомячком и росомахой. Мирный тарбаган умеет за себя постоять и укусил гада. Сначала был убит тарбаган, потом умер гад.

Он умер в больнице при непонятных симптомах. Для посмертного эпикриза пригласили и санэпидстанцию. И она нашла отличных чумных бацилл. Давно не видели.

Естественно, всех оповестили, что никакой чумы нет. Вслед за чем приказали пройти поголовную вакцинацию. Вместо занятий всех шприцевали и отпускали.

Над самым высоким зданием, ДОСА, Дом офицеров Советской Армии, рядом с красным флагом водрузили белый. Это означало карантин. Въезжать и выезжать запрещено. У нас чума. Здесь. Ни фига себе.

И вот этот белый флаг чумного карантина добавлял нам гордости. Он выделял нас из общей бескрайней массы. Он означал опасность, которую мы запросто переживаем, а вот остальным сюда соваться нечего, тут не каждому по плечу.

У нас появилось особенное качество собственной значимости: лихости и риска.

Есть веселье в жизни под чумным флагом. Если живы.

ПИОНЕРЫ

Вы не стесняйтесь, пьяницы,
носа своего —
он ведь с нашим знаменем
цвета одного!

    То оно огромное без меры,
    то куском простого кумача
    обнимает шею пионера,
    маленького внука Ильича.

Когда октябрят еще не было, принимали сразу в пионеры. Во втором классе, к 7 Ноября.

Галстуки были двух сортов. Штапельный за три сорок и шелковый за пять тридцать. В деньгах пятидесятых годов — это кило белого хлеба разницы, или полторы пачки папирос. Бедные покупали штапельный. Он выглядел нище. А шелковый отблескивал и вид имел благородный.

Принимали не всех, а только лучшие две трети. Худшую третью треть принимали весной. Для охвата.

Парты в классе стояли в три ряда. Они превращались в три звена, а класс — в пионерский отряд. С тремя звеньевыми (одна красная полоска на рукаве) и председателем совета отряда (две полоски). Их выбирали.

Я был звеньевым, я был председателем совета отряда, и старостой класса я тоже был, я был всем по очереди. И категорически невозможно сказать, чем мы занимались на своих сборах и собраниях. За все годы я помню один поход звеном в кино, и то пришли три человека. Приучение детей к партийной демагогии... смена растет!..

Но. Кто пришел в школу без галстука — писали в дневник и отправляли за галстуком домой. Хулиганы не носили галстук из принципа.

И однако!!! Было ощущение социального статуса. Приличные люди.

Не то знак качества, не то гражданская зрелость. Достойный член общества своей возрастной группы.

ЛЕСОПОСАДКИ

Убей бобра — спаси дерево!

Слова «экология» еще не существовало, но «саженец» знали все. Пионер и саженец — это как голубь и письмо, или собака и бешенство: смысловая пара. Скворечник сколотить, саженец посадить, старушку перевести.

Скворцы у нас не водились, старушки не состарились, а жили мы в степи между сопок. Первые деревья были посажены солдатами в 1945 году. Американские тополя и акации. Другое не росло.

Тут все запели: «И на Марсе будут яблони цвести!» Озеленение внесли в планы. Целину распахать, пустыню оросить, степь озеленить. Освоить, проложить и возвести. И отрапортовать к Съезду Партии.

Нас сняли с занятий и вывели на речку. У берега высилась сопка из саженцев. До горизонта уходили квадратно-гнездовые ряды колышков. Каждому вменили двадцать саженцев. Лопата на четверых, два ведра на класс, а вон то вонючее — удобрение. Скоро мы все будем отдыхать в тени лесопарка!

Мы на ходу перенимали опыт друг друга, и процесс пошел. Один продвигался по колышкам, ковыряя ямки. Ямки были минимально достаточны для втыкания в них корневой части несчастного растения. Второй бегал с грязным ведром, всыпая в ямку горсть «удобрения». Третий пихал в ямку саженец и ногой прибивал корни, чтоб не торчали наружу. Четвертый засыпал это зверство землей. Пятый плясал на холмике, трамбуя и уплотняя, чтоб мелко воткнутый предмет не выпал обратно. Шестой плескал из ведра горсть воды. Сочувствующие суетились на подхвате.

Через два часа, в поту и одышке, мы утыкали обозримое пространство серыми безнадежными прутиками.

Летом пейзаж напоминал атомную войну. Осенью местные жители повыдергали лесопарк на растопку.

ИГРЫ ПАТРИОТОВ

Ума не приложу, почему нам запрещали играть в «зоску». Пятак или свинцовая пломба зашивалась в клочок овчиного меха, и этот самодельный волан подбрасывали ногой. Кто больше набьет, не дав упасть на пол. Почему «зоска» считалась неприличной и хулиганской? Педагогический гипноз.

«Клопик» — там понятно. Краешком пятака ты давил на самый краешек лежащей монеты, чтоб она вывернулась, подпрыгнула и перевернулась на другую сторону. Второй переворот на прежнюю сторону — и ты ее выиграл. Не перевернул — тогда очередь соперника. Азартная игра на деньги в самом мизерном, детском варианте.

Хорош был «занзибар». Человеку предлагали достать из кармана монету и положить на три пальца, сложенные щепотью кверху. Потом задумать двузначное число. Потом сказать это число играющему. В ответ играющий называл другое число, большее (а хоть и меньшее), и заключал: «Я выиграл!» И забирал монету. В «занзибар» можно было сыграть только один раз.

Случайных взрослых зрителей чрезвычайно шокировал обогащенный род чехарды. Один сгибался, остальные складывали ему на поясницу свои кепки стопочкой. И прыгали по очереди. После каждого круга прыжков согнутый разгибался немного выше. Все запоминали, кто сколько кепок сбил, прыгая врастопырку через них. Затем сбивший меньше всех кепок первым вставал на четвереньки. Остальные брали «стоятеля» за руки-ноги лицом кверху, раскачивали, как таран, и с маху били его задницей в задницу готовного на четвереньках. Тот улетал за пять метров и зарывался носом в песок. Это и было самое интересное и смешное. Каждого стукали задом в зад по числу сбитых кепок. А бывший «стоятель» работал тараном весь круг без смены. На него бросали «на морского». Когда учителя узнали, что загадочная игра «чугунная жопа» и есть это хамство, они неистовствовали.

Как о несбыточном, пацан мечтал о малопульке — малокалиберная винтовка 5,6мм. В однозарядном варианте она стоила 16р. 50коп. Главное счастье — если отец возьмет на охоту. Кто умел — охота была сказочная.

И все играли в ножички. Втыкали оборотами в песок: «с пальчиков», «с зубчиков», «с локотка», «с колена». Проигравший тащил зубами колышек из песка: по нему били рукояткой ножа столько раз, на сколько ходов он отстал. Перочинный ножик и китайский фонарик с фокусируемым «в точку» лучом были имущественным цензом нормального пацана.

ФЕНОМЕН

Я лично видел, как обычный с виду пятиклассник мочится на потолок. Он демонстрировал этот сольный номер на большой перемене в туалете. Как всякий большой артист, он ценил свое искусство и предпочитал ссать на потолок за деньги.

Желающие увидеть чудо находили новичка и предлагали поспорить хоть на сколько копеек, что такое возможно. Артисту предъявляли новичка с деньгами, и он снисходил.

Он там чего-то делал, зажимал, изгибался, исхитрялся, напрягался, и вдруг из двух кулаков вылетала струя, как из велосипедного насоса, и оставляла пятно на потолке. Смотреть на это было совсем не так интересно, как рассказывать. Зрелищу не хватало эстетики.

Но в осадке оставалось знание о безграничности твоих возможностей.

ПИОНЕРСКИЙ ЛАГЕРЬ

В лагерь ехали, как на зону для малолетних с облегченным режимом. То есть развлечение нестрашное, срок минимальный. Тоска, но переносимая.

В учебнике английского для пятого класса был текст: «Э пайониэ кэмп». Он содержал циничную лакированную ложь. Там розовые дети патриотично цвели в стерильном мире. Текст излучал зашифрованное предостережение.

Наш лагерь имел место в живописном сосновом бору на берегу красавицы Ингоды. В голубую и быструю красавицу-Ингоду нас пустили окунуться за месяц дважды. Купальню обтянули огородной сеткой. Врачиха мерила температуру. Вода не соответствовала инструкциям далекой Москвы.

В живописном же бору мы собирали шишки. Все. Чтоб территория была чистой! Комендант лагеря, в смысле директор, был отставным замполитом. Личный состав, в смысле пионеры, должны быть заняты делом.

Дощатые бараки пахли смолистым деревом. Спальню делила пополам щелястая перегородка между полусотней мальчиков и девочек. Мы мыли полы, заправляли кровати, раздраженно вылеживали «тихий час» после обеда и дрались подушками.

Невозможно даже сообразить, чем воспитательный гений занимал нас весь день. Но чувство постоянной несвободы отравляло жизнь двадцать четыре часа в сутки. Ну, четырежды в день мы маршировали в столовую на прием пищи. Все!

Утром строились на лагерную линейку, типа полкового развода. Пионерские отряды, сформированные по принципу возраста, выбрали себе председателей. Эти председатели, спотыкаясь строевым шагом, отдавали рапорт председателю пионерской дружины, то бишь всего лагеря. Откуда взялся председатель совета дружины, никто не знал. Этого спесивого холеного подростка из старшего отряда мы видели только по утрам. Он жутко напоминал осанкой Политбюро ЦК КПСС в детстве.

Раз в неделю проводилась баня. Мылись весь день — поотрядно. Мальчики, отряженные таскать воду и дрова, мечтали заскочить, когда моются девочки. Этими мечтами ограничивалась сексуальная жизнь.

Воспитательница и пионервожатая, вполне половозрелые молодые женщины, по очереди руководили жизнью отряда. То есть без перерыва заставляли играть, соревноваться, придумывать и петь. У них была специальная книжка: «Как отравить жизнь детям в лагере». Ну, или таков был смысл этого методического пособия. Мы ее выкрали и утопили в туалете. Директор выдал им новую.

День прополки колхозных сорняков был каторжным. Долго не подвозили воду. Вожатые курили в тени за краем. Мстительно наслаждаясь, мы пропалывали свеклу, а сорняки оставляли. Приехавший с водой колхозный бригадир застонал, как раненый дракон. Вожатых он материл классно.

На лагерь полагалось четыре мужчины: директор, физрук, баянист и завхоз. И полста женщин: вожатые, воспитательницы, поварихи и медсестры. Оздоровление носило казарменный характер: готовили к жизни.

В день турпохода лагерная колонна прошла десять километров по лесу, пообедала из привезенных бачков и вернулась обратно. На привале велели петь. Из всех песен мы мирились только с «Путь далек у нас с тобою, веселей, солдат, гляди». Уже дома родители показали областную газету: там была наша фотография, а текст гласил, что пионеры дружно захотели петь любимую пионерскую песню «Взвейтесь кострами»! Мы не знали, что журналисты такие суки, там приезжал один с фотиком, точно.

Особой ненавистью пользовались двое мужчин — баянист и физрук. По нашему мнению, они крыли всех вожатых и воспитательниц.

А вот чай давали несладкий. Дежуря по кухне и убирая посуду, мы хлебнули из воспитательского чайника. Гады хлестали сироп!

Короче, лето псу под хвост. На косяке двери мы резали дневные зарубки до дембеля. Когда на утренней линейке мы с Сашкой развернули и подняли плакат «ДМБ неизбежен!», директор чуть с трибуны не свалился.

УТРЕННИЙ РАЗВОД

Занятия в первую смену начинались с восьми.

Без двадцати пяти семь под подушкой звонил будильник. И всю жизнь самый тоскливый для меня звук депрессии — это звонок будильника.

Зимой — еще ночь. С учетом декретного времени — пять часов ночи на самом деле. Самый минус суточной физиологии. В это время умирают больные и рождаются дети. Самая низкая температура тела, медленный пульс, обмен веществ и давление на минимуме, реакции ослаблены. Мозг тормозит. Собачья вахта.

Я делал зарядку, бил гантелями по пальцам и просыпался. В животе ныло предчувствие бед. Я давился завтраком. Жизнь угнетала.

Ниже минус сорока занятия отменялись. Но это официально, по областному радио. А на самом деле ходили в школу. Иначе сидеть дома весь январь.

Суешься в ледяную тьму. Вдыхаешь стоячий колкий мороз. Нос слипается. Потекло по губам. Шморгаешь.

Сутулишься и шаркаешь в космической мгле под звездами. Иногда дышишь в варежку, грея немеющий нос. Опущенные уши шапки в инее от дыхания.

Невдалеке начинают проявляться черные силуэты. Они движутся в том же направлении. Сутулятся, шаркают, шморгают, молчат.

Чем ближе к школе, тем гуще поток. Хмурая толпа течет по непроглядной улице, сопит, пускает пар из ноздрей. Редкий кашель слышен далеко.

В школе уже светло, и тепло, и суета, и понемногу все просыпаются, и тоска отступает, и начинается жизнь, которая с солнцем закипит к концу занятий, зазвенит, заорет и радостно повалит по домам, с шутками и тычками, в ярком свете, по морозцу, поесть и заняться своими делами.

Но эти утра... Черное безмолвие, морозные звезды, угадывающиеся во мраке фигурки, шарканье и сопенье сутулой массы, парок дыхания и тоска, тягучая смертная тоска под сердцем.

Суки они со своим декретным временем и расписанием.

КУБА СИ!

Как мы любили Кубу! Аж пищали, так любили. Какие барбудос, какие ножки, какая музыка: Остров Свободы! Патриа о муэрте!

Тут на Кубе высаживаются гусанос, и все трепещут: выживет ли молодая революция и ее красавцы-вожди?

Тут приходит в школу некто суровый — директору:

— Поведешь школу на митинг?! Снимай с занятий!

Наш Александр Павлович с костылем вогнал бы в страх одноногого Сильвера:

— У меня программа. Учебный процесс. Конец четверти. Школу не сниму. Что? Не разводите мне демагогии!!!

И школа разочарованно училась. А я сбежал на митинг. Родители осуждали даже Хемингуэя: он не поддержал кубинскую революцию!

На пустыре ветер нес песок. Слова из мегафона срывались в сторону. Толпа оказалась небольшой и стояла бессмысленно.

— ...наш маленький степной городок!.. в поддержку свободы!.. руки прочь!.. братский народ!.. обуздать агрессора!..

Я постоял за взрослыми спинами минут двадцать. Интересно не стало. Чем это все могло помочь столь далекой Кубе в ее борьбе против интервентов-контрреволюционеров, было абсолютно неясно.

— Был на митинге солидарности с Кубой! — объяснил я назавтра, презирая всю школу.

Классная вздохнула и не записала мне в дневник замечание за уход с уроков.

Больше ни на одном митинге в жизни я не был.

ГАГАРИН

Первый космический спутник открыл новую эру в школьных головах также. Фантастика Беляева сбывалась и устаревала. Звезды были близко, и мы летели впереди всех.

И тут влетает на алгебру ботаничка с ошарашенно-счастливым не своим лицом:

— Человек полетел в космос! Наш! Гагарин!

Мы переглянулись. Чо, правда? Ишь ты. Здорово, конечно.

Наши учителя возбудились больше. Ботаничка дергается и восклицает. Математичка цветет. В коридоре гам. Александр Павлович стучит костылем и плачет. Он был суровый одноногий фронтовик, в случае счастья или огорчения он всегда плакал.

С уроков нас не отпустили, но настроение царило праздничное. Двоек не ставили!

Родители вдохновенно обсуждали подробности. Возникали компании выпить за это дело. Все дела пускались побоку.

В нашем пионерском возрасте мы, переустроители прекрасного будущего мира, приняли событие как классное, но естественное. И вот что я вам скажу. Никогда, никогда не было в стране и народе такого чувства объединяющего исторического оптимизма, как в те годы начала шестидесятых. Страна и будущее принадлежали нам. Нам всем, здесь и сейчас.

КОМСОМОЛ

Секретаря Борзинского райкома комсомола звали Серега Востриков. Он был маленький, крепкий, уверенный и гонял по степи на тяжелом мотоцикле «Урал» без коляски.

Кончался седьмой класс. Общий прием планировался осенью. Я не дотерпел. Писал заявление, носил характеристику и стучал в двери. Четырнадцать исполнилось? Добился того, что сейчас в коридоре райкома я сидел один такой из всех седьмых.

— Поздравляю! — сказал Востриков, вручая комсомольский билет, и пожал руку крепко, как мужчина мужчине, и посмотрел в глаза с серьезной улыбкой, как свой на своего, и обращайся на ты, здесь комсомол, а не бюрократы. Мы равны.

Вот комсомольских значков в райкоме не было, и в магазине не было, и друг подарил мне значок своей старшей сестры, она училась в Чите в институте, они там значки не носили, студенты, свои дела.

Тот, кто не читал в детстве «Военную тайну», и «Как закалялась сталь», и «Молодая гвардия», и «Сердце Бонивура», это не поймет. И кто не смотрел в шестом классе «Добровольцев» и «По ту сторону», «Жестокость» и «Чапаева», тоже не поймет. Кто не слышал в правильное время: «Забота у нас такая, забота наша простая, жила бы страна родная, и нету других забот...» И не слышал: «Дан приказ — ему на запад, ей в другую сторону...» Эпоха и возраст резонировали строкам: «У власти орлиной орлят миллионы!..» Душа резонировала. Или нервы.

Юности потребен идеал. Причастность к великим делам во имя великих целей. И стремление ее заполняет форму того идеала, который создан и поставлен идеологией общества. Монах, рыцарь, завоеватель, революционер, СС, комсомол, Гринпис — лишь разные формы реализации единого идеализма и единой энергии юности.

Разные эпохи и общества персонифицируют идеал человека в разных социальных фигурах. Но свойства и характер этих фигур всегда одни и те же. Мужество, благородство, патриотизм, верность, самопожертвование, сила и вера.

Вот и комсомол для подростков был в свое время этим самым.

НАС УЧИЛИ

Нас удивительно много чему учили. Нас учили перемножать двузначные числа и извлекать квадратный корень, писать слова «яства» и «желудь», знать отличие метафоры от гиперболы, выводить формулу линзы и определять валентность элементов. Нас учили лазать по канату, прыгать через коня, бегать на лыжах и метать гранату. Учили рисовать акварелью, записывать ноты, лепить из глины и чертить деталь в разрезе. Мы умели пришить пуговицу, подшить подворотничок, поставить заплатку и заштопать носки. Мы знали, как исправить утюг, починить пробки, врезать замок и выточить ключ. Мы могли работать рубанком и долотом, пилить и строгать, скреплять и сажать на столярный клей. Мы помнили удельный вес железа и камня, величину ускорения свободного падения и первой космической скорости, дату открытия Америки и Великой французской революции, какова высота Джомолунгмы и сколько секунд в сутках. Нам прививали умения сажать картошку, полоть сорняки, проращивать рассаду и прививать черенки к деревьям. Нам объясняли, как ориентироваться в лесу, как читать приметы к изменению погоды, как определять съедобные грибы, как остановить кровотечение, укрыться от грозы, разжечь костер и сделать берестяной туесок, чтобы вскипятить в нем воду. Нас учили, что Пушкин наше все, Ньютон открыл законы мира, Дарвин создал эволюционное учение, а Менделеев периодическую таблицу элементов, Петр прорубил окно в Европу, Гагарин первый полетел в космос, а Союз нерушимый республик свободных сплотила навеки великая Русь. Вот последнее и оказалось враньем, и пошли прахом все наши остальные умения.

ЯБЛОНЕВЫЙ САД

Я кончал школу в Белоруссии. Благодатный был край.

Хорошая была школа. Бывшая Первая городская гимназия. Здесь учились знаменитости вроде Отто Шмидта или Ольги Лепешинской. В нас вбивали науки со всех концов. Директриса была суровой крестьянской стати.

Выпускной год был крут. Конкурсы в вузы ожидались огромные. Вся жизнь была построена на учение. Регулярно приходила мысль бросить все и отдыхать на дне, в бродягах и люмпен-пролетариях. В молниеносный миг самоубийство выглядело отдыхом. Одну отличницу из параллельного класса свезли в дурдом: психастения и нервное истощение.

Экзамены, и белые платья и прически девочек, и выпивка с учителями в кабинетах, и сноп роз классной, и ночь по городу — это у всех свое.

Но есть варианты.

Наша любимая классная, по литературе и русскому, после Ленинградского университета, жила на окраине в домике с садиком. К рассвету класс распадался, расходился, и только шестеро самых догуляли с ней до дому, провожая.

Солнце вставало сквозь яблони в саду. На вкопанный столик наша Кира Михайловна поставила бутылку вина и шесть бокалов. И седьмой, другой, себе. И разлила своей рукой, и сказала слова про жизнь и дорогу, и стекло звенело.

Мы покинули родительские дома и пошли жить.

Я знаю, что яблони не цветут в июне, а тот сад отчетливо видится в яблоневом цвету. Может, весна запоздала. Жизнь перетекает в прекрасное воспоминание, сад юности тает за горизонтом, в нем кружится яблоневый дым и звенят солнечные лучи: дорога очерчена в рассвет. Хорошо все было.

Содержание

ПАМПАСЫ

КОЛХОЗ 13

ЯРОСТНЫЙ СТРОЙОТРЯД

Колонна 19

Гравий 20

Цемент 24

Член районного штаба товарищ Фурника 25

Скорпион 30

Кирпичи 32

Факельное шествие 33

Конференция 39

КАМЧАТКА

Радиус действия 41

Метание карлика на дальность 43

Братск 47

Шикотан 50

Первые люди на Луне 51

Комсомольск-на-Амуре 52

О.М.Р.О. 54

СС всегда впереди 56

Холодильник 61
Пропуск 63
Влёт 68
Похмелье от ума 70
Изолятор 73
Репудин 76
Стойбище 81
Икра 85
От пункта А до пункта Б 88
Я думал 91
СРЕДНЯЯ АЗИЯ
Гитара Фрунзе 92
Дорога 95
Анекдот 98
Концерт 102
Чечены 107
Гей узбеки 110
Калым 114
Муэдзин 117
Ашхабад 124
Самолет с дыркой 124
НЕПОБЕДИМАЯ И ЛЕГЕНДАРНАЯ
День Г 131
Буссоль 139
Преподавание 140
Парк 140
Комбат 141
Полоса препятствий 142
Санчасть 143
Танковая рота 144
Стрельбище 145
Винтполигон 146
Полигон 148
НП 149
Украли пушку 150

ПЕДОКОКК 154
WENN DIE SOLDATEN 160
СКОТОГОНЫ
Змеи 169
Контрабанда 171
Карьера 172
Мокрое дело 172
Барбыш 175
Уймон 180
Иметь и не иметь 181
Мелочи жизни 183
Барана из нагана 186
Вертячка 189
Два гуся 192
Лелик 195
Бенефис 197
ОХОТА ПУЩЕ НЕВОЛИ
Неосторожное обращение 202
Убить и не убить 203
Разделка 206
Валет и типажи 208
Банька 210
Мусорная рыба 213
При складе 214
Паучок 216
ТАЙГА
Сосна 219
Фото с мальчиком 224
АРХЕОЛОГИ
Сухой закон 230
Лейтенант Шмидт 233
Бандера Росса 234
Компот в Ольвии 235
Бронзовый лев 237

ЦАРЬГРАД

ФИКТИВНЫЙ БРАК 243
ГРУЗЧИК 252
ЖБК-4 255
ЦИРКОВАЯ ИСТОРИЯ 260
КАЗАНСКИЙ СОБОР
Стигматы 269
Экскурсии 271
Доски 274
Реставрация 277
Пыточная камера 279
Голубь мира 282
Иван Грозный 287
Автогонщики 291
Сигнализация 293
НЕВЫНОСИМАЯ МЕЛОЧЬ БЫТИЯ
Водка с пельменями 296
Поздравления 299
ШЕЛКОГРАФИЯ 302
ЖЕЛТАЯ ПРЕССА
Золотые слова 306
Завтрак аристократа 311
Наедине с фрезой 315

СКРИЖАЛЬ

.... 321

ТРЮМ

Взгляд 339
ЧТО ПОЧЕМ 341
ДЕФИЦИТ 355
ЗАРПЛАТА 370

МЫ И ОНИ ... 377
ГЕГЕМОН ... 388
КОММУНАЛКА ... 393
МОДУС ВИВЕНДИ ... 401
АНКЕТА ... 404
ЗАГРАНИЦА ... 407
ЛЕНИНИАНА ... 410
ЛЫСЫЙ КУКУРУЗНИК ... 414
БРОВЕНОСЕЦ ПОТЕМКИН ... 421
АНЕКДОТЫ ... 429
МЫ СМОТРЕЛИ ... 440
МЫ ЧИТАЛИ ... 446
МЫ ПЕЛИ ... 454
ВОЗДУХ КАЛЕНДАРЯ ... 463

САД

ВСТУПЛЕНИЕ
Шампанское ... 473
Поезд ... 474
Полк ... 475
Связь ... 476
Паек ... 477
Перевод ... 478
Детский сад ... 480
ШКОЛЬНЫЙ ВАЛЬС
Пистолет ... 483
Песок ... 487
Война ... 487
Металлолом ... 488
Достаток ... 490
Чума ... 490
Пионеры ... 491
Лесопосадки ... 492

Игры патриотов 494
Феномен 496
Пионерский лагерь 496
Утренний развод 499
Куба си! 500
Гагарин 501
Комсомол 502
Нас учили 504
Яблоневый сад 505

Любое использование материала данной книги,
полностью или частично без разрешения
правообладателя запрещается.

Литературно-художественное издание

16+

Веллер Михаил
Странник и его страна

Компьютерная верстка: Р.В. Рыдалин
Ответственный корректор И.Н. Мокина
Технический редактор М.Н. Курочкина

Общероссийский классификатор продукции
ОК-005-93, том 2; 953000 — книги, брошюры

Подписано в печать 15.09.14. Формат 84x108 1/32.
Усл. печ. л. 26,88. Доп. тираж 5000 экз. Заказ № 6470.

Наши электронные адреса: WWW.AST.RU
E-mail: astpub@aha.ru

ООО «Издательство АСТ»
129085, г. Москва, Звездный бульвар, д. 21, стр. 3, ком. 5

Отпечатано в ОАО «Можайский полиграфический комбинат»
143200, г. Можайск, ул. Мира, 93
www.oaompk.ru, www.оаомпк.рф тел.: (495) 745-84-28, (49638) 20-685